LA PART DES FLAMMES

Née à Paris en 1973, Gaëlle Nohant vit aujourd'hui à Lyon. *La Part des flammes* (prix France bleu / Page des Libraires, 2015) est son deuxième roman après *L'Ancre des rêves* (Robert Laffont, 2007) récompensé par le prix Encre Marine. Elle est également l'auteur d'un document sur le Rugby et d'un recueil de nouvelles, *L'Homme dérouté*.

GAËLLE NOHANT

La Part des flammes

ROMAN

ÉDITIONS HÉLOÏSE D'ORMESSON

ISBN : 978-2-253-08743-4 – 1re publication LGF

À la mémoire de mon arrière-grand-mère,
qui m'a inspiré le personnage de Constance d'Estingel,
et de toutes les victimes de l'incendie
du Bazar de la Charité,
qui ont occupé mes pensées durant les quatre années
de l'écriture de ce roman.

À mon père, qui dévora ce roman en une nuit
et en attendait la sortie avec impatience.
Parce qu'en aimant ses enfants
avec une tendresse inépuisable
et une part d'émerveillement,
il nous a donné foi en nous-mêmes.
Parce que nos conversations me manquent pour l'éternité.

À Ninnog, ma petite flamme,
et je sais que les héroïnes de cette histoire
ont des choses à lui murmurer à l'oreille...

C'est si rare maintenant
quand une femme a du tempérament,
que quand une femme en a,
on dit que c'est de l'hystérie.

Jules Barbey d'Aurevilly

Let her go, let her go, God bless her
Wherever she may be
She may search this wide world over
But she'll never find a man like me.

Saint James Infirmary Blues

1

La marquise de Fontenilles n'en finissait pas de
la faire attendre dans cette antichambre aux allures
de bonbonnière. Érodée par l'impatience et la nervosité, l'assurance de Violaine de Raezal s'effritait.
Elle espérait tant de cette entrevue ! La marquise
était un des sphinx de dentelle vêtus qui gardaient
les portes du Bazar de la Charité. Sans son accord,
la comtesse de Raezal avait peu de chances d'y obtenir une place de vendeuse. Elle était consciente que
le mystère auréolant son passé ne plaidait pas en sa
faveur et que le nom de son mari avait perdu de sa
puissance depuis que Gabriel n'était plus là pour
veiller sur elle. Désormais, lorsqu'on recevait la comtesse de Raezal, les arrière-pensées affleuraient à la
surface de la plus exquise politesse. Treize ans
durant, Gabriel de Raezal avait dispersé ces arrière-
pensées de son regard perçant. Mais voilà qu'elles
ressurgissaient, enhardies par sa disparition.

Elle fit quelques pas jusqu'à la fenêtre, jetant un
regard rêveur sur le boulevard Saint-Germain – dont
le tumulte faiblissait comme par correction avant
d'atteindre les fenêtres de l'hôtel de Fontenilles –,

et questionna son obstination à vouloir participer à la plus mondaine des ventes de charité de Paris. Ne pouvait-elle porter secours aux pauvres d'une manière moins exposée ? Peut-être se laissait-elle guider par de mauvaises raisons. Depuis que sa belle-fille avait prophétisé qu'on ne l'accepterait jamais parmi les vendeuses du Bazar, ajoutant qu'elle souhaitait lui épargner l'humiliation d'un rejet, Violaine sentait protester son orgueil. Savourant la cruauté de l'insinuation, Léonce d'Ambronay l'avait dévisagée de ce beau regard bleu qu'elle tenait de son père, un sourire en suspens sur ses lèvres en bouton de rose. Peut-être avait-elle joué de ses relations du faubourg Saint-Germain pour s'assurer que sa belle-mère trouverait porte close. Après tout, elle dînait fréquemment chez la marquise, même si son deuil l'empêchait cette année de participer à la saison comme elle l'eût souhaité.

À l'entrée du valet en livrée, la comtesse de Raezal, élégante et menue dans cette robe noire qui rehaussait la couleur de miel de son chignon natté, tressaillit et se tourna vers la porte. Elle était encore assez jeune pour que sa beauté ne heurtât pas le regard comme une inconvenance. Assez jeune pour que son veuvage constituât une menace aux yeux des autres femmes, et que cette crainte vînt réveiller certaines rumeurs qu'on avait fait mine d'oublier.

Le valet de pied la conduisit dans le salon où l'attendait Mme la marquise, refermant délicatement les portes derrière lui pour les laisser en tête à tête.

— Chère madame, veuillez m'excuser pour ce contretemps, lui dit Pauline de Fontenilles avec cette grâce mondaine qui avait forgé sa réputation. Asseyez-vous, je vous en prie.

— Je vous remercie, chère madame, d'avoir pris la peine de me recevoir alors que nous ne nous connaissons pas.

Le rêva-t-elle, ce petit éclair dans les yeux de la marquise qui semblait dire : « Oh mais si, je vous connais » ? Bien sûr, elles s'étaient déjà croisées à la saison des bals, silhouettes virevoltantes et décolletées laissant dans leur sillage quelques effluves de poudre de riz mêlés aux arômes d'essences subtiles et raffinées. Mais elles n'avaient jamais été présentées. Ce qui, en ce monde, suffisait à créer la distance.

— J'ai appris pour votre époux, dit la marquise, et je vous adresse mes sincères condoléances dans le deuil qui vous frappe... Il est des moments où le Seigneur nous éprouve sans merci, n'est-ce pas ? Peut-Il nous atteindre plus durement qu'en nous enlevant ceux que nous aimons ? ajouta t-elle avec une compassion qui semblait s'adresser avant tout à elle-même.

Il était de notoriété publique que la marquise de Fontenilles n'avait pas été épargnée par Dieu. La fièvre typhoïde lui avait ravi deux enfants quelques années plus tôt.

— Sans doute, répondit Violaine d'une voix douce, étions-nous trop contentes de notre sort, au chaud dans l'amour de nos proches... La leçon n'en est que plus douloureuse. Je ne vous cacherai pas, madame, que depuis le départ de mon mari je ressens la nécessité d'être utile. Je brûle du désir de me consacrer à des œuvres de charité, en mémoire de Gabriel qui était un homme très généreux.

De nouveau cet éclair insaisissable dans les yeux verts de la marquise… L'imaginait-elle ?

— Cette décision vous honore, madame, répondit son hôtesse avec un sourire d'encouragement, jouant machinalement avec la pierre d'un camée épinglé à son corsage de soie froncée. Dieu sait que nous manquons de bras et de volontés pour porter secours à tous les malheureux. Et où souhaiteriez-vous commencer à nous aider ? Avez-vous élu une œuvre en particulier ?

Nous y voilà, songea Violaine, qui s'efforça d'avoir l'air détaché à l'instant de formuler la requête qui l'avait conduite ici.

— J'aimerais commencer par tenir un comptoir au Bazar de la Charité, dans quelques semaines. Le choix de l'œuvre m'est indifférent.

Cette fois elle ne s'imaginait rien, l'éclair s'était attardé davantage dans les yeux de Pauline de Fontenilles. Il y avait de la colère dans cet œil vert voilé, Violaine venait de s'engager sur une voie défendue sans respect de l'étiquette.

— Pourquoi le Bazar de la Charité ? J'avoue, souligna la marquise, que je m'interroge sur un tel choix. Il serait opportun de commencer par agir plus modestement, dans une de nos œuvres. Nos vendeuses ont déjà une longue expérience de dames patronnesses, et au Bazar les places sont chères, si je puis m'exprimer avec franchise.

Cette phrase contenait un mensonge et une vérité. S'il était vrai que beaucoup des vendeuses illustres du Bazar œuvraient depuis des années pour les organismes de charité de Paris, la comtesse de Raezal savait que son nom seul eût suffi à l'introduire dans ce cénacle. Il y avait autre chose. Quelles insinuations avait-on rapportées à la marquise ? De quels murmures avertis, de quelles rumeurs vipérines avaient bourdonné les salons, les salles de bal et les boudoirs ?

— Eh bien... je comprends votre hésitation, répondit Violaine. J'ai bien sûr l'intention d'œuvrer aussi sur le terrain. Le Bazar de la Charité est pour moi l'occasion d'inaugurer cette nouvelle vie au service des pauvres. Voyez-vous, Gabriel et moi sommes allés y faire des emplettes l'année dernière et il m'a confié ce jour-là qu'il aimerait me voir participer à une si noble entreprise. Réaliser ce vœu cette année, alors qu'il vient de me quitter, aurait pour moi valeur d'hommage.

Elle mentait en partie. Son mari et elle s'étaient bien rendus au Bazar, mais ce n'étaient pas les bienfaits religieux de cette vente de charité mondaine qui avaient séduit Gabriel. C'était l'aura de vertu aristocratique qui se dégageait de toute cette opération juteuse créée quelques années plus tôt par Henri Blount avec l'aide du baron de Mackau : réunir la plupart des œuvres de charité au même endroit durant quelques semaines, au printemps, et en faire un des rendez-vous les plus courus de la saison en installant la fine fleur de la noblesse française derrière des comptoirs comme de simples vendeuses. Le Tout-Paris défilait pour acheter une babiole à ces commerçantes du Gotha. Et Gabriel avait songé tout haut que cette carte de visite ne serait pas de trop pour sa bien-aimée. Un pas de plus vers la respectabilité, si longue à venir dans un milieu qui fermait les yeux sur bien des scandales privés ou politiques, mais se montrait sans pitié envers les jeunes filles soupçonnées d'avoir déchu. Nul n'était besoin d'établir la preuve du forfait, le soupçon tenait lieu de marque au fer rouge que la plus fine dentelle, la broderie la plus ouvragée, la plus étincelante parure de diamants d'une comtesse chrétiennement mariée ne pourraient jamais cacher.

— Vous savez, avait-il insisté comme elle protestait, arguant qu'elle n'avait pas besoin de l'estime de ces gens, un jour je ne serai plus là et vous serez seule. Ce sont des loups, tous autant qu'ils sont. S'ils vous considèrent comme une des leurs, ils vous protégeront.

Le mal qui allait emporter Gabriel progressait. La douleur dans son corps lui soufflait que la fin de sa vie approchait, et il se faisait du souci pour Violaine. Il était conscient que ses enfants ne seraient pas un recours pour sa jeune épouse. Ils ne l'avaient jamais aimée et, à sa mort, elle deviendrait une concurrente dans la succession. Violaine, qui savait que l'angoisse de la laisser sans défense le rongeait, tenait à ce qu'il quittât ce monde en paix.

— D'accord, mon bien-aimé, je ferai ce qu'il faut pour être acceptée par les loups du faubourg Saint-Germain, lui avait-elle murmuré en l'embrassant près de l'oreille.

Voilà qui semblait moins facile aujourd'hui, face à cette ravissante marquise qui n'avait jamais eu à s'inquiéter pour son avenir, passant de la protection de ses parents à la générosité d'un mari titré et fortuné. Pauline de Fontenilles n'avait jamais tremblé de faim ni de froid, n'avait jamais redouté d'être sans ressources, de se retrouver seule au monde. Elle s'occupait de charité parce que c'était ce que faisaient les femmes de son monde, et que cela lui donnait le sentiment d'être une meilleure personne. Et peut-être l'était-elle, de donner ainsi de son temps dans les hôpitaux, visitant les gourbis où de pauvres hères retournés à l'état de bêtes fixaient de leurs yeux hagards cette bonne fée qui leur donnait à boire et à manger avec des mains gantées de chevreau.

— Madame, j'ai compris que le Bazar de la Charité est un symbole qui vous tient à cœur, et croyez que je voudrais pouvoir accéder à votre demande, lui répondit la marquise de Fontenilles avec une fermeté courtoise. Mais vous n'êtes pas sans savoir que le nombre de comptoirs y est fixé une fois pour toutes. Cette année, nous déménageons rue Jean-Goujon, dans un entrepôt tout neuf mais qui, hélas, n'est pas extensible. Nous n'y pouvons aligner qu'une vingtaine de comptoirs, et nous avons déjà trop de vendeuses. Je crains de ne pouvoir vous obliger. En revanche, si vous voulez que je vous introduise dans une de nos œuvres, ce sera bien volontiers, usez de mon nom sans hésitation ! Je m'occupe pour ma part de trois œuvres différentes dans Paris, et mon carnet de relations vous en ouvrira une bonne trentaine. Le choix est large ! ajouta-t-elle, enrobant d'un sourire la gifle de son refus.

— Je n'hésiterai pas à user de votre nom, madame, répondit Violaine dont le regard s'était voilé de tristesse. Mais je me permets, au risque de vous importuner, de vous demander de réflechir encore à ma requête. Il me semble que je le dois à mon époux. Puis-je espérer que s'il y avait un désistement, vous auriez la bonté de penser à moi ?

— À votre place, répondit la marquise derrière ce masque mondain que l'agacement commençait à fendiller, je n'y compterais pas trop. Nous n'avons jamais eu tant d'œuvres de charité dans Paris, et il faudrait s'en réjouir si le nombre de pauvres ne subissait la même inflation. Et même sur ce terrain où la concurrence ne devrait pas exister, elle existe. Les places sont chères... J'ai dû refuser, hier, les filles d'une de mes amies. La sainte œuvre de M. Blount est victime de son succès !

Au regard du rang de sa visiteuse, la marquise eût, en des circonstances normales, fait mine de considérer sa requête. Puis, la faisant patienter quelques jours, elle eût avancé que ses démarches avaient été vaines, et qu'à son grand regret, elle n'avait rien pu faire. Lui opposer une fin de non-recevoir était un camouflet. Violaine ravala sa déception et sa colère, remercia la marquise de sa générosité, lui promit de lui rendre compte de son expérience de dame patronnesse, des joies et des peines qu'elle en retirerait, et prit congé. Une fois dehors, sur l'asphalte du boulevard où s'apostrophaient les conducteurs de fiacre, elle leva les yeux vers les hautes fenêtres de la marquise. Les loups du faubourg Saint-Germain n'étaient pas disposés à l'accueillir parmi eux.

Elle renvoya son chauffeur. Son hôtel particulier de la rue de Babylone était tout proche et elle avait besoin de marcher. Sa tête bourdonnait de l'humiliation reçue, ses pensées étaient gorgées de sanglots. Enveloppée dans son manteau noir, elle avait froid et faim soudain, livrée à elle-même dans cette ville tumultueuse et privée du regard d'amour que Gabriel avait posé sur elle durant treize ans.

2

Constance d'Estingel n'avait plus franchi le porche des dominicaines de Neuilly depuis son départ de pension, et sa gorge se serra en retrouvant le parfum des buis et des lilas fraîchement éclos qui embaumaient le jardin de cette institution où elle avait vécu jusqu'à son entrée dans le monde. Beaucoup de ses amies d'enfance étaient à présent d'heureuses jeunes mariées, ou de nouvelles mères qui jetaient un regard sans nostalgie sur leurs années de pension. Constance, pour sa part, eût donné cher pour revivre ces années sous la férule des sœurs. Être à l'abri du monde et de ses dangers, être encore en devenir...

Jusqu'à la pension, cette jeune femme brune au visage de reine précocement mûrie avait grandi dans la solitude des enfants uniques, livrée le plus souvent à la sollicitude des domestiques tandis que ses parents menaient une vie mondaine des plus occupées. Son cœur de chat efflanqué, affamé de tendresse, n'avait pu s'attacher qu'à quelques gouvernantes et *Fräulein* de passage qui le lui rendaient plus ou moins bien, selon le baromètre de leurs humeurs et de leurs relations avec la maîtresse de maison. Sa relation la plus profonde s'était nouée avec la cuisinière de ses parents, Célestine Macherot, emportée par la grippe un soir de février où le vent hurlait dans le sixième étage des domestiques. Il avait fallu détacher la main de Constance de la main talée de la cuisinière, l'emmener malgré ses pleurs, la coucher, la border, et sa mère s'était dévouée pour le faire même si c'était son heure préférée, celle où Mlle Maupin donnait un récital de piano dans le petit salon. Tard dans la nuit, quand son époux était rentré de ses vagabondages dans les lieux mal famés de la ville, Amélie d'Estingel lui avait fait part de l'urgence d'envoyer leur fille en pension dans un établissement qui lui garantirait de bonnes fréquentations et endurcirait son émotivité, et il s'était laissé fléchir. Peu après cette nuit glaciale, Constance avait été reçue par la mère supérieure des dominicaines de Neuilly, une femme d'un abord aride qui ne gaspillait pas son affection. Huit ans plus tard, Constance était devenue la protégée de la mère Marie-Dominique ; cette dernière avait su apprivoiser son cœur juvénile et l'avait armé de volonté et d'aspirations spirituelles.

Constance ne lui confiait pas ses angoisses les plus viscérales, tenant serrés en elle les remous d'une âme qui se révoltait parfois jusqu'au vertige. Mais elle lui demeurait plus attachée qu'à quiconque et avait fait d'elle son guide spirituel. La quitter avait été un déchirement. Elle avait pris l'habitude de lui écrire presque chaque jour, lui contant les mille petites luttes auxquelles l'exposaient les débuts de sa vie mondaine.

21

Ce matin d'avril, la jeune fille était porteuse d'une nouvelle si importante qu'elle nécessitait une entrevue.

La sœur tourière, le visage parcheminé et criblé de taches de vieillesse, qui avait été bonne à tout faire chez des bourgeois deux tiers de sa vie avant de venir finir ses jours à la porterie des sœurs, vint l'embrasser avec joie et l'introduisit dans le bureau de la mère supérieure.

— Mère Marie-Dominique vous rejoint dans un instant, dit la vieille femme, la contemplant de ses yeux brillant telles deux pierres précieuses enchâssées dans les rides. Vous avez bien grandi, mademoiselle. Vous êtes belle comme un cœur. Vous devez en faire tourner, des têtes !

Constance lui rendit un sourire affectueux. Obnubilée par les défauts de son caractère, elle n'avait pas conscience de sa beauté.

— Comment vous portez-vous, sœur Ange-Marie ? l'interrogea-t-elle avec sollicitude.

La sœur tourière avançait sans se plaindre sur les pilons maigres et tordus qui lui servaient de jambes, et son dos de plus en plus voûté atteindrait bientôt l'angle droit, mais les basses besognes lui revenaient toujours. Lorsque les sœurs avaient proposé de l'en soulager, la vieille sœur avait pleuré des larmes si amères qu'on lui avait restitué ses prérogatives.

— Je vais bien. Toute cette jeunesse, ça me réjouit le cœur et c'est fatigant, mais de bonne fatigue ! Pas un jour je ne me couche sans rendre grâce de voir grandir ces jeunes filles. Autrefois, je menais une vie à peine moins laborieuse, mais… sèche, vous voyez ?

Alors chaque journée me paraissait durer le double de temps.

Constance songea avec étonnement à la joie de vivre de cette femme. Elle ne put s'empêcher de la comparer à l'éternelle insatisfaction de sa mère, qui n'avait pourtant jamais eu de plus grand effort à faire que de tendre la main vers la petite clochette dorée qui sonnait ses gens.

— Et votre mère, comment va-t-elle ? demanda sœur Ange-Marie. J'ai appris qu'elle avait été souffrante cet hiver ?

Se plaignant de migraines persistantes et de douleurs articulaires, Amélie d'Estingel venait de passer plusieurs mois en cure à Évian.

— Ma mère se porte comme un charme, mais il faut dire que les bals de printemps ont commencé !

— Tant mieux ! Et comptez-vous retourner à Lourdes cette année ?

Les yeux de Constance se voilèrent au souvenir du pèlerinage qu'elle avait fait l'année précédente, tandis qu'un haut-le-cœur la saisissait. Jamais elle n'aurait la force de retourner là-bas.

— Je ne sais pas si je pourrai trouver le temps cette année, répondit-elle plus sèchement qu'elle ne l'aurait voulu.

Elle se détourna vers la haute fenêtre qui plongeait dans le jardin du pensionnat. Un groupe de jeunes filles en uniforme bavardaient en dessous, dans les allées bordées de buis et de rosiers grimpants. Une surveillante les rappela à l'ordre, et elles s'éloignèrent en gloussant.

— Bonjour, mon enfant, dit une voix grave et chaude.

Constance se tourna vers la porte qui venait de s'ouvrir.

La mère supérieure, sur qui les années n'avaient aucune prise, vint l'embrasser. Bien que déformée par une scoliose, sa taille imposante ajoutait à son autorité naturelle. Elle s'adressait à ses interlocuteurs depuis une chaire invisible, attribut de son double pouvoir temporel et religieux. Un regard perçant grossi par un face-à-main en or – seule coquetterie d'une mise austère – finissait de la rendre intimidante.

— Quel bonheur de vous voir ici ! J'avais quitté une enfant et je retrouve une jeune femme. Vous semblez en bonne forme, mais ce teint est un peu pâle... Prenez-vous de l'exercice, maintenant que les jours s'allongent et que le temps permet de sortir ?

— Je fais quelques balades au Bois, et je vais bientôt recommencer à monter à cheval, répondit Constance, un large sourire illuminant son visage pur de gisant médiéval. Ma mère, je suis si heureuse de vous voir... Il y a longtemps que je voulais vous rendre visite mais...

— Allons, je sais que les jeunes filles d'aujourd'hui ont une vie bien remplie ! protesta la mère supérieure.

La sœur tourière s'éclipsa pour les laisser ensemble, et elles s'installèrent sur une causeuse adossée au mur du fond, sur laquelle les rayons de soleil dessinaient de savants jeux d'ombre.

— Que me vaut le plaisir de votre visite, mon enfant ? demanda la mère supérieure, qui, en bonne directrice de pension, ne perdait pas de temps. Avez-vous une bonne nouvelle à m'annoncer ? Ah, vous rougissez, je devine que oui !

Mère Marie-Dominique de l'Enfant Jésus s'était un jour appelée Joséphine de Mortemer. Elle appartenait à la branche cadette d'une famille d'ancienne noblesse qui s'était illustrée quatre siècles durant au service du roi avant d'être décimée par la Révolution. Dans sa lignée, on ne comptait pas moins de vingt-sept ancêtres décapités, dont neuf l'avaient été pour leurs exploits dans la guerre des chouans. Ces hauts faits et le prestige de son nom eussent dû assurer à la jeune héritière un brillant mariage. Malheureusement elle était affligée d'une scoliose si prononcée qu'elle avait déformé sa silhouette au sortir de l'enfance. À l'âge de dix-huit ans, traitée par les siens avec la condescendance qu'on réserve aux laides, Joséphine de Mortemer avait choisi d'entrer en religion. Son lignage et son caractère d'airain l'avaient conduite à diriger le couvent des dominicaines de Neuilly et son institution de jeunes filles. Son prestige personnel était tel que les meilleures familles de la noblesse parisienne – même si les nécessités du temps l'obligeaient désormais à ouvrir les portes de sa pension à la grande bourgeoisie – se pressaient dans son bureau dans l'espoir de lui confier leur progéniture.

— Ma mère, murmura Constance, je vais me fiancer.

— Merveilleux, approuva mère Marie-Dominique. Quelle heureuse nouvelle ! Qui est le jeune homme ? Où l'avez-vous rencontré ? Je dois avouer que j'ai souvent prié pour vous, mon enfant, connaissant la pureté de votre cœur. Votre mère m'a confié un jour qu'elle s'inquiétait de ne jamais vous voir arrêter votre choix, aussi ai-je demandé à Dieu que votre exigence légitime ne soit pas entachée d'orgueil.

Constance se sentit bouillir à l'idée que sa mère avait pu oser se plaindre d'elle à cette femme qui lui témoignait l'affection qu'elle n'avait jamais su lui prodiguer. Elle revit l'expression furieuse de sa mère, un soir, dans le vestibule de leur hôtel particulier, après ce bal donné par la comtesse de Boigne où elle avait à plusieurs reprises refusé de danser. « Une vieille fille, voilà le destin que vous vous préparez ? lui avait-elle jeté à la figure. Voulez-vous nous faire honte ? Est-ce que ces bonnes sœurs vous ont gâté la cervelle ? »

La jeune fille s'efforça de calmer le léger tremblement des doigts qui trahissait sa colère.

— Mon fiancé s'appelle Laszlo, et je l'ai rencontré chez la princesse de Romainville, il y a quelques mois.

Mère Marie-Dominique fronça les sourcils.

— Est-il polonais ?

Trop de Polonais avaient eu le mauvais goût de venir mourir à Paris sur les barricades de la Commune, et la mère supérieure leur gardait toute sa méfiance.

— Sa mère descend d'un prince hongrois qui a choisi l'exil au XVIe siècle, lors des troubles liés à la succession du trône de Hongrie, après avoir échappé de peu au massacre de sa famille. Elle-même a voulu un jour découvrir notre pays, où sa famille avait vécu plus de cinquante ans, et elle y a rencontré son mari, le comte de Nérac.

— Ah oui, Nérac, dit mère Marie-Dominique. Vieille noblesse du Languedoc. Ce garçon appartient-il à la lignée de Vital de Nérac ?

— Je l'ignore, rougit Constance. Son père s'appelle Raymond et Laszlo a une sœur aînée, Caroline, qui vit au château de Nérac. Leur mère est morte il y a plusieurs années. Je crois que le domaine de Nérac est situé tout près d'une petite ville du Languedoc...

— Fanjeaux, compléta son interlocutrice dont la mémoire accomplissait des prodiges quand il s'agissait de la noblesse de France. Mon enfant, ce garçon est de bonne famille, et je ne peux que m'en féliciter pour vous. Vos parents sont-ils contents ?

— Oui.

Ils étaient plus que cela. Sa mère était transportée à l'idée de pouvoir annoncer à ses amis qu'un héritier à moitié hongrois allait la débarrasser de sa fille. Même si elle répétait déjà, en vue du grand jour, son rôle de mère éplorée à l'idée de perdre une enfant chérie.

— Et vous, mon enfant, êtes-vous heureuse ? demanda mère Marie-Dominique avec une sollicitude qui fit monter les larmes aux yeux de Constance.

— Je suis heureuse, oui..., répondit-elle. Mon fiancé est charmant, très prévenant. Il a toutes les qualités qu'on peut espérer trouver chez un époux. L'autre jour, après avoir demandé ma main à mon père, il a osé m'ouvrir son cœur, et il m'a dit... il m'a dit ceci…, se troubla la jeune femme au bord du précipice de sa confidence.

— Parlez sans crainte, la rassura mère Marie-Dominique qui avait haussé les sourcils et tendu son face-à-main vers la jeune fille, toute son attention éveillée. Que vous a-t-il dit, Constance ?

À l'instant de parler, cela semblait impossible. Elle revoyait le visage amoureux de Laszlo agenouillé devant elle dans le petit salon, lors du premier moment d'intimité qu'ils avaient eu. Il tenait ses mains fines et blanches entre les siennes et le velouté de sa voix, joint à l'expression tendre de ses yeux noirs, avait fait fondre quelque chose en elle tandis qu'il lui parlait, cherchant ses mots :

« Chère Constance, depuis le jour où je vous ai aperçue dans ce bal, au milieu de tous ces gens qui m'étaient indifférents, j'ai été happé par votre profil, sa pureté… Il y a en vous une enfant sauvage qu'il faut apprivoiser, cela me touche et me séduit. Je serai pour vous le plus fidèle des amis, le plus solide des époux. Mais je veux aussi… Je veux que vous n'ayez pas peur de moi. Je veux que vous soyez mon amour, mon amie, mon amante. Je veux mériter votre confiance et que vous ne redoutiez pas de vous donner à moi. Je veux que nous soyons unis davantage que les autres, ces époux qui ne comblent jamais le fossé qui les sépare. Voulez-vous, Constance ? Voulez-vous être mon amour, mon amie, mon amante ? Peu importe le temps que cela prendra, si vous êtes d'accord, je vous apprivoiserai. »

Elle n'avait rien répondu, la gorge trop serrée pour articuler un mot, laissant ses mains dans les siennes et écoutant le grand tumulte qui montait en elle. Il était reparti sans autre assurance que cet instant fragile où elle ne lui avait pas retiré ses mains, où son regard n'avait pas fui le sien. Depuis elle ne l'avait pas revu, mais ses nuits avaient été traversées d'insomnies, d'émotions violentes et souterraines. Son esprit ne lui avait laissé aucun repos et elle était épuisée. C'était pour trouver la paix, d'une manière ou d'une autre, qu'elle était venue à Neuilly. Il fallait qu'elle allât au bout de sa confession, même si une part d'elle-même la suppliait de l'édulcorer avant de la soumettre à ce juge implacable.

— Il m'a dit qu'il m'aimait, qu'il serait pour moi un mari fidèle et solide.

Hochant la tête en souriant, mère Marie-Dominique abaissa son face-à-main et s'en servit pour tapoter l'accoudoir de la causeuse.

— Et il m'a dit… qu'il espérait que je serais son amour, son amie et son amante.

La mère supérieure sursauta, laissant échapper le face-à-main qui manqua se briser en tombant.

— Mon enfant, a-t-il employé ces mots précis ? Ces mots-là ?

— Oui, ma mère.

— Et qu'avez-vous répondu ? interrogea-t-elle froidement.

— Je n'ai rien répondu.

— L'avez-vous revu, ma fille ?

— Non, je ne l'ai pas revu depuis ce jour-là.

La mère Marie-Dominique laissa échapper un soupir qui disait à la fois son accablement et la certitude de la réponse à apporter à la jeune fille en péril qui se tenait devant elle.

— Constance, chère petite..., murmura-t-elle en détachant les mots, vous ne devez jamais revoir cet homme. M'entendez-vous ? Jamais.

Il sembla à la jeune fille qu'elle contemplait, fascinée et interdite, l'anéantissement du tourment délectable qui l'avait rendue dangereusement vivante ces dernières semaines. Elle avait toujours su ce que lui répondrait la mère supérieure et elle était venue précisément chercher cette réponse-là, comme on ne peut s'empêcher de laisser tomber une allumette au milieu des herbes hautes. Ce n'était pas seulement le jugement sans appel de la seule figure maternelle sur laquelle elle ait jamais pu s'appuyer.

C'était aussi et surtout, s'exprimant à travers cette bouche sèche pour foudroyer d'un trait brûlant son insolent amour, la réponse de Dieu.

3

— Qui vous envoie, madame ? demanda la sœur,
dont la cornette noire dissimulait un profil d'oiseau.

La douceur d'un soleil printanier, qui gonflait
Paris de sève depuis quelques jours, s'arrêtait à la
lourde porte de l'ancien couvent qui abritait un des
premiers sanatoriums populaires de la ville, en plein
cœur du populeux et bruyant quartier du Temple.
Passé le seuil, Violaine de Raezal avait été saisie par
le froid humide qui hantait ce corridor sombre, au
fond duquel l'avait reçue la cornette, haute et sévère
derrière son comptoir. Dès ce premier barrage, elle
fut tentée de rebrousser chemin tant qu'elle le pouvait et d'éviter de s'exposer à un risque de contagion.
Elle était venue au culot, ayant appris qu'une dame
farouche et timide de la meilleure société de Paris
offrait ici plusieurs heures de son temps chaque
semaine, et espérant la rencontrer. Mais au moment
de proposer ses services, sa vieille appréhension res-
surgissait.

Entre toutes les maladies effrayantes qui déci-
maient Paris, la tuberculose était aux yeux de la
comtesse de Raezal la plus dangereuse et la plus

terrifiante. Non qu'elle connût les statistiques indiquant qu'elle était également la plus mortelle, mais elle était hantée par ces images sordides de pulmonaires au dernier stade, les yeux caves, moribonds étiques crachant leur dernier sang comme un testament que personne ne voulait recueillir. Les peintres immortalisaient avec complaisance ces agonies de la « peste blanche », le souffle exténué de ces phtisiques décharnées, leur teint d'Ophélie languissantes emportées dans la fleur de l'âge. Violaine, qui aimait marcher dans la grande ville plutôt que l'arpenter en fiacre, croisait régulièrement des malades qui crachaient par terre. Elle reculait horrifiée à la vue de ce crachat sanglant qui portait la mort. Sur les murs, des affiches exhortaient les tuberculeux à ne plus cracher sur le sol au risque de transformer la ville en foyer d'infection géant, et à utiliser des crachoirs de poche. On disait que le bacille restait virulent plusieurs mois dans les mucosités. Que la poussière de crachat se collait partout dans les maisons, dans les moulures des plafonds, les rideaux, les angles de portes et de fenêtres. Que la transpiration du malade, sa salive et ses vêtements étaient toxiques. Qu'il fallait désinfecter les lieux où avait vécu un phtisique, ce qu'on faisait rarement. Les riches tombaient malades et ils se réfugiaient dans les sanatoriums qui se multipliaient sur les littoraux et à la montagne. Les pauvres tombaient malades et ils mouraient à petit feu dans leurs logements exigus, contaminant leurs proches. Et tout le monde continuait de cracher sur l'asphalte des boulevards, des rues et des impasses, à cracher sur les quais de gare, sur les marches des églises, sur le sol fraîchement ratissé des allées des parcs et des squares. Et Paris était cette ville bouillante et mortifère où plus de deux millions d'êtres espéraient ne pas se réveiller un matin en toussant. Mais Violaine de Raezal ne voulait pas mourir.

— Je suis la comtesse de Raezal, Mme la marquise de Fontenilles m'envoie vers vous, déclara-t-elle avec cette pointe de sécheresse qu'on attendait d'une dame de son rang. Tout est réglé avec elle, je dois commencer aujourd'hui.

— Fort bien, madame la comtesse. Mme la marquise passe en général à la fin du mois, lui répondit la cornette noire. J'ai quelques recommandations à vous faire avant de voir nos malades. Mais tout d'abord, je vais vous demander de passer une blouse, c'est une protection insuffisante mais plus que nécessaire au contact de nos malades.

— Très bien…, murmura Violaine de Raezal d'une voix blanche, tandis qu'une onde glacée refluait le long de son échine.

— Suivez-moi, je vous prie.

Elles empruntèrent le corridor qui débouchait dans une petite salle d'attente simple et propre. De l'autre côté, un second couloir aussi long et étroit que le premier menait à la salle des malades. Ici venaient mourir les phtisiques qui n'avaient pas les moyens de partir en sanatorium. Cinq ou six religieuses et deux médecins veillaient sur eux, tentaient de les réalimenter, leur donnaient à boire et vidaient leurs crachoirs ensanglantés. Ce sanatorium pour les ouvriers pauvres relevait de la générosité de la princesse de Rainai, une vieille dame retirée dans son château en Sologne qui finançait de son nom trois œuvres de charité dans Paris : l'une au profit des orphelins des ouvriers de la manufacture des tabacs, la deuxième abritant une aide au noviciat dominicain, et la troisième, donc, qui recueillait les phtisiques aux stades les plus avancés de la maladie pour tenter de les sauver, ce qui arrivait rarement car ils venaient trop tard. Un ouvrier gagné par le mal continuait à travailler jusqu'au bout de ses forces, et le bacille l'avait déjà rongé jusqu'à la corde lorsqu'il songeait à se soigner, ayant perdu son emploi. Au regard des hôpitaux de Paris, qui étaient des mouroirs où les tuberculeux agonisaient dans des salles surchargées et contaminaient les autres malades, ce sanatorium populaire était une expérience philanthropique prometteuse, reposant entièrement sur des fonds privés et la bonne volonté des sœurs et des dames patronnesses.

Dans la salle d'attente, la cornette prépara la comtesse de Raezal à rencontrer les malades.

— Il est important de prendre toutes les précautions, madame. Nos malades sont très contagieux. Il faut veiller à ne pas s'exposer aux crachats car ils sont extrêmement virulents. Chacun dispose d'un crachoir personnel qu'il doit utiliser. Certains sont trop faibles et crachent par terre. Si cela se présente, appelez-nous au plus vite pour que nous désinfections le sol. Les draps et les vêtements souillés doivent être emballés avec soin dans de grands sacs fermés sans que vous les touchiez directement, et transportés dans une étuve de désinfection. Mais vous n'aurez pas à le faire, nous nous en chargeons. Votre rôle est de les écouter, de veiller à ce qu'ils aient à boire et à manger en suffisance. Ils sont très amaigris et doivent s'alimenter toutes les deux heures, manger beaucoup de viande, des œufs, et boire du jus de viande. La salle où ils sont doit être aérée en permanence, mais il faut les protéger des courants d'air. Nos malades ont besoin de la plus grande attention car ils sont très affaiblis et ont du mal à parler. Il ne faut pas les y forcer, et éviter de les faire répéter car cela déclenche des quintes et leur brûle les poumons. Certains voudront vous parler, ils montreront une forte agitation ; il faut les calmer, les accompagner, vous asseoir un moment avec eux, les écouter. S'ils toussent, tendez-leur le crachoir. S'ils peinent à respirer, redressez-les, parlez-leur doucement. D'abord et surtout, même s'ils ne le réclament pas, offrez-leur un secours spirituel ; car ils sont comme des enfants que l'approche de la mort terrorise. Dans ces familles pauvres, l'éducation religieuse est souvent sommaire et leur âme manque de force lorsque l'heure vient de quitter ce monde. Vous pouvez leur apporter beaucoup et les préparer à la mort. Prévenez-moi s'ils demandent un confesseur.

Violaine, plus oppressée que si on venait de resserrer son corset, prit note de chaque conseil. Fallait-il vraiment aller jusque-là pour tenter d'entrer au Bazar de la Charité ? La cornette lui tendit un masque dont elle se couvrit le nez et la bouche, sans accorder une grande confiance à ses pouvoirs préventifs.

Débouchant de ces couloirs suintants à l'odeur de salpêtre, la jeune femme ne s'attendait pas au bain de lumière qui l'accueillit dans la salle des malades. Cette salle impressionnante, entièrement voûtée et très haute de plafond, était le cœur de l'ancien couvent où la princesse de Rainai avait choisi d'installer son sanatorium. Et à la contempler, le choix en paraissait judicieux. En effet, on avait percé les voûtes romanes de larges croisées suivant la ligne des arcs plein cintre, par lesquelles une lumière dorée pénétrait à flots. Le long des parois, de nombreuses fenêtres assuraient l'aération continue de la pièce, occupant des renfoncements muraux entre lesquels étaient disposés une vingtaine de lits en fer forgé, dont les draps blancs dissimulaient en partie des silhouettes souffreteuses et maigres. Chaque lit disposait d'une petite étagère en fer qui servait de table de nuit et sur laquelle attendait le fameux crachoir : un récipient en métal hermétiquement fermé, rempli pour un tiers d'une solution phéniquée de couleur bleue. Le sol était un plancher de chêne imperméabilisé à l'aide d'une solution de paraffine afin qu'on pût y passer deux fois par jour une serpillière humide imbibée d'un désinfectant.

La grande simplicité des lieux et du mobilier, l'absence de rideaux et de tapis, la lumière blanche et les visages cireux des malades évoquaient un genre de crypte futuriste. Et peut-être était-ce la finalité de ce lieu, servir de crypte à de pauvres hères que la charité bien née guidait vers une mort sanctifiée, eux qui, sans elle, eussent crevé comme des bêtes, le cœur plein de révolte et d'amertume. Si ces vertueuses dames patronnesses ne visaient pas à panser les plaies d'une société foncièrement inégalitaire, elles s'employaient à en apaiser les convulsions et à faire accepter aux pauvres l'injustice de leur destin. Qu'ils en saisissent la valeur rédemptrice et consentent à porter leur croix, et ils rejoindraient ces figures de la sainteté indigente dont on se servait pour édifier les enfants des riches.

Violaine avança avec précaution entre les lits d'où montaient des plaintes exsangues et desséchées. Intimidée, elle ne savait par où commencer.

« À boire… », gémissait-on sur sa droite. Plus loin un malade sans âge appelait sa mère, scrutant l'horizon de ses yeux caves, et un jeune homme squelettique, dressé sur son lit, le visage hâve dévoré par l'angoisse, demandait où l'on avait mis son chien. Violaine s'approcha de lui. Il n'avait sans doute pas plus de vingt ans, mais ses traits portaient le poids d'une longue série d'épreuves qui avaient usé son courage et sa force de vivre. Qui était-il ? Quelles infortunes l'avaient conduit, ce garçon qui un jour avait eu un beau visage à la chair ferme, à supplier sur un lit d'infortune qu'on lui rendît son chien pour mourir ? Violaine se souvint des recommandations et lui promit qu'elle allait s'enquérir de l'animal, elle revenait, qu'il l'attende sans se fatiguer ni appeler.

Elle parcourut une dizaine de mètres, hélant une jeune sœur au visage constellé de taches de rousseur sous son masque de gaze :

— Excusez-moi mais ce jeune homme, là-bas, réclame son chien. Où se trouve-t-il ?

— Les chiens ne sont pas admis ici, madame, répondit son interlocutrice avec le débit saccadé des gens débordés. On ne s'en sortirait plus… La plupart des malades ont des animaux de compagnie, en général infestés de parasites. On n'autorise aucun animal ici ni aucun objet familier car ce sont des nids de contagion. Aucune visite non plus. Les mourants peuvent écrire à leurs proches, ou dicter une lettre s'ils ne savent pas écrire. Leurs proches sont mieux sans eux de toute façon, au moins ont-ils un espoir de rester en vie. Et les malades ont plus de chances de guérir loin de leur famille.

— Mais son chien, où se trouve-t-il ? Je pense qu'il veut juste être rassuré, savoir qu'il va bien, insista la comtesse de Raezal.

— Je ne sais pas, madame…, répondit la jeune sœur avec un air ennuyé. Voyons… vous parlez du jeune homme dans le coin ? Il dormait sous le Pont-Neuf quand on l'a trouvé. Un passant l'a vu cracher du sang et l'a conduit ici, il connaissait notre adresse par sa femme. Il était menuisier, je crois, quand il est tombé malade. Il a perdu son travail et il a vivoté, sans doute d'expédients tout sauf convenables, mais la misère a été la plus forte. Il buvait. Son chien, un bâtard, était presque aussi malade que lui. Il s'est enfui quand le monsieur a emmené son maître. Il doit être mort à l'heure qu'il est.

— A-t-il de la famille ? murmura Violaine dont le cœur s'était serré.

— Je crois qu'il n'a plus personne. Il est très faible et refuse de s'alimenter, c'est la fin.

— Quel âge a-t-il ?

— Dix-neuf ans, répondit la jeune sœur avant de s'éloigner.

Violaine retourna au chevet du menuisier, qui était toujours très agité.

— On m'a pris mon chien, je veux qu'on me le rende ! siffla-t-il avec colère.

Cette phrase déclencha une quinte épouvantable. Horrifiée, Violaine recueillit *in extremis* un filet de bouillie sanglante dans le crachoir déjà souillé.

— On ne peut pas vous le rendre, j'en ai peur. L'homme qui vous a conduit ici l'a confié à une famille, il va bien.

— Une famille ? articula-t-il avec peine, entre deux quintes.

— Je vous en prie, calmez-vous, ne parlez pas, le pria Violaine. On n'accepte pas les animaux ici. Il est mieux dans cette famille, croyez-moi.

Le jeune homme, dont les tempes étaient couvertes de sueur, luttait pour parler. Il articula péniblement quelques mots :

— Des bourgeois ?

— Oui, des bourgeois, répondit Violaine. Un couple, avec deux petites filles. Ils vivent à Passy, au cœur du village. Ils ont une maison avec un jardin. Votre chien y sera heureux.

Une nouvelle quinte secoua le jeune homme, plus violente que la précédente. Le crachoir était à demi plein et Violaine songea qu'il fallait le vider, mais comme elle commençait à se lever, le malade lui saisit le bras, ses yeux noirs brûlant de fièvre et de colère.

— Un jardin ? Vous mentez pas, hein ? Je supporte pas qu'on me mente !

Violaine tenta doucement de détacher ses doigts de son avant-bras, mais le jeune homme resserra son étreinte, les imprimant si fort dans sa chair qu'on eût dit qu'il voulait la marquer.

— Assez de mensonges ! hurla le malade dans un sifflement où se mêlaient le rauque et l'aigu.

La quinte qui s'ensuivit fut si impressionnante que la panique gagna Violaine. Elle assura qu'elle ne lui avait pas menti.

— On a... donné mon chien... comme si j'étais... déjà mort ! siffla le tuberculeux au visage cireux et aux cheveux en bataille.

Ses mains osseuses tremblaient en accentuant leur pression sur le bras de la comtesse.

Violaine s'en voulut, c'était une erreur d'avoir prétendu que le chien avait été adopté, elle aurait dû lui dire qu'il attendait à l'abri la guérison de son maître. Las, le mal était fait et elle ne savait comment le réparer. Il se remit à tousser de plus belle, vomissant le sirop sanglant de ses poumons avec un visage tordu par la souffrance. Toute sa personne se dressait dans une dernière révolte contre le mal qui le consumait. L'envie de vivre s'était réfugiée dans cette rage qui convulsait son corps cachectique et provoquait la toux meurtrière, comme on brave l'ouragan qui va vous emporter.

À l'instant où la comtesse de Raezal se retournait pour chercher de l'aide, le bras meurtri comme si les serres d'un aigle s'étaient refermées sur lui, une silhouette vêtue de noir s'interposa entre le jeune homme et elle.

— Allons, Antoine, il faut vous calmer. Là, respirez à petits coups, doucement. Là, encore. Calmez-vous, cela suffit maintenant. Vous vous donnez en spectacle.

Et la silhouette mince, assise sur le bord du lit, prit la main du malade dans la sienne, ce qui eut pour effet de desserrer l'étreinte de son autre main sur Violaine qui n'osait plus bouger.

— Antoine, avez-vous oublié ce que je vous ai dit l'autre jour ? Votre mère vous regarde du Ciel, elle attend de vous que vous soyez courageux. Ne voulez-vous pas la rendre fière de vous, après tous ces sacrifices ? C'est très dur, je sais, vous souffrez beaucoup. Il ne faut pas lutter, lutter aggrave votre mal. Il faut l'accepter, cette souffrance. Dieu vous l'envoie, non parce qu'Il vous déteste mais parce qu'Il vous aime. Vous n'imaginez pas à quel point le Seigneur vous aime. Il vous aime tant qu'Il pense que vous pouvez porter Sa Croix avec Lui. Le voulez-vous, Antoine ? En avez-vous la force ?

Fascinée, Violaine vit le jeune homme relâcher sa posture tandis que ses yeux s'emplissaient de larmes. La silhouette noire, dont on ne distinguait que l'or d'une chevelure artistiquement nattée en haut de la nuque, caressait à présent la tête du menuisier moribond comme on réconforte un enfant tombé d'une balançoire.

— La vie ne vous a pas épargné, je le sais. Rien ne vous a été facile. Et maintenant on vous demande de souffrir encore, de plus en plus, et de donner

votre vie alors que vous voudriez vivre et travailler...
Vous vous sentez abandonné, las de vous battre...
Vous voudriez la paix, n'est-ce pas ? Mais ce monde,
Antoine, ne donne pas la paix. Dans ce monde il
n'est pas de bonheur possible. Le croire est une
illusion.

Elle avait murmuré ces mots tout bas, juste pour
lui, comme une confidence qui émanait du plus profond de sa conviction.

— Non, il n'est pas de bonheur en ce monde.
Celui que vous rejoindrez bientôt vous consolera
comme une mère son enfant. Il faut avoir confiance
en Dieu, Antoine. Il ne vous lâchera pas la main.

Le jeune homme, exalté et fiévreux, la fixait de
ses yeux pleins de larmes.

— On me dit que vous ne voulez plus manger.
C'est votre droit, mais je voudrais que vous mangiez.
Je voudrais que vous ne rendiez pas les armes.

Il haussa les épaules dans un geste si désespéré
que les larmes montèrent aux yeux de Violaine. Elle
s'éloigna, elle était de trop. Elle s'aperçut que son
bras droit, là où le jeune malade s'y était cramponné,
était trempé de sueur. À nouveau, la peur la submergea. Elle marcha plus vite qu'elle ne l'aurait
voulu, droit devant elle, jusqu'au bout de la salle où
la sœur aux taches de rousseur remplissait des
assiettes pour la collation des malades.

— Excusez-moi, dit la comtesse. Un malade m'a
agrippé le bras et ma blouse est souillée, que dois-je
faire ?

— Il faut l'ôter immédiatement et la faire désinfecter, répondit la jeune sœur. Rendez-vous dans la

salle de désinfection, au bout du couloir à droite, tout au fond.

Violaine chercha un moment la salle de désinfection, se trompant de porte et de couloir, et c'est en parcourant un nouveau corridor glacé sur une bonne trentaine de mètres qu'elle finit par la dénicher. C'était une grande pièce où régnait une chaleur insoutenable. Une sœur plus âgée l'y accueillit, l'aida à enlever la blouse et la plongea dans cette machine impressionnante qu'on appelait une étuve. Elle enfila une blouse propre sous le regard bienveillant de la religieuse :

— C'est la première fois que vous venez, n'est-ce pas ? Ça se passe bien ?

— Pas très bien, avoua la jeune femme avec franchise. J'ai voulu m'occuper d'un malade extrêmement agité, mais je n'ai pas été d'une grande efficacité, je le crains… Peut-être ne suis-je pas la bonne personne pour ce lieu.

— Allons, allons, vous commencez, ne vous découragez pas. Ce n'est pas facile de soigner ces malades. Ils sont tumultueux, possessifs et jaloux, tyranniques parfois. Vous allez trouver la bonne manière.

— Vous croyez que je peux y retourner ? demanda Violaine, tentée de s'enfuir le plus loin possible.

— Bien sûr, dit la sœur avec un sourire. Allez-y, ils ont besoin de vous.

Elle reprit le couloir dans l'autre sens, saisie par le froid au sortir de la salle de désinfection. Les mots de la sœur avaient porté mais l'envie de fuir demeurait tenace. La dame en noir qui l'avait sauvée de l'emprise du jeune homme paraissait si calme et naturelle ! On ne la sentait ni mal à l'aise ni effrayée, et son charisme lui avait permis de calmer le jeune tuberculeux avec une promptitude déconcertante. Comment pourrait-elle arriver au même résultat, elle qui avait si peur qu'elle voyait la mort tapie dans leurs yeux ?

Elle poussa la porte d'une salle commune où les sœurs et les visiteuses venaient faire une pause et boire une tasse de thé. Deux cornettes y conversaient joyeusement. Et l'inconnue en noir, qui se tenait debout dans l'encadrement d'une fenêtre à guillotine, se retourna en l'entendant entrer.

— Ah, vous êtes là, j'avais peur que vous soyez partie. Mais je ne me suis pas présentée : je suis Sophie d'Alençon. Je viens ici deux fois par semaine, et au début j'étais aussi effrayée que vous.

L'inconnue était donc la duchesse d'Alençon, princesse en Bavière, petite sœur de l'impératrice d'Autriche et épouse d'un membre de la famille royale de France ! Cette femme qu'on disait secrète et détestant les mondanités était la clé qui pouvait ouvrir à Violaine de Raezal les portes du Bazar de la Charité. Et voilà qu'elle se tenait devant elle, droite et simple comme une prière exaucée.

— Bonjour, madame, balbutia-t-elle. Je suis la comtesse de Raezal. J'ai été envoyée ici par la marquise de Fontenilles.

— Ah, c'est Pauline qui vous envoie, très bien… Mais peut-être aurait-elle dû vous faire commencer par quelque chose de plus facile… C'est un lieu effrayant, n'est-ce pas ? Ces pauvres malades sont si atteints qu'on se dit qu'on va attraper leur mal en les regardant. Avez-vous peur ? On s'habitue à cette peur. Bientôt on n'y pense plus, on l'oublie. On fait confiance au masque, aux crachoirs, à la désinfection, et pour le reste… Dieu nous gardera s'Il le veut bien. Nous sommes dans Sa main, ici plus qu'ailleurs.

— Le jeune menuisier… a-t-il mangé ?

La duchesse la regarda et un sourire illumina ses traits, que les bandeaux nattés d'une superbe chevelure dorée encadraient et adoucissaient. Elle n'était plus dans la première jeunesse, mais il émanait d'elle une grande délicatesse et une profonde dignité.

— Il a mangé, oui. Pas beaucoup mais c'est encourageant. C'est un garçon nerveux, fragile, mais si attachant ! Il va mourir bientôt, dans quelques jours, quelques semaines… Quand je le regarde, je vois mon fils quand il avait le même âge. Et vous, voulez-vous manger un peu ? Reprendre des forces, boire un peu de thé ? Ensuite, si vous en êtes d'accord, nous irons aider les malades à finir leur repas. Ils en ont six ou sept par jour, rendez-vous compte !

Violaine accepta l'invitation, fascinée par cette femme dont le charme agissait à la manière d'une attraction subtile. La duchesse d'Alençon était dépourvue de cette coquetterie propre à tant de femmes de son milieu. Elle désarmait son interlocuteur par d'autres moyens, une nuance de mystère, l'éclat d'une bonté sincère, le reflet d'une timidité ombrant le fond de ses yeux bleu pâle. Et puis, il y avait ces mots qu'elle avait prononcés tout à l'heure, si doucement mais avec tant de conviction, et qui obsédaient Violaine :

« Dans ce monde, il n'est pas de bonheur possible. Le croire est une illusion. »

Violaine de Raezal se demandait quel chagrin avait pu la conduire à un constat si désespéré.

4

— Nérac, vous en faites une tête de carême ! Moi qui pensais que vous appréciiez nos rendez-vous matinaux, déplora Maurice Dampierre, s'adressant au jeune homme brun attablé devant lui.

Devant eux, le boulevard Bonne-Nouvelle déployait sa trame colorée et bruyante, promeneurs pressés et vendeurs ambulants, étameurs, ravaudeurs, vitriers et crieurs de journaux, porteurs d'eau et savetiers mêlant leurs appels aux vociférations des conducteurs de fiacre bilieux rivalisant de mauvaise humeur matinale. Les deux amis avaient pris l'habitude de se retrouver trois matins par semaine à une table de la brasserie Lesueur pour boire un café et commenter le spectacle de l'agitation alentour. Laszlo de Nérac venait à pied de sa demeure du faubourg Saint-Honoré, il aimait battre le pavé et se gorger de ce vacarme de la grande ville qui lui avait tant manqué quand il vivait sur les terres de son père à Nérac.

— J'ai des soucis, répondit le jeune homme dont le profil taillé au couteau dégageait un charme ténébreux et austère.

Quand il souriait, tout son visage s'éclairait et s'adoucissait, la métamorphose était si complète qu'elle désarmait son interlocuteur.

— Ma fiancée m'a fait remettre une lettre hier. Une lettre de rupture, précisa-t-il sans cacher son dépit.

— Voilà ce que c'est que de vouloir se marier, repartit Maurice Dampierre, qui à quarante-cinq ans ne montrait aucune velléité de renoncer au célibat. Vos ennuis commencent à peine, prophétisa-t-il. Si encore vous ne l'aimiez pas, vous auriez une chance de vous en tirer, mais vous voilà mal parti, avec votre romantisme à la noix. Combien de fois faudra-t-il vous répéter que le romantisme est mort avec le père Hugo ? Voulez-vous être la risée de vos amis ? Vous êtes têtu, Nérac. C'est un de vos plus gros défauts.

— Je ne suis pas têtu, je suis amoureux, riposta Laszlo en tournant sa cuiller dans sa tasse.

— Vous êtes têtu. C'est le côté gascon, allié à la rudesse de votre terre maternelle et de sa langue à coucher dehors. Amoureux…, répéta-t-il avec irritation. Qu'est-ce que ça veut dire ? Vous avez vu une jolie frimousse émergeant de la dentelle, des mains blanches, un grain de peau qui a titillé votre imagination ? Vous avez échangé trois mots de conversation creuse avec l'ingénue sous le regard de son dragon de mère, et vous êtes amoureux ? Mais vous ne savez pas dans quoi vous vous engagez ! Derrière l'appât charmant, il y a tout le reste, le piège soyeux, la tyrannie de velours, et surtout, SURTOUT, l'ennui le plus profond ! Aimez-vous si peu la vie que vous

ayez envie de vous ennuyer le reste de votre existence ?

Laszlo de Nérac sourit. Les envolées misogynes
de son ami Dampierre l'avaient toujours amusé et
le revigoraient autant que le café qu'il venait de boire.
Là où Maurice n'avait pas tort, c'est qu'il ne connaissait pas l'objet de son affection. Enfin, il connaissait
une jeune fille belle et farouche qu'il avait cru apprivoiser laborieusement au fil des mois, mais qui se
dérobait à lui à l'instant où il pensait avoir gagné sa
confiance ; et ce jeu déroutant l'irritait et le désar-
çonnait.

La veille, sur les coups de six heures du soir, alors
que son valet de chambre l'aidait à s'habiller pour
sortir, le majordome lui avait remis un pli de la main
de la jeune fille. Il l'avait décacheté avec une fébrilité aussitôt douchée par les mots de sa bien-aimée :

Mon cher Laszlo,

*Il m'est si douloureux de vous écrire ces mots. Vos
qualités sont précieuses, et votre délicatesse a su
conquérir mon cœur, mais je ne peux vous épouser.
J'éprouve une réticence dont je ne puis avoir raison.
Cette certitude m'est apparue la nuit dernière dans
une clarté aveuglante, et je ne veux pas épuiser votre
patience en vain. Malgré toute votre bienveillance à
mon égard, je n'arrive pas à m'imaginer votre femme.
Je n'ai d'autre choix que d'être au clair avec ma
conscience qui me dicte ce que je dois faire et quelle
personne je dois m'efforcer d'être chaque jour de ma
vie, quoi qu'il m'en coûte. Et j'en viens à douter que*

le mariage, fût-ce avec quelqu'un d'aussi digne d'être aimé que vous l'êtes, fasse partie de mon chemin.

Votre sincèrement dévouée,

Constance

Il était resté sonné devant ces lignes tracées d'une belle écriture penchée qui lui enfonçaient un stylet dans la poitrine. Il ne comprenait rien à cette lettre, à ces raisons sibyllines, à la force mystérieuse qui prétendait lui arracher sa fiancée. De quelle réticence parlait-elle, à la fin ? Où avait-il failli, où lui avait-il manqué ? La rage le prenait de relire ces mots jusqu'à l'écœurement, en cherchant le sens caché ; il faudrait pourtant qu'elle avoue ce qui l'avait poussée à changer d'avis, à reculer tel un cheval nerveux devant l'obstacle. Il avait pensé courir chez elle, sonner à la porte de l'hôtel d'Estingel, faire un scandale. De quel droit le traitait-elle ainsi ? Méritait-il ce billet sec, lui qui avait fait tant d'efforts pour la comprendre, la rassurer ? Elle n'avait même pas eu la délicatesse d'habiller son refus de longues pages d'excuses baignées de ses larmes. Dix lignes, presque un télégramme. Voilà tout ce qu'il méritait à ses yeux. Il avait pensé à ses parents infatués de leur particule, à sa mère qui ne songeait qu'à vendre sa fille au plus offrant. La colère s'emparant de lui, il avait déchiré la lettre et en avait froissé les lambeaux dans son poing rageur. Puis il avait croisé le regard de Delescluze. Observer son vieux chat, dont le pelage fauve tirait à présent sur le blanc et qui concentrait dans ses yeux toute la sagesse du monde, l'apaisait toujours. Il y avait un charme contenu dans ses yeux d'opale miellée qui s'insinuait en lui et dispersait le venin d'amertume qui accompagne le chagrin.

— Tu le savais, n'est-ce pas, que cette fille ne nous apporterait rien de bon ? avait-il lancé à l'animal qui l'observait avec une vigilance tranquille.

Delescluze le savait, l'avait toujours su, mais il savait aussi que ce n'était pas un hasard si cette enfant tumultueuse avait arrêté le cœur de Laszlo, un soir de bal qui n'en finissait pas, au milieu de tant de minois inanimés qui rivalisaient d'artifices pour faire oublier qu'ils étaient faits de cire. Il savait enfin que Laszlo n'en resterait pas là, qu'il avait trop de flamme et d'entêtement pour abandonner Constance sans livrer bataille.

— Où que tu te sauves, Constance, je te retrouverai, avait murmuré Laszlo tandis que le chat enfouissait sa tête dans son épaule, d'un geste doux et grave.

Depuis, le jeune homme passait de la colère à l'abattement, entre deux passages d'optimisme où il ne doutait pas que Constance lui serait rendue. Il avait mal dormi, trente fois rallumé sa lampe, cherché les poèmes de Verlaine qu'il gardait sur sa table de nuit et fini par s'endormir sur quelques vers des *Poèmes saturniens* :

Aujourd'hui, plus calme et non moins ardent,
Mais sachant la vie et qu'il faut qu'on plie,
J'ai dû refréner ma belle folie,
Sans me résigner par trop cependant.

Au matin, la lettre de Constance lui était apparue comme une aberration dont il triompherait sans mal, et c'est le cœur moins lourd qu'il avait rejoint son ami sur ce boulevard Bonne-Nouvelle dont le nom portait tant de promesses.

— Enfin, que lui trouvez-vous, à cette fille ? s'irrita Dampierre en bourrant sa pipe.

Laszlo laissa son regard se perdre dans l'océan des promeneurs du boulevard, suivant rêveusement les silhouettes féminines perchées sur leurs talons qui passaient à petits pas rapides, s'arrêtaient devant une vitrine, hélaient un fiacre.

— Elle n'est pas comme les autres. Je l'ai remarquée au milieu d'un essaim de jeunes filles qui me laissaient toutes indifférent.

— C'est ce qu'on dit toujours ! C'est la chose la plus éculée qui soit sortie de votre bouche !

— Vous savez bien ce que je veux dire…, poursuivit Laszlo. Tant de filles sont creuses, prévisibles, elles ne sont à vingt ans que des brouillons de leur mère. Le caractère de Constance est tellement plus complexe, il se dérobe, il change tout le temps, à la manière de ces marines que vous collectionnez.

Maurice Dampierre tira sur sa pipe avec indignation. Il n'aimait pas qu'on compare ses marines à n'importe quoi. Encore moins à une femme. Les femmes, il en connaissait un rayon, des grisettes aux grandes dames, et trouvait qu'il y avait peu de différence entre les minauderies d'une fille tombée et celles d'une altesse.

— Quand je l'ai vue, poursuivit Laszlo, je me suis demandé comment elle avait été éduquée pour être si singulière. Si on l'avait dissimulée au cœur d'une forêt avant de la lâcher au bal d'une princesse où son éclat brut déparait les autres figurantes. Eh bien non, pas du tout ! Elle a été élevée par une de ces femmes qui dissimulent sous la distinction un esprit de mère maquerelle... On dirait qu'elles n'ont des filles que pour s'en débarrasser au plus tôt.

— Et comme on les comprend ! ponctua Dampierre.

Il remerciait le Ciel chaque jour de n'avoir ni épouse ni descendance et avait fait le désespoir de sa mère qui était morte l'année précédente, « étouffée par son chantage affectif, dont elle-même ne supportait plus l'encerclement », expliquait-il avec jubilation à qui voulait l'entendre.

— Nérac, vous êtes amoureux ! C'est effrayant. Qu'allons-nous faire de vous ? Vous étiez prometteur pourtant, votre plume s'acérait au contact des braves gens de Paris, toute cette société confite en élégance et en péchés... Et vous voilà mélancolique comme une soubrette... Quel gâchis ! Que répondrai-je à Huysmans quand il s'enquerra de vous ? Allez-vous abandonner votre roman et vous mettre à écrire des élégies ? interrogea-t-il, moqueur.

— Mon roman... Je n'avance pas dans l'écriture, Maurice, répondit Laszlo avec tristesse. Peut-être n'ai-je pas assez de talent pour qu'il vaille la peine de m'acharner.

— Mais enfin, vous commencez à peine ! Attendez que votre père pleure de honte en vous lisant et fasse dire des messes pour le salut de votre âme, et nous en reparlerons. Vous savez ce qui vous manque ? Vous avez trop d'argent pour sentir le vent du danger sur votre nuque. Votre confort de vie vous entrave. Si vous étiez acculé par votre éditeur comme nous autres, obligé de travailler à de basses besognes pour payer vos vices... La souffrance serait votre absinthe. Et nous verrions, alors, ce que vous avez dans l'estomac.

Laszlo se tut. Il y avait du vrai là-dedans et souvent, pris d'un vertige d'admiration à la lecture de Jean Lorrain ou de Barbey d'Aurevilly, il se posait des questions sur la nature de son propre talent. S'était-il fait écrivain pour excéder son père ? Ou pour échanger une vie de propriétaire terrien contre l'opium des nuits parisiennes ? Il espérait que sa vocation valait un peu plus cher qu'une posture de fils provocateur.

— Peut-être n'ai-je rencontré Constance que pour souffrir enfin, sourit-il, rêveur.

— En ce cas, elle vous serait au moins utile à quelque chose... Que vous a-t-elle fait, au juste ?

— Elle ne veut plus m'épouser, dit Laszlo d'un ton de légèreté forcée.

Les morceaux de la lettre de Constance brûlaient la poche intérieure de sa veste. Il se demandait si elle dormait mieux depuis qu'elle l'avait écrite. Ou si le tourment brouillait les traits de son visage, si elle faisait les cent pas dans sa chambre en espérant un coup de sonnette, ou bien gardait le lit et délirait d'une fièvre inexplicable. Il l'imaginait essayant une robe de soie chez le tailleur, tandis que sa mère passait sa figure anguleuse dans l'encadrement du salon d'essayage :

« Ce Nérac n'avait pas assez d'envergure pour vous. Et puis entre nous, il se dit écrivain, mais qu'a-t-il écrit d'éclatant ? Ce n'est pas Balzac... Sachez que le prince de L. est fou de vous, il fera de vous la femme la plus courue de Paris. Vous l'oublierez vite, votre soupirant hongrois ! »

Ces mots allaient si bien au tempérament d'Amélie d'Estingel que le jeune homme arrivait à se convaincre qu'il devinait juste.

— Elle ne veut plus vous épouser. Eh bien, remerciez le ciel ! répondit Maurice Dampierre. Un autre l'a demandée en mariage, plus titré ou plus riche... Ou bien elle a un amant... Non, un amant ne serait pas une raison suffisante pour rompre ses fiançailles, corrigea-t-il, matois.

— Maurice, ça suffit ! le coupa Laszlo d'un ton glacial.

Imaginer Constance touchée par un autre lui était insupportable. Son sang s'enflammait, charriant la poussière des contrées indomptées du fond de la Hongrie, le fumet des massacres sanguinaires, le galop des chevaux tirant sur leurs mors, l'épuisement du soleil couchant.

Sa mère avait bercé de récits rocambolesques les soirs bleutés de son enfance. Il y avait appris les passions humaines. Il vénérait sa mère et méprisait son père, ses plaisirs médiocres, ses colères démesurées, ses pauvres fiertés. À la mort de sa mère, il avait fait ses bagages, emportant avec lui le tremblement de sa voix, la raucité de son accent rebelle, son goût du risque. Il n'était pas sûr d'être à la hauteur de son héritage. La vie ne l'avait pas encore mis à l'épreuve, il ignorait s'il avait du courage, s'il avait du talent, s'il était digne d'amour. Et à ce titre, la lettre de Constance lui portait un coup meurtrier. Mais il avançait le front haut, comme sa mère le lui avait appris.

— Il y a de l'Attila en vous, Nérac, dit Maurice en souriant. Tant mieux. Dans cette ville, il est important de savoir montrer les dents. Ne perdez plus votre temps à ces enfantillages d'amour... Je vous regretterais ! Je me suis attaché à vous, et je ne suis pas le seul. Savez-vous combien il est rare et précieux d'être aimé dans notre petite communauté littéraire où rien n'égale le plaisir de fustiger ses confrères ? Bon, cela dit, rassurez-vous. Léon Bloy vous méprise, et certains vous traitent de fat, d'aristocrate monté en graine. Si vous faisiez l'unanimité, il faudrait arrêter d'écrire et vous lancer dans la politique !

Laszlo de Nérac sourit et commanda un autre café.

Tout à l'heure, il irait voir Constance. S'il trouvait porte close, il reviendrait chaque jour jusqu'à ce qu'on lui ouvrît. Il lui ferait porter un mot accompagné d'un de ces bouquets de fleurs blanches que les fiancés offrent à l'élue de leur cœur chaque jour qui les sépare des noces. Et si elle ne l'aimait pas, si elle s'obstinait à le rejeter, au moins Constance serait-elle sa drogue, son viatique, empoisonnant son sang d'une passion funeste qu'il n'aurait plus qu'à laisser s'égoutter de sa plume sur le papier. D'une manière ou d'une autre, il pressentait que la jeune femme le révélerait à lui-même.

En cela, il ne se trompait pas.

5

Un matin doux de la fin avril, la voiture de la
duchesse d'Alençon s'arrêta dans l'étroite rue des
Lombards, derrière l'église Saint-Merri. Le cocher
vint aider ces dames à descendre, une moue de répro-
bation sur les lèvres tandis que son regard fixait la
dame de compagnie de la duchesse un peu plus
longtemps que la courtoisie et son statut ne l'y auto-
risaient. Cette femme, une aristocrate bavaroise que
la duchesse avait fait venir de son pays natal, était
indigne de la mission qu'on lui avait confiée. Elle
était folle de Madame et incapable de la freiner dans
ses excès de charité. Et c'est ainsi qu'on se retrouvait
au petit matin dans une rue sordide de Paris, au bas
d'un immeuble non moins sordide où vivait entassée
toute une famille de loqueteux dont au moins un
des membres crevait de tuberculose. Était-ce un lieu
approprié pour une altesse ? Et dans quel monde
sens dessus dessous vivait-on, s'il était le seul à s'en
alarmer ? Elles étaient descendues toutes les trois en
souriant, ces inconscientes ; et s'il était habitué à voir
la duchesse exposer sa vie avec entêtement, il ne
comprenait pas que cette jolie comtesse de Raezal,

qui avait rallié leurs rangs la dernière, n'eût pas le bon sens de les préserver du danger.

Avant qu'elles ne disparaissent dans les ténèbres de l'immeuble, il tenta une négociation :

— Madame la duchesse... Je serais plus tranquille si Madame la duchesse me laissait monter le premier voir ces gens et m'assurer que la voie est sûre. La cage d'escalier est très sombre et il peut y avoir des mendiants ou des voyous embusqués dans les étages. Permettez-moi de faire un tour de reconnaissance...

Sophie d'Alençon se retourna, le gratifiant d'un sourire inflexible.

— Joseph, vous êtes un homme de bien et vous veillez admirablement sur moi. Venez nous chercher vers onze heures et demie, voulez-vous ?

Il acquiesça en silence et sans surprise, mais avec une pointe de chagrin. Il pensa au duc d'Alençon, comment faisait-il pour aimer cette femme sans se consumer d'angoisse ? Il était à leur service depuis de très longues années et se souvenait d'un temps où la duchesse vaquait à ses bonnes œuvres et à ses mondanités sans s'exposer à des périls aussi graves que la tuberculose, sans grimper dans les étages insalubres des quartiers les plus pauvres ni frôler la racaille, celle qui baigne dans le crime et la révolution. Depuis quelques années, sa maîtresse semblait n'avoir aucune limite quand il s'agissait de charité. On murmurait un peu partout, y compris dans la domesticité du duc, que les membres de la famille Wittelsbach étaient tous un peu dérangés. Se pouvait-il que la duchesse eût un grain de folie ? Il répugnait à le penser. Il faisait partie de ces

58

domestiques si attachés à leurs maîtres qu'ils détestent l'idée que ceux-ci puissent prêter le flanc à la critique et se conduire en deçà de ce que leur position dans la société exige d'eux. Il les voulait irréprochables. Il savait que plusieurs sœurs de la duchesse avaient fait parler d'elles, qu'un de ses frères avait épousé une actrice qu'on s'était hâté d'anoblir, il connaissait les excentricités de l'impératrice d'Autriche – dont on se délectait dans les salons comme à l'office –, aussi avait-il toujours été soulagé que la famille du duc d'Alençon fût d'une grande rigueur morale. Il avait une profonde estime pour le duc et confiance en sa capacité de défendre le code d'honneur de sa famille. Il s'inquiétait seulement de ce que ce mari aimant ne voit pas quels dangers courait son épouse et l'encourage dans ses excès. Jusqu'au jour où un malheur se produirait. Fasse le Ciel que ce jour n'arrive pas et qu'il n'ait jamais à se reprocher d'avoir conduit la duchesse à sa mort.

*

— Les gens qui vivent ici sont-ils malades ? demanda Violaine tandis qu'elles s'engageaient dans une cage d'escalier très étroite dont l'obscurité et les murs lépreux n'étaient guère rassurants.

La duchesse lui avait proposé de l'accompagner et elle n'avait pas songé à refuser, victime consentante de l'attraction que cette femme exerçait sur elle. Mais là, dans cet escalier branlant qui sentait la crotte de souris et cent autres puanteurs qu'il valait mieux ne pas chercher à définir, son courage faiblissait. C'était déjà une épreuve de côtoyer la tuberculose dans un lieu pourvu de normes d'hygiène, comme elle l'avait fait plusieurs fois aux côtés de la duchesse, mais c'en était une autrement plus redoutable de le faire au domicile des pauvres. Pourtant elle n'avait pas eu le cœur de trouver un prétexte pour rester chez elle, à l'abri. Car un lien se tissait peu à peu avec cette femme timide qui ne donnait pas son amitié facilement, et Violaine de Raezal ne voulait pas risquer de le rompre.

— Le père était malade et refusait de se soigner pour ne pas perdre son travail. Nous l'avons appris au sanatorium, par un de ses amis, répondit Sophie d'Alençon d'une voix douce. Nous avons réussi à le convaincre, mais il est déjà bien atteint et doit avoir contaminé ses proches... Il faut écarter les malades, et venir en aide à ces gens avant qu'ils ne meurent de faim car sa femme a trois petits à charge et l'argent manque.

La dame d'honneur de la duchesse s'adressa à elle en allemand, sur un ton où Violaine décela de l'inquiétude.

— Je l'ignore, Stefanie, lui répondit sa maîtresse avec un sourire. Mais vous pouvez nous attendre en bas, dans la rue, si vous le souhaitez. Je ne vous en voudrai pas.

À ces mots, la comtesse Stefanie rougit légèrement. Elle n'avait pas quitté les bords du lac de Starnberg pour abandonner la princesse Sophie au premier péril venu. Et si elle avait en horreur ces expéditions dans les taudis, elle comptait bien y tenir son rang. Même si elle n'avait pas la moindre envie de savoir qui vivait ou survivait ici, au cœur de l'ancien Paris, dans ce lacis de petites rues que le baron Haussmann avait épargnées dans son grand équarrissage. Elle imaginait le pire, des familles entières serrées dans une seule pièce, vivant dans une abjecte promiscuité et dans la familiarité du vice, des visages crasseux semblables à des groins, des yeux farouches et hostiles d'êtres en partie retournés à l'animal. Mais il ne serait pas dit qu'elle avait abandonné son poste.

Un instant plus tard, essoufflées d'avoir gravi six étages pour atteindre les soupentes de l'immeuble, elles cherchèrent leur chemin sur le palier exigu, ignorant quelle porte était la bonne. La porte de droite était condamnée par des planches ; la comtesse Stefanie toqua avec appréhension à celle de gauche. Un silence étouffé régna de part et d'autre de la porte durant de longues minutes. La comtesse toqua de nouveau, déplorant intérieurement un attachement à la famille Wittelsbach qui lui coûtait si cher. Dire qu'elle avait béni sa chance quand on l'avait appelée à Paris auprès de la duchesse d'Alençon ! Elle eût donné beaucoup pour se retrouver chez elle à cet instant, dans le grand salon donnant sur le lac aux reflets enchanteurs.

— Qui est là ? interrogea une voix hostile et effrayée derrière la porte.

— Ne craignez rien, madame, répondit la duchesse. Nous sommes des dames patronnesses, nous venons de la part de votre mari.

Un silence interloqué lui répondit.

— Alors c'est vous qui avez pris mon mari ?

La voix de l'autre côté de la cloison semblait viscéralement indignée. La comtesse Stefanie, outrée, prit la parole :

— Nous n'avons pas pris votre mari, nous le soignons pour qu'il ne meure pas et puisse vous revenir. La duchesse d'Alençon est là, ainsi que la comtesse de Raezal. Voulez-vous bien nous laisser entrer ?

— Non, je ne vous laisse pas entrer. Pas question.

Il fallut de longs pourparlers pour que la porte s'entrouvre sur un visage de femme brune et pâle aux cheveux attachés sur la nuque et aux yeux cernés. Il était difficile de lui donner un âge, elle paraissait plus de quarante ans mais peut-être était-elle plus jeune. Elle dévisagea les trois dames élégantes qui se tenaient sur le palier dans leurs robes sombres et raffinées, présence tellement incongrue qu'elle en était effrayante. Au mépris de toute correction, elle détailla leurs silhouettes, les plis de leurs vêtements, la dentelle discrète et délicate qui signait le travail d'une grande couturière, les gants de chevreau si fins qu'on eût dit une seconde peau, les quelques bijoux dont l'éclat subtil rehaussait le noir des robes.

Quand elle se fut rassasiée de ces créatures échappées d'un autre monde, elle s'écarta pour les laisser entrer.

Le logement se composait de deux pièces d'une quinzaine de mètres carrés éclairées par de minces fenêtres aux vitres sales, et séparées par une cloison hâtive. Dans la première se trouvaient une large table en bois, deux bancs et une chaise, un évier, une cheminée d'une saleté repoussante et un seau. La seconde, dévolue au couchage, était meublée de quatre paillasses à même le sol et de deux vases de nuit d'où montaient des relents nauséabonds. Un bébé dormait sur l'une des paillasses tandis que son frère et ses deux sœurs se tenaient dans la première pièce, pétrifiés par l'irruption des visiteuses. L'aîné, un adolescent longiligne, leur lança un regard peu amène. C'était un beau garçon, au visage fin et aux yeux en amande... qui devait avoir près de seize ans, réalisa Violaine avec une émotion si forte qu'elle lui fit l'effet d'une commotion. Elle s'efforça de respirer lentement, une main appuyée par réflexe sur le côté gauche de sa poitrine, tentant d'apaiser la chamade de son cœur affolé.

Pourquoi te mets-tu dans cet état à chaque fois... c'est insensé.

Son regard croisa, l'espace d'une seconde, le regard bleu pâle de la duchesse, calme et interrogatif. Violaine détourna le sien.

Les deux filles étaient âgées de six et huit ans. La plus grande avait le visage fin de son frère et des yeux mangés d'ombre, la seconde était barbouillée de morve et ses traits étaient plus grossiers.

— C'est une jolie famille que vous avez là, dit la duchesse.

Leur hôtesse se détendit imperceptiblement.

— Mon grand s'appelle Pierre, et voilà Alice et Jeanne. La plus petite, Antoinette, est née l'été dernier. Comment va mon mari ? demanda-t-elle à brûle-pourpoint.

— Il se repose, répondit la duchesse. Il est très malade, malheureusement. Nous aurions préféré qu'il vienne se faire soigner plus tôt.

La mère la considéra avec un mélange de colère et de chagrin. Croyait-elle qu'il avait eu un autre choix que d'aller à l'usine tant qu'il en était capable ?

Pierre disparut un instant dans l'autre pièce, et revint avec un mouchoir qu'il enfouit aussitôt dans sa poche.

— Pierre travaille à l'usine lui aussi, dit sa mère avec fierté. Aux Batignolles. Le contremaître lui a donné sa journée mais il y retourne demain.

Violaine s'aperçut alors que l'adolescent avait le teint blême et l'air épuisé.

— Il y a longtemps que tu tousses, mon garçon ? interrogea la duchesse avec douceur.

Le garçon haussa les épaules, sur la défensive.

— Réponds à Mme la duchesse, Pierre, lui intima sa mère.

— Ça fait un moment, lâcha-t-il. J'suis pas malade, c'est la sciure de l'usine qui m'irrite la gorge, c'est tout.

— Mais il y a du sang sur ton mouchoir, n'est-ce pas ?

Pierre secoua la tête. Non, il n'y avait rien sur son mouchoir. Violaine le contemplait, muette, le cœur battant. Qu'il était beau malgré sa pâleur, raidi de colère et de rébellion, et comme il aimait sa mère…

— Madame Damain, est-ce vrai ? interrogea la duchesse avec la même voix douce. Vous comprenez que votre fils a peut-être attrapé la maladie, et que si c'est le cas, il faut le soigner le plus vite possible ?

Élise Damain soupira, résignée :

— Il crache du sang. Il y a bien deux mois qu'il tousse, et c'est pas la sciure de bois. Vous allez me l'emmener, lui aussi ?

— J'partirai pas, maman, t'en fais pas ! cria l'adolescent, toisant le trio de dames en noir serrées dans l'entrée. J'vais bien, j'peux travailler.

— Il faut te soigner, mon garçon, répondit calmement la duchesse. Tu peux encore guérir. Je sais que tu veux aider ta mère, mais tu lui seras plus utile bien portant. Madame Damain, je souhaite faire admettre votre fils dans notre sanatorium. Il faut agir vite car la maladie progresse à chaque instant que nous perdons. Et les petites, comment vont-elles ?

— Jeanne…, gémit Élise Damain, Jeanne a commencé à tousser.

La duchesse vint s'agenouiller devant les petites filles pour être à hauteur d'enfant et tendit sa main gantée à la plus petite.

— Jeanne, veux-tu que l'on te soigne dans une maison près de la mer où tu seras bien nourrie et où l'on prendra soin de toi ?

La petite, dont les cheveux châtains et sales tombaient devant les yeux, secoua vigoureusement la tête en signe de dénégation. La duchesse lui sourit :

— As-tu déjà vu la mer ?

Nouvelle dénégation farouche, mais l'intérêt de la fillette était éveillé. Sa petite main sale ne lâchait pas la main gantée dont le toucher était si doux.

— Tu sais, c'est très beau, la mer. Quand tu rentreras, tu pourras raconter à toute ta famille à quoi ça ressemble. Et tu ne tousseras plus.

— Et moi, je pourrai venir aussi ? interrogea la plus grande, qui mourait d'envie de toucher à son tour les gants de l'invitée.

— Si tu n'es pas malade, il vaut mieux que tu restes ici avec ta maman qui va être bien seule sans ton grand frère et ta petite sœur.

Violaine, pensive et tourmentée, avait de la peine à détourner son attention de l'adolescent. Des images affluaient dans sa tête, qu'elle repoussait de toutes ses forces : bruits de pas claquant dans les couloirs, invectives, hurlements de ses compagnes de chambre, et le vide dans son ventre qu'on creusait pour toujours. Elle appela Gabriel à son secours, invoqua son sourire tendre, ses bras refermés sur elle, abri de chair à l'épreuve des tempêtes.

— Violaine, voulez-vous bien expliquer à Mme Damain quelles mesures de précaution elle doit prendre pour éviter d'être malade à son tour ? demanda la duchesse, mettant fin à son vertige.

— Bien sûr, dit-elle.

Élise Damain s'était laissée tomber sur un banc, le visage tendu, et tentait de mesurer l'ampleur des malheurs qui venaient de s'abattre sur sa famille.

Violaine lui expliqua que le mieux serait qu'elle fît désinfecter son logement, et en prononçant ces mots elle en réalisa toute l'impossibilité : le coût trop élevé d'une telle opération, et où iraient-ils vivre pendant ce temps ? Elle lut dans les yeux de son interlocutrice qu'elle ne comprenait pas ce qu'on attendait d'elle. La duchesse vint à son aide.

— Cette maladie fait tousser et cracher, madame, et la toux et les crachats transmettent le mal, même sous la forme de cette poussière qui s'incruste partout dans les maisons. Des gens meurent d'avoir emménagé dans un appartement où vivait un tuberculeux, juste parce qu'ils ont respiré cette poussière... Vous comprenez ?

Élise Damain jeta par réflexe un regard alentour, inspectant son petit logement à la recherche de cette poussière invisible qui semait la mort.

Elle aurait tout donné à cet instant pour fuir cet endroit où elle s'était pourtant sentie chez elle et peut-être même heureuse une partie de sa vie. Ce lieu où ses enfants étaient nés, où elle s'était réjouie, où elle avait pleuré en découvrant que son mari ne pouvait plus travailler et s'était rassurée d'avoir encore Pierre pour rapporter chaque soir quelque chose à manger, était à présent infesté d'une substance sournoise et maléfique qu'ils avaient respirée durant des semaines. Elle baissa les yeux, contemplant ses mains usées.

— Que dois-je faire ? Lessiver partout ?

— Ça ne suffit pas, répondit la duchesse. Il faut faire venir des gens dont c'est le métier, qui désinfecteront votre logement avec des produits spéciaux. C'est coûteux, mais nous le prendrons en charge. Avez-vous des parents, des proches chez qui aller habiter le temps qu'il faudra ?

Un silence lourd accueillit ces mots, comme si la mère des enfants saisissait à présent toute la portée et les terribles conséquences de cette visite.

— Ma sœur vit dans le faubourg Saint-Antoine, mais son logement n'est pas grand et son mari travaille la nuit sur les chantiers du chemin de fer...

— Peut-elle vous héberger ?

— Si c'est une question de vie ou de mort… peut-être.

— Il faut que nous en soyons sûres, dit la duchesse. Je vous propose d'envoyer Jeanne dans un sanatorium pour enfants au bord de l'océan Atlantique. Pierre peut rejoindre son père là où il est soigné, je ferai le nécessaire. Mais il faudra qu'un médecin vous examine tous au plus vite.

— Et… Vous avez de l'argent pour tout ça ? demanda Mme Damain, le regard perdu. Nous, on pourra jamais rembourser, Pierre va perdre sa place…

La duchesse d'Alençon lui sourit.

— Ne vous souciez pas de ça. L'important est de guérir vos enfants et de vous préserver. Quand Pierre sera guéri, il retrouvera du travail.

— J'veux pas que Pierre s'en aille ! cria l'aînée des filles, explosant en sanglots. Ni Jeanne ! J'veux qu'elle reste, j'veux qu'on reste tous ensemble. Ça fait rien si on est malades !

Violaine sentit brutalement son cœur fondre, et sans réfléchir elle s'était précipitée et agenouillée, attirant l'enfant dans ses bras.

— Là, ne pleure pas… Tu es une petite fille courageuse, tout ira bien. Pierre et Jeanne reviendront bientôt. Ils reviendront, et tout ça ne sera qu'un mauvais souvenir.

Quand elle réalisa qu'elle serrait contre elle une enfant peut-être contagieuse, elle relâcha son étreinte et s'écarta comme sous l'effet d'une piqûre de guêpe, sentant l'haleine glacée de la peur contre sa peau.

Alice ne pleurait plus, les yeux écarquillés d'étonnement, rassérénée par l'étreinte de cette belle dame qui semblait une princesse en deuil.

Violaine se redressa avec un sourire d'excuse un peu menteur, *je ne m'éloigne pas parce que j'ai peur de toi, mais parce qu'il est l'heure de retourner à nos vies sans pauvreté, sans maladie... Mais non sans crainte du lendemain. Non sans insomnies, non sans larmes épuisées de chercher sans fin celui qui n'est plus là.*

Elles prirent congé des Damain, échappèrent le plus courtoisement possible à la sollicitude de la maîtresse de maison et s'engouffrèrent dans la nuit de la cage d'escalier, débouchant dans la rue des Lombards sous un beau ciel limpide qu'elles avaient oublié tout le temps qu'elles étaient là-haut.

Le cocher était déjà là, et Violaine soupçonna qu'il était resté tout ce temps à les attendre à l'entrée de la rue. Elle était touchée par la bienveillance de cet homme qui appartenait à ces êtres qu'on ne prend pas le temps de regarder, si familiers qu'on est à peine conscient de leur présence.

— Venez, Violaine, voulez-vous ? la pria la duchesse d'Alençon tandis que sa dame d'honneur grimpait dans la voiture.

Que veut-elle encore de moi ?

La duchesse réclama un instant à son chauffeur, et tournant le coin de la rue des Lombards, entraîna Violaine de Raezal dans la pénombre de l'église Saint-Merri.

*

La nef de Saint-Merri était vide à cette heure, et seules quelques vieilles pénitentes courbées se recueillaient dans les chapelles latérales. Violaine hésita en entrant, saisie par ce parfum d'encens qui lui donnait toujours envie de fuir. Les églises ne seraient jamais des lieux hospitaliers pour la comtesse de Raezal. Elle s'y sentait trop petite et démunie, écrasée par l'architecture, livrée au regard glacé de ces statues qui ne réveillaient que des mauvais souvenirs.

La duchesse, après s'être agenouillée et signée en face du grand Christ crucifié de l'autel, s'arrêta devant le tableau de la *Vierge bleue* peinte par Carle Van Loo. Violaine la rejoignit à contrecœur. Sophie d'Alençon resta silencieuse de longues minutes, au point que Violaine se dit qu'elle l'avait simplement invitée à prier avec elle après cette visite de charité dont l'intensité les avait épuisées.

— Violaine… Avez-vous perdu un enfant ? interrogea la duchesse à brûle-pourpoint, sa voix douce résonnant sous les voûtes.

Ces mots atteignirent la comtesse de Raezal avec l'impact d'un coup à l'estomac. En face d'elle, un Enfant Jésus potelé et blond semblait la narguer joyeusement de sa main levée. Des pensées paniques se bousculèrent dans sa tête. Mentir. Mentir à tout prix.

— Ne répondez pas si cela vous fait violence. Mais sachez que si un jour vous souhaitez en parler, je serai là.

Elles se turent dans le silence de l'église, à l'abri de cette clairière de pierre illuminée de vitraux où les saints du Moyen Âge montaient la garde.

— Merci, murmura Violaine, sans savoir si elle devait être reconnaissante à cette femme étrange de saler ses plaies les plus profondes.

Elle avait des morceaux brisés dans le cœur, les secouer était douloureux.

Elles quittèrent l'église sans un mot. La question posée demeura entre elles comme un point d'interrogation brûlant, un pacte silencieux qu'elles n'auraient jamais l'opportunité de dénouer.

Quelques jours plus tard, la duchesse d'Alençon invita Violaine de Raezal à faire partie des vendeuses de son comptoir des noviciats dominicains au Bazar de la Charité. Le Bazar ouvrirait ses portes au début du mois de mai. Pouvait-elle se libérer pour l'occasion ?

Ce jour-là, Violaine entra avec émotion dans le bureau de Gabriel, où elle ne s'était pas aventurée depuis sa mort. Elle y demeura quelques minutes, contemplant son fauteuil favori devant la bibliothèque, la cheminée éteinte où ils avaient fait de si joyeuses flambées, le bureau désormais trop bien rangé. Avant de refermer la porte derrière elle, il lui sembla que son portrait, qui lui faisait face, avait en la regardant l'ombre d'un sourire.

6

Allongée dans le crépuscule de sa chambre, Amélie d'Estingel était terrassée par une puissante migraine. Il était évident que l'entêtement de Constance en était la cause. Penser qu'une petite santé ne lui avait pas permis d'avoir d'autres enfants, qu'elle avait dû refuser son lit à son époux après la naissance de leur fille, tout ça pour qu'elle fût un souci permanent ! Jamais elle n'en avait reçu le moindre réconfort. Depuis sa plus tendre enfance, Constance était une source de contrariété. Elle avait été cette fillette sauvage qu'elle ne pouvait présenter sans appréhension à ses amies, bavardant avec la cuisinière et les gouvernantes mais butée et taciturne quand on l'invitait au salon. Jamais elle n'avait eu le loisir de la vêtir, de lui offrir des jouets, de l'initier aux plaisirs raffinés de la toilette car le tempérament de Constance ne versait pas dans la coquetterie qui rend les fillettes si attachantes. Elle n'avait rien d'attachant, du reste, et rien ne semblait l'émouvoir. Amélie eût aimé pouvoir partager avec elle une forme de complicité féminine, une amitié comparable à celle que ses amies développaient avec leurs filles. Mais Constance ne lui accordait aucune confiance, et ce n'est qu'incidemment qu'elle avait découvert qu'elle était tombée amoureuse. La jeune fille lui refusait ses confidences et, si elle tentait de les forcer, elle lui répondait par quelques banalités qui mettaient fin à la conversation. Même sa piété horripilait Amélie.

Surtout sa piété.

Qu'on ne se méprenne pas : dans la famille d'Amélie comme dans celle de son mari, on naissait et on mourait catholique, on ne frayait pas avec des athées et rarement avec des protestants. Amélie d'Estingel allait chaque année faire un pèlerinage de quelques jours à Lourdes ou à La Salette, se privait d'opéra et de théâtre pendant le carême (disons qu'elle s'en privait régulièrement), ne communiait pas sans s'être confessée au préalable et ne s'endormait pas avant d'avoir médité quelques pages de *L'Imitation de Jésus-Christ*. Mais Constance mettait dans la religion une passion malsaine. Ces religieuses dominicaines lui avaient monté la tête ! L'envoyer en pension à Neuilly avait été une lourde erreur. Quand on l'en avait tirée il était trop tard, elle était devenue asociale. Il avait fallu la forcer à sortir dans le monde, à s'habiller comme une jeune fille de son rang, à se présenter aux dames qui comptaient et à danser au bal. Ce qui faisait rêver toutes ses semblables était pour elle une futilité teintée de péché, et cela par la faute des religieuses… Amélie s'était attendue à ce que les dominicaines fassent de sa fille une jeune fille docile et douce, préparée à sa vie future d'épouse et de mondaine. Mais loin d'éradiquer la part de rébellion et d'entêtement de son caractère, ses années à Neuilly avaient donné un socle à sa contestation. Désormais, elle s'opposait à tout ce qu'on prétendait lui imposer en brandissant la religion catholique.

Le jour où Constance lui avait annoncé qu'un garçon souhaitait la demander en mariage et qu'elle l'aimait, elle en avait pleuré de soulagement tant ce revirement était inespéré. Elle s'était renseignée aussitôt sur ce garçon. Était-il bien né ? Était-il fréquentable ? Avait-il des vices qu'on ne pourrait cacher, faisait-il des dettes ? Rien de tel. Elle avait tiqué en apprenant qu'il s'appelait Laszlo – un étranger ? un prince de pacotille dont le nom ne vaudrait jamais rien en Franc ? – et s'était rassurée en découvrant qu'il descendait de la famille de Nérac, dont la noblesse d'épée était aussi ancienne qu'incontestable. Restait son ascendance maternelle, qui pouvait être perçue comme une pointe d'exotisme participant de son charme. Il était l'héritier de son père, il bénéficierait d'une belle situation.

Puis elle avait découvert qu'il était écrivain. Du moins avait-il cette prétention. Il avait écrit quelques poèmes, et une dizaine d'histoires publiées dans la revue du *Mercure de France*. Elle se les était procurées pour s'apercevoir avec stupeur que certaines défendaient la Commune. Défendre la Commune ! Ce garçon crachait dans l'assiette en or qui l'avait nourri. Cependant, il avait accompli la prouesse de plaire à Constance et pour cela, il méritait indulgence. Constance s'arrangerait comme elle pourrait de la passion de son époux pour les communards, ce serait – Dieu merci – son affaire.

L'affaire d'Amélie, en revanche, était d'organiser des noces éclatantes. Et elle avait suffisamment attendu. Elle n'avait qu'une fille, elle n'aurait qu'une occasion d'être le point de mire de la bonne société et espérait qu'on parlerait longtemps de ce mariage. Si elle avait été souffrante une partie de l'hiver, les préparatifs lui avaient rendu toute son énergie et voilà des semaines qu'elle courait les traiteurs, cherchait un lieu prestigieux, comparait les fabricants de dragées et étudiait quelles petites filles de son entourage étaient assez jolies pour figurer dans le cortège d'honneur.

Jusqu'à cette soirée de la semaine précédente où elle s'était étonnée tout haut que le garçon ne soit pas venu faire sa cour, et où sa fille lui avait rétorqué avec un mélange de sécheresse et de gêne :

— Oh, c'est parce que je lui ai dit de ne plus venir.

Amélie d'Estingel avait sursauté.

— Vous êtes-vous disputés ? Vous savez que cela arrive entre deux fiancés, ça n'a rien d'irrémédiable… Mais vous n'allez pas passer vos fiançailles à bouder !

— Ce n'est pas une dispute, et Laszlo n'y est pour rien. J'ai rompu mes fiançailles.

Amélie avait tressailli, remarquant soudain les cernes profonds sous les yeux de sa fille, ses traits creusés, le tremblement de ses doigts. Elle avait rompu ses fiançailles ! Elle avait refusé ce garçon et bien sûr elle n'avait plus d'appétit et perdait le sommeil… Aussitôt, elle avait songé à la Commune. Peut-être Constance avait-elle lu la prose de son fiancé et découvert qu'il défendait cette racaille qui avait mis Paris à feu et à sang et l'avait laissé agonisant aux mains des libérateurs versaillais.

— Mon enfant… Votre fiancé est encore bien jeune, il a tort, c'est évident, mais vous ne devez pas le condamner pour autant. Vous pouvez l'éclairer de votre amour, lui apprendre à voir juste, vous pouvez…

— De quoi me parlez-vous ?

La surprise de Constance semblait totale.

— Eh bien… Ne lui reprochez-vous pas ses positions sur la Commune, l'odieuse défense des communards qu'il a fait paraître dans le *Mercure de France* ?

Constance l'avait considérée un instant avec perplexité.

— Ah, c'est ça. Je suis surprise que vous ayez compris le sens de son propos. Non, ses positions sur la Commune ne me dérangent pas. Au moins a-t-il le courage de ses convictions, à la différence de Papa qui se proclame monarchiste et se précipite aux dîners du président.

Amélie avait ressenti les premiers picotements de la colère qui l'embraserait comme une torche si cette conversation se poursuivait sur le même ton.

— Constance, surveillez vos paroles, votre insolence… Je ne comprends pas un traître mot de ce que vous me racontez. Vous aimez ce jeune homme et vous rompez vos fiançailles, sans la moindre raison ? Y a-t-il quelque chose que vous ne voulez pas dire ?

Son esprit entrevoyait déjà mille inconvenances dont ce jeune provocateur avait pu se rendre coupable. Peut-être, voyons… peut-être était-ce rattrapable. Il fallait seulement que Constance lui dise de quoi il retournait.

— Non, il n'y a rien. C'est juste que je n'ai plus envie de me marier. En tout cas pas pour l'instant. Et que je ne veux pas épouser Laszlo.

— Mais pourquoi ? Quelles sont vos raisons ? la coupa Amélie, éberluée. Constance, vous ne pouvez pas annuler vos fiançailles ! Nous sommes dans les derniers préparatifs, votre père et moi dépensons toute notre énergie depuis des semaines pour que ce mariage soit réussi... les faire-part sont commandés, le choix du traiteur est presque arrêté... C'est absurde, voyons !

— Eh bien, si. Je peux. Me voulez-vous malheureuse ? Êtes-vous indifférente à mon sort ?

Prise de court, Amélie d'Estingel avait cherché ses mots.

— Bien sûr que non... C'est justement parce que je me soucie de votre bonheur que j'ai poussé votre père à accepter ce jeune homme ! Je *sais* que vous serez heureuse auprès de lui, et il n'est que temps de vous marier, Constance. Les jeunes filles de votre âge sont mariées depuis au moins deux ans, celles qui ne le sont pas sont la risée du grand monde !

— Je n'épouserai pas cet homme, et peut-être ne me marierai-je pas du tout, Maman, autant vous y préparer.

Sur ces mots, Constance s'était murée dans le silence, et les cris, les reproches, les sermons n'y avaient rien changé. Amélie l'avait privée de vie sociale et, en réponse, elle s'était claquemurée dans sa chambre. C'était tout Constance, transformer la consignation dont elle était frappée en choix personnel. Amélie d'Estingel était si exaspérée qu'elle avait dû s'aliter deux jours entiers, avant qu'une invitation au bal ne la force à paraître. Elle avait sommé Louis, son époux, de ramener Constance à la raison. Mais Louis d'Estingel avait en horreur ces « histoires de bonnes femmes » et n'avait pas l'intention d'arbitrer la joute qui opposait sa femme à sa fille. Il s'était contenté de parler un instant à Constance derrière la porte, lui dépeignant le portrait infamant qu'on ferait d'elle en apprenant que non seulement elle refusait un comte de Nérac, mais qu'elle n'avait aucun motif sérieux de le faire. Des rumeurs seraient lâchées aux quatre coins de Paris, et Dieu savait quelle créativité les esprits mettaient à bâtir une mauvaise réputation.

— Eh bien qu'ils parlent, tous ces gens, avait répondu Constance sans ouvrir la porte. J'ai ma conscience pour moi.

Louis d'Estingel avait soupiré. L'entêtement de cette enfant était quelque chose.

— Mais enfin, il est bien, ce garçon… Bien de sa personne, élégant… Le temps que vous changiez d'avis, il ne vous restera plus que les laids, les vieux et les chauves, ma fille. Vous devriez y réfléchir.

— Je ne peux pas l'épouser, avait-elle lâché avant de retourner au silence.

Les filles d'aujourd'hui étaient bien difficiles, avait songé son père en descendant l'escalier. Il n'y a pas si longtemps, on ne les aurait jamais consultées sur un sujet aussi sérieux que le choix d'un mari. Bienheureuses celles qui pouvaient envisager sans dégoût d'offrir leur corps à celui qu'on leur avait choisi. On ne comptait pas les jouvencelles qui s'étaient retrouvées dans le lit d'un vieillard, les beautés qui avaient dû se faire engrosser par des êtres difformes, les disgracieuses qui avaient passé leur vie à faire tapisserie en société pendant que leurs maris dépensaient l'argent de leur dot en maîtresses ou au jeu. Sans parler de cette brillante héritière qui avait dû épouser un ancien Montagnard aux mains encore tachées du sang de ses parents.

Oui, les filles étaient devenues bien difficiles.

— Elle n'a rien voulu dire, n'est-ce pas ? s'était impatientée sa femme. Il faut que vous ayez avec ce Nérac une discussion d'hommes. Constance nous cache quelque chose.

Louis d'Estingel avait accepté. Le jeune homme venait chaque jour aux nouvelles, chargé de fleurs blanches, dans l'espoir de voir sa fiancée. Un mardi après-midi de la fin avril, alors qu'il se présentait comme tous les jours à la porte de l'hôtel d'Estingel, Laszlo de Nérac s'entendit répondre par le major-dome que le maître de maison l'attendait dans son bureau. On l'introduisit presque aussitôt dans une pièce tapissée de superbes bibliothèques dont les livres jamais feuilletés étaient épousetés tous les jours. Louis d'Estingel lui serra la main et l'invita à prendre place dans un des fauteuils en cuir jouxtant son bureau, devant la fenêtre qui donnait sur l'avenue de Friedland.

— Entrez, cher Laszlo, asseyez-vous, je vous en prie. Il y a longtemps que je souhaitais m'entretenir avec vous.

Il observa le jeune homme. Amélie le soupçonnait de mille dépravations, mais il ne paraissait ni honteux ni mal à l'aise. Son visage racé, dont Louis découvrait à l'instant qu'il ressemblait à celui de Constance, ne semblait pas troublé de mauvaises pensées. Il était sobrement vêtu, avec cette élégance naturelle que Louis d'Estingel avait toujours enviée, lui qui paraissait fagoté dans un costume du meilleur faiseur de Paris.

— Ma femme me dit que vous venez tous les jours alors que Constance refuse de vous recevoir. Est-ce vrai ?

Louis d'Estingel ne se souvenait pas s'être donné cette peine pour une femme, en tout cas pas une femme qu'il aurait pu épouser. Il avait rencontré Amélie huit mois avant leur mariage, lors d'un rendez-vous arrangé par leurs parents, au Bois, sur une barque. Louis n'avait jamais été à l'aise sur l'eau et le seul souvenir qu'il gardait de cette entrevue était que la barque avait failli verser. D'Amélie, il ne se souvenait pas. Sans doute était-elle parfaite, fraîche et rose sous son chapeau bordé de tulle, osant à peine rire de peur que ce fût inconvenant, et sans doute s'était-il dit que s'il fallait en accepter une, celle-ci n'était pas la pire.

— Je viens tous les jours car je suis épris de votre fille et n'ai pas perdu l'espoir de l'épouser, répondit le jeune homme de sa belle voix grave.

— Autant vous dire que je suis navré que ma fille vous ferme sa porte... En réalité, je n'en comprends pas la raison.

— Nous sommes deux..., répondit le jeune Nérac avec un sourire amer.

Louis d'Estingel se racla discrètement la gorge en se penchant vers celui qu'il considérait encore comme son gendre.

— Mon cher Laszlo, vous pouvez avoir toute confiance en moi. J'ai été jeune, j'ai aimé des femmes et j'ai cherché à les conquérir. Et je sais bien que faire sa cour s'apparente à une longue suite de douches écossaises. Alors je ne peux m'empêcher de me dire… que Constance a pu vouloir châtier votre impatience. Avez-vous été un peu trop prompt à obtenir par la force… ce qui allait vous revenir de toute façon ?

Piqué, le jeune homme s'était levé.

— Êtes-vous en train de m'accuser d'avoir tenté d'abuser de votre fille ?

Si la réaction était feinte, elle était bien jouée.

— Je n'ai pas pour habitude de forcer les femmes, monsieur, lâcha-t-il, un éclair flambant dans ses yeux noirs.

— Allons, allons, tempéra Louis d'Estingel, vous vous méprenez. Je supposais simplement que vous aviez pu sembler trop impatient à Constance, qu'un de vos gestes avait pu la froisser… Je ne sais pas. Et je vous rassure, si vous l'aviez violée, ce n'est pas dans mon bureau que je vous aurais convoqué ! ajouta-t-il avec un petit rire. Rasseyez-vous, je vous en prie.

— J'ai rarement aimé et je n'ai jamais rien obtenu par la force, répondit Laszlo sur un ton sec, raide comme un hussard. Si j'ai prié Constance de m'épouser, ce n'est pas pour la brutaliser. Si je l'ai offensée, j'en suis malheureux mais j'en ignore la cause.

— Vous a-t-elle parlé de ce mariage, confié quelque crainte, une appréhension quant à la nuit de noces ?

— Elle s'est seulement inquiétée de savoir si je respecterais son « jardin secret » et sa liberté de penser.

Louis d'Estingel haussa les yeux au ciel. Mais où Constance allait-elle chercher de pareilles fadaises ? Il y avait de quoi faire fuir tous ses prétendants. Il réalisa soudain à quel point la perte de cet amoureux transi serait coûteuse.

— Je lui ai répondu qu'au contraire, je ne pourrais souffrir une femme qui n'ait pas de personnalité et ne défende pas ses opinions.

Ah ça, ils s'étaient bien trouvés. Il fallait être un candide à moitié hongrois pour imaginer qu'on pouvait laisser les femmes penser à leur guise sans qu'il en résultât les pires catastrophes.

— C'est tout à votre honneur... Mais Constance pourrait-elle avoir découvert malencontreusement l'existence d'une autre femme dans votre vie ? avança-t-il avec un sourire complice.

— J'ai rompu avec ma dernière maîtresse quatre jours après avoir rencontré Constance, monsieur, et je ne passe pas mes nuits à trousser des grisettes ou à courir les bordels, si c'est votre question. Je n'aime pas ces endroits où les filles sont abîmées et vulgaires, et ne tiens pas à attraper une maladie ou à me faire planter un couteau dans le ventre.

Louis d'Estingel laissa échapper un soupir. De toute évidence il ne tirerait rien de ce Gascon à l'orgueil chatouilleux. L'énigme restait entière, même s'il était prêt à admettre que le problème se situait uniquement dans la tête de Constance, et Dieu savait quelle idée fixe avait pu germer dans ce labyrinthe.

— Bien, dit-il en se levant, je vous remercie de votre franchise, mon cher... C'est une fâcheuse affaire. Ma fille nous ferme sa porte et toutes nos tentatives de lui parler échouent lamentablement. Oh, vous savez, elle est peut-être tout bêtement effrayée par la perspective du mariage. Les jeunes filles d'aujourd'hui ! Mais il est certain, poursuivit-il en pesant ses mots, que Constance vous aime et que rien n'est perdu. Si, de votre côté, vous avez la patience d'attendre que nous l'aidions à y voir plus clair... Vous m'êtes sympathique, Nérac, et mon épouse vous a déjà adopté.

En cela il mentait, Amélie et lui ne ressentaient aucune affinité particulière avec ce jeune comte et la raideur de ses réactions venait de doucher son peu d'enthousiasme. Mais deux longues années à voir Constance refuser tous les partis avaient fait d'eux des parents aux abois. Il était temps que leur fille se marie, ou sa cote fléchirait à toute allure.

— J'attendrai que Constance accepte de me voir, répondit le jeune homme avec froideur. Prévenez-moi si elle change d'avis.

— Bien entendu ! répondit Louis d'Estingel en le raccompagnant à la porte avec une chaleur forcée. Et surtout, si vous avez envie de parler ou juste de passer un moment agréable, ma femme et moi serons ravis de vous avoir à dîner. Considérez-nous comme votre nouvelle famille... Pas de manières entre nous, mon cher !

Il y avait peu de chances que le garçon et lui deviennent des compères, qu'il le fasse entrer à son club et passe des soirées à deviser joyeusement avec lui des petites danseuses de l'Opéra autour d'un vieux malt… Mais s'il les débarrassait de Constance, ce serait suffisant.

Lorsque Louis d'Estingel rejoignit sa femme dans le salon, elle était en grande conversation avec la marquise de Fontenilles. Elles se turent à son approche, et Amélie lui lança d'une voix impatiente :

— Alors ?

— Alors rien, dit-il d'un air ennuyé. Je pense qu'il ignore autant que nous quelle mouche a piqué Constance.

Les deux femmes échangèrent un regard entendu.

— Ah, ma chère…, soupira Amélie. C'est infernal, Constance nous rend fous. Vous allez voir qu'elle va réussir à faire échouer ce mariage ! À moins que… à moins que nous ne lui demandions pas son avis, après tout.

— Allons, allons, chère amie, la coupa Pauline de Fontenilles, avant d'en arriver à cette extrémité… peut-être faudrait-il juste lui changer les idées ! Cette enfant est trop tourmentée pour son âge.

— L'influence des sœurs…, soupira Amélie. Je vous en ai déjà parlé.

— Lui changer les idées ? demanda Louis d'Estingel. Que suggérez-vous ? Constance n'aime rien faire d'amusant.

— Peut-être pourrions-nous lui proposer un divertissement qui ait une portée pieuse, alors ?

sourit Pauline de Fontenilles en remuant le sucre dans son thé.

— Un divertissement pieux ? répéta Louis d'un air profondément dubitatif. Ça existe ?

— Louis, vous êtes impossible ! gémit Amélie. À quoi songez-vous, ma chère ?

— Au Bazar de la Charité, dit la marquise en détachant les mots.

Un silence recueilli s'ensuivit. C'était une excellente idée. Il y avait peu de chances que Constance restât cloîtrée dans sa chambre si on lui proposait de participer à une vente de charité, et pas n'importe laquelle. La plus mondaine, la plus brillante.

— Mais… reste-t-il des places aux comptoirs ? demanda Amélie. Vous me disiez justement que cette comtesse de Raezal vous avait harcelée…

— Ah, ne m'en parlez pas ! s'écria Pauline de Fontenilles, furieuse. Cette comtesse n'a aucune éducation ! Et le pire, figurez-vous… Le pire c'est que je ne sais comment elle s'y est prise, mais elle a obtenu que la duchesse d'Alençon la prenne à son comptoir. Imaginez dans quel état j'étais quand j'ai appris la chose !

— Non…, dit Amélie avec des yeux agrandis. La duchesse d'Alençon ? C'est incroyable… Comment est-ce possible ?

Les d'Alençon étaient leurs voisins, ils habitaient plus loin sur l'avenue de Friedland mais une invisible frontière délimitait et protégeait leur monde, créant un halo de fascination chez ceux qui, comme Amélie d'Estingel, n'y seraient jamais admis.

— Je ne sais pas…, reconnut la marquise. Je ne comprends pas ! Bon, il est vrai que la duchesse est particulière… Comme toute sa famille… Mais enfin, c'est la duchesse d'Alençon. Si elle a pris cette décision, nous devons faire avec… J'espère seulement qu'elle saura contenir cette Mme de Raezal, la forcer à un peu de retenue…

— Qui est cette Mme de Raezal ? interrogea Louis d'Estingel dont la curiosité était piquée.

Les intrigantes l'avaient toujours fasciné. Elles étaient nimbées d'une aura érotique qui réveillait un ancien « lui » plus inflammable et moins rassasié.

— Une arriviste, répondit la marquise. Une femme de la petite noblesse qui s'est fait épouser par Gabriel de Raezal en secondes noces. Mais ce mariage n'a pas réussi à étouffer certain scandale…

— Un scandale ?

— J'ai ouï dire que Violaine de Raezal aurait un « passé ». Sa moralité n'est pas sans tache…

— Et la duchesse a invité cette femme à son comptoir ?

— Oui, c'est effrayant, répondit Pauline de Fontenilles. Mais que pouvons-nous y faire, je vous le demande. Enfin, revenons à notre affaire. La seule place qui reste est justement au comptoir de la duchesse d'Alençon. Mme de Miraval s'est désistée, ce qui en libère une pour Constance.

Amélie d'Estingel fixa son amie d'un air mi-figue mi-raisin. Savoir que sa fille allait se retrouver au même comptoir qu'une intrigante de la noblesse ne l'enchantait guère. Et si la rumeur les associait, si les gens faisaient le lien entre cette proximité tapageuse et la rupture de ses fiançailles ?

— Je sais ce que vous pensez, dit la marquise. Mais c'est le comptoir de la duchesse d'Alençon, pas celui de la comtesse de Raezal. Et la moralité de la duchesse, elle, est au-dessus de tout soupçon. Ne pensez-vous pas que Constance aurait tout à gagner à fréquenter Sophie d'Alençon ? C'est une chance pour cette petite, et qui sait quelles portes pourraient s'ouvrir devant elle.

Amélie réfléchissait à toute allure. Côtoyer de si près la duchesse d'Alençon était un privilège pour Constance. La famille d'Estingel avait beau être fière de son nom, ils ne pouvaient rêver d'être invités chez le duc d'Alençon. Un fossé infranchissable les séparait de la minorité d'élus qui avaient cette chance.

— Vous avez raison, Pauline, dit-elle d'une voix radoucie. Ne nous arrêtons pas à des préjugés. Nous valons mieux que ça.

— Et puis, ajouta la marquise, c'est le comptoir des noviciats dominicains. Ne m'avez-vous pas dit que Constance était très attachée aux dominicaines de Neuilly ? Voilà un argument de plus pour la convaincre de quitter sa chambre. Le Bazar de la Charité ouvre ses portes la semaine prochaine, je compte sur vous pour être persuasifs. Participer à cet événement mondain aura, j'en suis sûre, le meilleur effet sur Constance. Le seul risque que vous prenez est qu'elle s'y déniche un autre fiancé !

Cette dernière réplique acheva de détendre l'atmosphère.

7

Après une nuit agitée où elle rêva que son beau-fils Armand la menaçait de la jeter dehors, Violaine de Raezal fut soulagée d'ouvrir les yeux. Le soleil perçait à travers les doubles rideaux de sa chambre. Elle chercha à tâtons le pichet d'eau que la femme de chambre laissait chaque soir sur sa table de nuit et s'en servit un verre. Écrite de sa petite écriture fine et nerveuse, la liste des choses qu'elle devait faire la narguait sur son secrétaire. La plus importante barrait la feuille en lettres capitales :

LUNDI 3 MAI,
INAUGURATION DU BAZAR DE LA CHARITÉ,
RUE JEAN-GOUJON.

Le 3 mai, c'était la veille. Et tout compte fait, les choses s'étaient bien déroulées pour la comtesse de Raezal. Sa présence n'avait pas suscité de curiosité anormale. Ce qui ne voulait pas dire qu'on ne chuchotait pas à son sujet, mais les commérages ne l'effarouchaient plus. Elle avait redouté que ces dames défilent à son comptoir, excitées par le scandale… Mais celles qui étaient venues semblaient n'avoir pour but que de saluer la duchesse d'Alençon.

Comme cette Mary Holgart, une Américaine à la silhouette de liane et au visage pointu, amie de jeunesse de Sophie d'Alençon. D'après ce que la duchesse lui avait confié après son départ, Mary Holgart appartenait à une grande famille de Boston qui conservait des attaches familiales en France. Il y avait quelque chose d'insouciant et de léger dans son port de tête, les mouvements gracieux de ses mains gantées, le chatoiement de sa longue robe de soie mauve… Violaine l'avait observée avec curiosité tandis qu'elle embrassait son amie la duchesse et échangeait quelques mots avec elle dans un excellent français, avec cette délicieuse pointe d'accent qui semblait glisser des sous-entendus partout.

— Sophie, il y a trop longtemps que je ne vous avais vue. Ferdinand me prive de vous ! avait-elle assuré avec un froncement de sourcils contredit par son sourire, sans qu'on sût quelle partie de son expression était sincère. Nos conversations me manquent…

La duchesse lui avait répondu avec une chaleur qui trahissait une profonde amitié. Un peu de nostalgie se lisait dans ses yeux bleu pâle, comme si sa mémoire lui mordillait l'épaule pour la forcer à se retourner.

— Et je vous retrouve ici, en reine très digne entourée de vos suivantes…, avait aussitôt ajouté Mary Holgart.

— Oh non, pas un instant, avait protesté la duchesse. Je ne suis pas une reine et personne n'est ici mon sujet. Nous sommes toutes au service des pauvres, c'est la raison d'être du Bazar et sa grande réussite.

L'Américaine avait jeté un regard que Violaine jugeait ironique sur l'assistance ultra-mondaine. Pour accomplir le service des pauvres, ces dames avaient revêtu leurs plus belles toilettes et leurs bijoux les plus étincelants…

— D'ailleurs, je vous présente la comtesse de Raezal, qui fait ses premiers pas de vendeuse aujourd'hui et m'accompagne depuis des semaines partout dans Paris au chevet des pauvres et des malades.

Toujours cette délicatesse chez la duchesse, de ne laisser aucun doute sur les motivations charitables de Violaine. Que savait-elle de son passé, des rumeurs qui circulaient sur son compte ? Si elle avait entendu certains commérages, elle ne semblait en faire aucun cas et la traitait ouvertement comme sa protégée.

— Je suis heureuse de vous rencontrer, comtesse, avait souri Mary Holgart en la regardant droit dans les yeux. Je connais Sophie depuis trente ans, et elle m'est si chère que je traverse l'Atlantique quand elle m'invite à une vente de charité.

— Mary, vous êtes adorable, avait répondu gaiement la duchesse d'Alençon. J'espère que vous profiterez de votre séjour pour dîner chez nous un soir de cette semaine. Ferdinand m'en voudrait s'il savait que je ne vous ai pas invitée.

— Oh, je serais navrée de peiner Ferdinand, avait dit Mary avec un sourire ambigu. Je viendrai le soir qui vous conviendra. Je suis tout à vous, vous le savez bien. J'irai faire quelques emplettes et regarder

de près ces jolis comptoirs. Quels décors superbes !
La Truie qui file, Le Cadran bleu… Comme c'est
charmant, ces enseignes médiévales… et cette église
gothique, quelle splendeur ! Qui en a eu l'idée ?

— Ces messieurs du comité ont racheté la *Rue
du Vieux-Paris*, le clou de l'exposition qui s'était
tenue au palais de l'Industrie. C'est vrai, c'est très
beau, mais quel travail pour tout arranger à temps !
Il y a même un cinématographe, les gens qui s'en
occupent ne seront là que demain. Il faut donc
patienter encore un peu pour découvrir cette invention, il paraît que c'est tellement impressionnant ! Je
suis curieuse, je dois bien l'admettre.

— Un cinématographe ? avait répété Mary Holgart. Quelle idée originale ! Me voilà forcée de revenir demain, alors…

— Oh ! oui, Mary, revenez demain. Le nonce
apostolique vient bénir le Bazar vers trois heures. Je
pense que ce sera une belle journée.

Violaine espérait la revoir aujourd'hui. Un parfum
de liberté émanait de cette étrangère gracile et ironique, échappée de ce continent neuf où il devait
être plus facile d'exister sans passé.

Se redressant dans son lit, elle tendit la main pour
sonner sa femme de chambre.

Si elle voulait être à l'ouverture, elle devait se
hâter de prendre son petit déjeuner. Ensuite il faudrait qu'elle choisisse une tenue dans sa garde-robe
de deuil, ce qui limitait le choix, mais elle savait que
le noir la mettait en lumière. Sa blondeur ne paraissait jamais plus éclatante qu'en robe de deuil, rayon
de soleil aveuglant l'ombre. Son teint prenait alors

un éclat rosé, pulpeux, qui faisait oublier qu'elle avait l'âge d'être mère.

Elsa, la femme de chambre, toqua un instant plus tard à la porte et entra, portant avec précaution un lourd plateau d'argent chargé de petits pains blancs juste tirés du four, de gelées de mirabelle et de mûre, de beurre frais, de thé encore fumant dont les volutes parfumées emplissaient la chambre.

Ces détails raffinés de sa vie, Violaine les voyait encore. Peut-être parce qu'elle ne les avait jamais considérés comme acquis. Ce luxe lui avait toujours paru précaire, menacé. Il n'y avait qu'à voir l'air souverain de Léonce quand elle se rendait rue de Babylone, comme si elle visitait une parente pauvre recueillie par charité. Armand, son frère, ne l'aimait pas davantage même s'il lui souriait beaucoup, de beaux sourires froids et vides. Dès que l'occasion leur serait donnée de se défaire de leur encombrante belle-mère, ils la saisiraient. Ce jour-là, peut-être qu'avoir figuré au rang des vendeuses du Bazar de la Charité lui rendrait service.

— Madame la comtesse retourne au Bazar de la Charité ce matin ? interrogea Elsa.

— Oui, je dois y être à l'ouverture.

— Encore une journée bien fatigante pour Madame la comtesse !

— C'est un peu fatigant, bien sûr, de rester debout toute la journée... Et puis cette effervescence, partout ! Mais nous avons fait une très bonne recette hier, et je suis sûre qu'aujourd'hui elle sera encore meilleure.

Elle mordit dans un petit pain après l'avoir éventré et nappé d'une fine couche de beurre. Cette jeune fille hier au comptoir n° 4, elle ne savait comment la prendre, trouver la juste distance. Sa froideur n'était pas de l'arrogance mais un repli défensif. Elle vous écartait d'elle par ce moyen. Seule la duchesse d'Alençon parvenait à désarmer cet abord glacial. Sophie les avait présentées l'une à l'autre dès l'ouverture, mais Constance, la jeune femme brune, n'avait jamais permis à Violaine de créer un semblant de contact. Polie mais distante, réservée à l'extrême, elle s'était tenue tout le jour sur son quant-à-soi, comme si elle la jaugeait sans méchanceté particulière. Elle lui rappelait celle qu'elle avait été il y a longtemps. Juste avant de perdre son innocence.

Elle était différente, alors, plus insouciante. Une herbe folle privée de mère, élevée par un père aimant qui répugnait à la gronder. Des heures passées dans la bibliothèque à dévorer de préférence ce qu'un précepteur lui eût interdit. Puis à commenter ce butin avec son père, à table, qui s'en effarouchait pour la forme. Tout lire lui avait donné le vertige et une faim grandissante du monde. Elle y avait perdu le peu de déférence qu'on lui avait inculquée. Les livres lui avaient enseigné l'irrévérence et leurs auteurs, à aiguiser son regard sur ses semblables ; à percevoir, au-delà des apparences, le subtil mouvement des êtres, ce qui s'échappait d'eux à leur insu et découvrait des petits morceaux d'âme à ceux qui savaient les voir. Mais la lecture avait aussi précipité sa chute. Quand elle entendait dire que les romans étaient de dangereux objets entre les mains d'une jeune fille, elle ne protestait plus. Puissants et dangereux, oui, car ils vous versaient dans la tête une liberté de penser qui vous décalait, vous poussait hors du cadre. On en sortait sans s'en rendre compte, on avait un pied dansant à l'extérieur et la cervelle enivrée, et quand on recouvrait ses esprits, il était trop tard. La terre était pleine de créatures saturées d'elles-mêmes qui prenaient plaisir à vous foudroyer pour les fautes qu'elles s'interdisaient, les libertés qu'elles prenaient dans l'ombre, les extases qui venaient mourir près d'elles sans qu'elles se soient permis d'y goûter. Châtier était le tonique qui ranimait leur cœur exsangue.

— Madame la comtesse a-t-elle fini ? Veut-elle s'habiller ?

La voix acidulée d'Elsa l'arracha à la mélancolie, qui lui laissait toujours un goût amer. Violaine de Raezal était décidée à reconstruire sa vie, même si elle devait pour cela sourire à des bouches pincées et passer devant des faces-à-main ciselés dont l'indélicatesse s'autorisait d'un lignage impeccable.

— Je vais d'abord goûter à cette gelée de mirabelle, dit-elle en étalant sur un morceau de pain tiède la gourmandise opalescente que Gabriel faisait venir de Lorraine parce que sa jeune épouse en raffolait. Bien que le maître de maison ne fût plus là, on s'assurait toujours en cuisine que la comtesse n'en manquât point.

La Lorraine. Elle n'y mettrait sans doute jamais les pieds. Le seul voyage qu'elle avait fait dans sa vie l'avait traumatisée. Paris était à la fois un refuge et une prison dont le vacarme incessant l'apaisait étrangement. Ses rues n'étaient jamais les mêmes, joyeuses le matin, vibrantes à la tombée du jour, hantées la nuit par des ombres furtives qui s'évanouissaient au petit jour... Les artères luxueuses irriguaient les venelles mal famées et elle aimait ce contraste, ce mélange de grossier et de raffiné, la régénération permanente du cœur grouillant et sale de Paris. Peut-être l'aimait-elle d'autant plus qu'elle pouvait, chaque soir, rentrer au chaud dans son hôtel particulier, se glisser entre ses draps soyeux et lire quelques pages dans le rougeoiement d'un feu de cheminée. Échapper à la saleté, aux cris éraillés des alcooliques, aux hurlements des enfants battus, au froid coupant. Lire une page des *Misérables* au son feutré d'un carillon ancien qui égrenait les heures pour la bercer.

Mais tout cela n'allait pas durer toujours.

— Quelle tenue vais-je mettre, Elsa ? interrogea-t-elle, indécise. Aujourd'hui, le nonce apostolique vient bénir le Bazar. Je dois être élégante.

*

— Constance, vous partez déjà ? lui lança sa mère alors que la jeune fille grimpait sur le marchepied du cabriolet, aidée par le cocher.

— Oui, j'y vais.

— Mais... hier nous étions sortis quand vous êtes rentrée, et vous vous êtes couchée si tôt que nous n'avons pas eu le temps de causer ! gémit Amélie d'Estingel, s'arrêtant essoufflée devant la portière de la voiture tandis que le cheval piaffait.

— Causer de quoi ? demanda froidement la jeune femme.

Son profil de médaille avait une pureté extraordinaire ce matin, et ses cheveux de jais relevés sur sa nuque ondulaient sous un coquet petit chapeau sur lequel dansaient quelques plumes.

— Eh bien, mais du Bazar de la Charité… De tous ces gens que vous y avez vus, de la duchesse d'Alençon, de la comtesse Greffulhe, de la marquise de Castellane… Comment étaient-elles habillées ? Vous ont-elles reconnue ?

— La duchesse d'Alençon sait parfaitement qui je suis, puisque la marquise de Fontenilles le lui a dit. C'est une femme d'une grande dignité et on ne peut que l'aimer. J'ai aperçu la comtesse Greffulhe mais je ne lui ai pas été présentée, pas plus qu'à la marquise de Castellane. D'ailleurs, nous étions bien trop occupées pour faire des mondanités.

— Et cette comtesse de Raezal, vous a-t-elle importunée ? demanda Amélie d'Estingel, la curiosité lui brûlant les lèvres.

— Elle est charmante, répondit Constance sans ciller. Je sens que nous pourrions devenir amies.

Elle constata avec plaisir que cette perspective horrifiait sa mère.

— Ce serait une grave erreur d'encourager…, commença Amélie d'Estingel.

— Il faut que je parte, Maman, je vais être en retard, la coupa Constance. Nous nous verrons ce soir.

— À quelle heure vient le nonce ? Peut-être pourrai-je me libérer…

— À trois heures et demie, cria la jeune femme tandis que le cabriolet s'ébranlait dans le matin frisquet.

Le soleil illuminait l'avenue de Friedland et ses immeubles cossus, les becs de gaz, les colonnes Morris, les charrettes à bras des camelots. Les toits d'ardoise étincelaient, myriade de miroirs irrégulièrement taillés sur lesquels ricochait la lumière. Une magnifique journée s'annonçait, et Constance s'attendrissait malgré elle. Peut-être se montrait-elle trop dure avec sa mère.

Elle devait reconnaître que la marquise de Fontenilles avait eu une bonne idée en l'invitant au Bazar de la Charité. Se rendre utile la distrayait de tout le noir qu'elle avait broyé ces derniers temps et lui donnait la chance de côtoyer de près la duchesse d'Alençon. Cette femme la fascinait, à la fois volubile et timide, d'une chaleur sincère qui n'invitait pas pour autant à la promiscuité. C'était un être à part, qui ne semblait appartenir à personne. Son aisance était trompeuse, sa simplicité désorientait les courtisans et elle demeurait insaisissable. Comment avait-elle pu traverser tant d'années de mariage sans être altérée ? On disait que son mari l'aimait énormément. On disait tant de choses. L'aimait-il assez pour ne pas la réduire aux dimensions de son vouloir ?

Du duc d'Alençon, sa pensée glissa à Laszlo. À cette liberté, si tentante, qu'il prétendait vouloir lui laisser entière.

Vous serez mon amour, mon amie, mon amante. Je veux que vous soyez libre de penser et d'agir par vous-même.

Ces mots de Laszlo, dont la force n'était pas émoussée, tourbillonnaient en elle tels des flocons de neige. Avec quoi les repousser ? La charité ?

*

— Constance d'Estingel, c'est bien la péronnelle qui vous laisse languir à sa porte ?

— Oui, en effet, répondit sèchement Laszlo de Nérac avant d'avaler son deuxième café. Pourquoi me parlez-vous d'elle ?

— Parce qu'elle sera au Bazar de la Charité pendant trois jours. Comptoir n° 4. Je ne suis pas sûr que j'aie raison de vous le dire. Bah. Nous verrons bien.

— Comment le savez-vous ?

— Eh bien, figurez-vous, sourit Maurice Dampierre, que je compte parmi mes amis un certain Jean-Baptiste Dieudonné, qui se trouve être le secrétaire du baron de Mackau.

— Le président du Bazar ?

— Lui-même. Et ce Dieudonné, quand je l'ai vu l'autre jour, compulsait fiévreusement ses petites listes de vendeuses, pris d'angoisse à l'idée d'en avoir trop. Ce Bazar de la Charité, c'est une vraie basse-cour, elles veulent toutes en être ! Bref, parcourant distraitement une de ces listes, je suis tombé sur une Constance d'Estingel. Je me suis dit qu'il y avait une chance que ce soit la vôtre. Maintenant j'imagine que vous irez faire un tour dans la basse-cour… Mais n'y allez pas avant cinq heures. Vers trois heures, le nonce vient bénir cette charmante assistance, ce sera irrespirable, entre l'eau bénite et la foule. Vous ne pourrez pas l'approcher. D'autant qu'elle est au comptoir de la duchesse d'Alençon, et que le nonce *adore* les d'Alençon, ajouta-t-il avec un clin d'œil.

Laszlo hocha la tête.

— Cinq heures. Ça me va. Je veux avoir une chance de la voir sans attirer l'attention.

— La voir peut-être, répondit Maurice, mais lui parler, j'en doute fort ! Cette année, ces dames sont installées dans un genre de hangar construit sur un terrain vague, rue Jean-Goujon. C'est étroit et bondé, c'est l'enfer. Je vous plains, je n'irais pour rien au monde !

8

Le cocher de la duchesse d'Alençon était en avance.
Le duc lui avait donné rendez-vous à cinq heures,
il était à peine quatre heures et quart mais il préférait arriver tôt pour rester à disposition. Il remontait
la rue François-Ier au pas, de très bonne humeur. Il
aimait ces journées de mai où la duchesse était toute
la journée au Bazar et où il n'avait plus à la conduire
dans les quartiers mal famés de Paris, se pliant à ses
lubies hasardeuses. Il pouvait s'attarder sur les
Champs-Élysées, y retrouver quelques collègues,
savourer un verre de Suze au comptoir d'une brasserie, faire une sieste au soleil et penser à des choses
heureuses. À cette petite femme de chambre bavaroise qui venait d'arriver avenue de Friedland et ne
tarderait pas à succomber à son charme français et
à ses moustaches taillées en pointe. À l'été qui approchait et chasserait bientôt le duc et la duchesse dans
leurs lieux de villégiature suisses et autrichiens, lui
octroyant quelques mois de paix bien gagnée. Des
semaines entières sans tuberculeux, gamins morveux
ni soupentes sordides, où la duchesse serait en sûreté
et à sa place dans les salons, ne sortant que pour

des promenades à pied, à cheval ou pour des excursions sur le lac. Et où son seul souci à lui serait l'éventuelle visite de l'impératrice d'Autriche, qui entraînait sa sœur dans des marches de cinq ou six heures dont elle rentrait épuisée. Inconscientes l'une et l'autre. Drôle de famille, ces Wittelsbach. Heureusement que le duc avait assez de raison pour deux.

Il tourna à droite sur la place François-Ier et s'engagea dans la rue Jean-Goujon. Le ciel était d'azur, l'air suave, et à cette heure de l'après-midi, on circulait aisément. Vu son avance, le mieux était de s'arrêter au 26, en face du Bazar, dans l'établissement de chevaux de M. de Rothschild. Il y avait ses habitudes. Le reconnaissant, les piqueurs qui attendaient au portail s'écartèrent pour le laisser passer et il arrêta la voiture au bout de la cour tandis qu'un jeune homme venait s'occuper de son cheval. Le régisseur sortit du bâtiment en l'apercevant.

— Bonjour Georges ! Encore de sortie au Bazar aujourd'hui ?

— Eh oui ! Mme la duchesse ne prend pas un jour de relâche. Et ce matin elle était à la messe à six heures !

— Si elle est pas dans les petits papiers du bon Dieu avec tout ça... Pas comme nous autres ! Enfin toi, peut-être que t'arriveras à te tailler une place au paradis, vu qu'tu conduis sa voiture...

— J'y compte bien, sourit Georges en dégourdissant ses longues jambes ankylosées. T'as vu du monde depuis ce matin ?

Les deux hommes traversèrent la cour en direction de la cahute du régisseur, tout de suite à droite après le portail d'entrée. Louis Gaugnard était nettement plus petit que le cocher et d'allure nerveuse ; son petit visage de fouine respirait la gentillesse et il se liait facilement d'amitié.

— M'en parle pas. Avec la venue du nonce, c'est l'affluence… Tout à l'heure, on ne pouvait plus avancer dans le quartier, entre les voitures et les fiacres ! Bon, tu bois un coup ?

— C'est pas de refus, répondit le cocher en entrant.

Le régisseur leur servit deux verres de guignolet et ils trinquèrent :

— Au Bazar de la Charité ! Et à tes amours, Georges !

La réputation de bourreau des cœurs du cocher de la duchesse d'Alençon était notoire. Une chance que sa patronne fût trop accaparée par ses pauvres pour prêter l'oreille aux bavardages…

— Oui, au Bazar ! répéta-t-il, levant son verre en direction de la fenêtre qui donnait sur la rue Jean-Goujon.

Mais il n'acheva pas son geste, se figeant soudain.

De la fumée s'élevait du toit du grand hangar dressé sur le trottoir d'en face.

— Qu'est-ce que c'est, ça ?

— Quoi, ça ? demanda le régisseur en s'approchant.

— Là, cette fumée…

Après quelques secondes d'incrédulité, ils rejoignirent les piqueurs qui faisaient une pause, bavardant et fumant nonchalamment près du portail.

— Vous avez vu ça ?

Tout le monde leva les yeux vers le toit du hangar.

Si c'était un feu, il ne paraissait pas très effrayant. Un filet de fumée si mince qu'on eût dit de la vapeur. Georges songea à la duchesse, il fallait quand même la faire sortir de là au plus vite.

À cet instant, une femme d'un certain âge jaillit des portes du Bazar, le visage décomposé par la peur, en hurlant :

— Au feu ! Au feu !

Trébuchant dans le bas de sa robe, la femme s'écroula lourdement sur le trottoir. Louis Gaugnard, qui l'avait reconnue, se précipita pour la relever.

— Madame la comtesse, êtes-vous blessée ?

En guise de réponse, celle-ci leva la tête, les yeux agrandis d'effroi, vers le toit du Bazar. Le cocher, les piqueurs et quelques commerçants du coin regardaient dans la même direction, hypnotisés.

Le toit du Bazar de la Charité flambait sous leurs yeux, avec la rapidité d'un paquet d'allumettes. Les portes d'entrée du hangar s'ouvrirent à la volée pour vomir sur l'asphalte un magma d'êtres humains défigurés par la peur qui exhalaient un parfum puissant de chair brûlée. À l'intérieur, la clameur enflait, effrayante. Ils comprirent que le temps était compté.

*

Constance d'Estingel guettait le flot des visiteurs, espérant et redoutant d'apercevoir Laszlo. Ses chances de le voir étaient minces. Elle l'imaginait mal se précipiter ici où tout était réuni pour le faire fuir : trop de monde, trop de grandes bourgeoises, de chapelets en argent et d'images pieuses. Quatre heures passées. Le nonce était venu et reparti, trois petits tours et puis s'en va. Pendant sa visite, Constance s'était sentie très mal à l'aise. Tous les regards convergeaient vers le comptoir des noviciats dominicains où l'envoyé du pape s'était attardé longuement auprès de la duchesse d'Alençon et de son époux. Des journalistes s'étaient joints à la foule et très vite l'air autour du comptoir s'était fait irrespirable. D'autant que ces dames, ayant eu froid en arrivant ce matin, avaient colmaté les portes du hangar pour se protéger des courants d'air. Constance avait croisé les yeux de cette Violaine de Raezal que sa mère abhorrait, pour constater que celle-ci semblait répugner autant qu'elle à être le point de mire de l'assistance. Elles avaient dû toutes deux prendre leur mal en patience et attendre que le nonce s'en allât enfin, profitant de son départ pour s'éclipser quelques instants, unies par une solidarité conjoncturelle, et se réfugier dans l'hostellerie des dames, salon réservé où les vendeuses pouvaient trouver un peu de calme et d'intimité loin du bruit et de la foule.

Violaine de Raezal lui avait tendu une citronnade bien fraîche qu'elle avait acceptée avec reconnaissance. Cette femme était belle et avait un regard doux. Certes, Constance avait été prévenue contre elle, sa mère et les amies de sa mère lui avaient dépeint une créature infâme dont la simple proximité pouvait la corrompre. Mais à présent qu'elle avait fait sa connaissance, elle ne lui trouvait rien de repoussant. Bien sûr le mal et la perversion pouvaient prendre les apparences les plus gracieuses, mais elle n'accordait pas une grande sûreté de jugement à sa mère, ni une grande noblesse de cœur, pour l'avoir vue à l'œuvre auprès des domestiques.

Elles avaient bavardé un instant, évitant les sujets trop intimes ou glissants, et s'étaient rejointes dans leur admiration pour la duchesse. Ce fut comme un lien tissé entre elles, dès le début. De fait, leur improbable rencontre était son œuvre.

Comme elles regagnaient leur comptoir, se frayant avec peine un passage dans la foule bourdonnante, elles croisèrent Pauline de Fontenilles qui les dévisagea avec une avidité d'oiseau de proie. Constance imagina la colère de sa mère et en fut à la fois contrariée et réjouie. Plus le temps passait, plus sa mère et elle allaient au conflit ouvert, conflit auquel la jeune fille aspirait tout en redoutant les vérités douloureuses qu'il pourrait mettre au jour.

Constance pouvait se faire croire qu'elle n'avait pas peur de tomber nez à nez avec Laszlo, tant le risque était minime de le voir surgir devant elle. Cependant son cœur s'emballa quand elle perçut un mouvement anormal dans la partie du Bazar qui se trouvait à sa gauche. Elle se dressa sur la pointe de ses bottines, en vain. Trop de monde, elle ne parvenait pas à distinguer la cause de cette agitation.

Pourquoi son cerveau enfiévré courait-il à l'hypothèse la plus invraisemblable ?

Un cri, soudain, électrisa l'espace, semant le saisissement et l'effroi :

— Au feu !

Quelques secondes de silence avant que les bavardages se changent en hurlements, en ordres, en suppliques. Quelques secondes suspendues, le temps de réaliser ce qui était en train d'arriver. Un feu. Un feu avait pris dans ce hangar bondé, dans cette foule près de tourner folle sous l'emprise de la peur. Combien étaient-ils ? Mille cinq cents ? Deux mille ? Et où était le feu ? Elle vit de la fumée à l'autre bout, là-bas, vers le jeu de ballon.

Constance frissonna, comme si le feu qui avançait avait tout fait geler en elle.

Une main saisit la sienne.

— Mon enfant, pas de panique. Nous allons sortir d'ici, n'ayez pas peur.

Elle respira profondément, sans lâcher la main de la duchesse d'Alençon.

*

Violaine de Raezal venait de vendre une jolie Vierge à l'Enfant en porcelaine quand elle entendit l'alerte au feu. Elle abandonna le comptoir et s'avança pour mieux voir. De la fumée s'élevait à l'autre bout du Bazar, du côté des numéros impairs, vers l'église gothique.

Pas de panique, le feu était encore assez loin pour leur laisser le temps de quitter les lieux. Elle pensa qu'il fallait récupérer la recette du jour, pour éviter qu'elle fût volée. Apercevant le baron de Mackau qui traversait la salle avec la mine d'un fantôme, elle le héla. Où fallait-il mettre l'argent ? Devait-on l'emporter avec soi ? Il passa sans lui répondre, les yeux rivés sur le fond du Bazar, là où la fumée devenait plus épaisse à chaque seconde.

Des cris fusèrent, suraigus : levant la tête, elle vit avec horreur que le vélum qui servait de toit au Bazar venait de s'embraser à la vitesse d'une feuille de papier. Le goudron enflammé tombait déjà de toutes parts sur l'assistance, mettant le feu aux chevelures, aux chapeaux, aux vêtements. Dans les hurlements des gens qui se voyaient flamber, tout le monde se rua vers la sortie en une affreuse bousculade. Dès lors ce fut le chaos, un océan démonté de corps entrechoqués, de cris de douleur et d'épouvante.

Les flammes, après avoir dévoré le vélum, s'attaquèrent aux rideaux, avalant les tentures, les toiles peintes, les frises des splendides décors médiévaux. La ligne de feu coupait maintenant le Bazar en deux au niveau du comptoir des cercles catholiques ouvriers, barrant l'accès à deux issues sur la rue Jean-Goujon.

Elle entendit, comme s'il parlait depuis un pays lointain, le duc d'Alençon faire un appel au calme, expliquer que tout le monde aurait le temps de sortir. Au même instant une dame corpulente la bouscula avec force et elle tomba à la renverse, sa tête venant heurter le coin du comptoir n° 4. Violaine cria quand la pointe d'un talon se planta dans sa main droite. Douloureusement, elle parvint à se remettre debout et à se réfugier derrière le comptoir. Son front saignait, sa main n'était qu'une plaie. Autour d'elle, la chaleur gagnait avec le feu.

— Violaine, vous saignez ! Vous êtes blessée, lui dit Sophie d'Alençon.

— Non... ça va, répondit-elle dans un souffle.

— Venez près de moi, restons ensemble.

Elle hésita. Son instinct lui intimait de fuir, de courir, tailler son chemin dans cette nuée d'oiseaux volant en tous sens et se cognant les uns dans les autres pour échapper au feu. On ne distinguait plus rien à cinq mètres, tout était craquements, crépitements, sifflements. Ses joues cuisaient, ses yeux la brûlaient, elle respirait avec peine. Un instant, il lui sembla que Gabriel lui tendait les bras dans le feu, puis plus rien, rien que le danger lui battant les tempes.

Alors elle vit Constance près de la duchesse, Constance pâle comme une morte malgré l'intensité de la fournaise. Silhouette frêle cramponnée à la main de la duchesse et ne voulant plus la lâcher, Constance restait immobile, tétanisée, les lèvres serrées jusqu'au sang sur un cri retenu.

— Je suis là, dit Violaine en les rejoignant dans l'angle derrière le comptoir n° 4. Venez, il faut sortir d'ici.

*

Laszlo de Nérac sourit au directeur éditorial du *Matin*.

— Il est vrai que j'ai écrit un plaidoyer en défense de la Commune, et je ne vais pas le renier. Mais en quoi mon opinion sur un événement qui remonte à vingt ans pourrait-elle m'empêcher de chroniquer une soirée mondaine ? Je vous rappelle que je connais ces gens. Je les fréquente depuis toujours.

— Je ne sais pas, répondit son interlocuteur, l'air perplexe. Tous ceux qui tiennent le pavé de Paris aujourd'hui faisaient partie de ces Versaillais que vous abhorrez... Et je doute qu'on vous accueille à bras ouverts au Jockey-Club...

— Détrompez-vous, j'y ai de bons amis, et le nom de mon père y est respecté, s'agaça Laszlo. Si vous ne voulez pas me confier ce travail, libre à vous, mais ne vous cherchez pas d'excuse.

François Germand se gratta pensivement la joue, joua avec son presse-papiers, effleura l'énorme bouton qui s'épanouissait près de son nez.

— Je ne comprends pas bien ce qui vous pousse à vouloir travailler pour moi. Vous êtes rentier, Nérac ! Chez vos amis, comme vous dites, travailler n'a rien de glorieux, encore moins pour la presse...

— Eh bien, peut-être que je n'ai pas envie de passer ma vie à m'ennuyer d'un lunch au Bois à un dîner prié... Et que je préfère être payé à supporter tous ces gens. Surtout si je tiens une chronique satirique.

— Allez trouver mes confrères anarchistes, alors, répliqua François Germand avec un large sourire. Ils adoreront vos papiers sur la Commune, et seront ravis d'accueillir un aristocrate prêt à éreinter ses semblables !

— Allons, Germand... Il me semblait que depuis qu'Henry Poidatz était aux commandes, vous cherchiez à être original. N'est-ce pas pour cette raison qu'après avoir tapé sur Dreyfus pendant des années, vos articles se sont mis à le défendre ? Au risque d'embrouiller votre lectorat ?

Le visage du directeur éditorial vira au rouge brique.

— Nous avons reconsidéré notre position à la lueur des derniers éléments qui changent le point de vue sur l'affaire…

— Ne vous justifiez pas, sourit Laszlo. Il faut avoir le courage de ses revirements. Croyez-vous que Fouché perdait du temps à se justifier ? Trêve de plaisanteries, je suis venu vous voir parce que ce journal revendique la liberté d'opinion, et qu'il s'est fait une spécialité de la provocation. Je ne vois pas pourquoi une chronique comme la mienne, acide mais pertinente, n'y aurait pas sa place.

Il vit dans les yeux de Germand qu'il venait de marquer un point.

— Si je vous embauche, votre salaire sera bas. Vous débutez.

— Je reconnais là votre sens des affaires, dit Laszlo. Ça me va.

— Je n'ai pas dit que je vous embauchais.

— Vous ne l'avez pas dit.

Trois coups frappés à la porte.

— Oui, entrez, dit le directeur éditorial.

Les yeux du jeune homme roux qui entra étincelaient d'excitation. Il allait crier quelque chose quand il découvrit Laszlo et s'arrêta, hésitant. François Germand lui indiqua de la tête qu'il pouvait parler.

— Il y a le feu au Bazar de la Charité ! On a appelé les pompiers mais l'incendie s'est étendu très rapidement, on parle de nombreuses victimes, des centaines sont coincées à l'intérieur !

Laszlo s'était figé. Son cœur battait à tout rompre.

— Nom de Dieu ! lâcha Germand. Envoyez Marly, Louvain, envoyez… Vous, lança-t-il à Laszlo pétrifié sur sa chaise. Vous commencez aujourd'hui. Foncez rue Jean-Goujon. Mais je vous préviens, si vous ne ramenez pas du bon matériel, je vous congédie sur-le-champ !

Quelques minutes plus tard, sa main droite serrant nerveusement le pommeau d'argent sculpté de sa canne, Laszlo roulait tambour battant à travers la ville, et le vacarme des roues du fiacre sur les pavés peinait à couvrir celui de son cœur emballé.

9

Louis Gaugnard releva une douzaine de victimes avant d'être forcé de reculer car c'était maintenant des femmes en feu qui s'extrayaient des portes à tambour, formes folles et incandescentes se jetant sur la chaussée et s'y roulant frénétiquement pour éteindre les flammes qui leur dévoraient le corps. À l'intérieur, la poussée était telle qu'une dizaine de victimes tombèrent avant d'atteindre la porte, basculèrent sur ces trois marches maudites qu'il fallait descendre pour sortir, tombèrent de nouveau à un mètre de leur salut, piétinées par ceux dont elles bloquaient la progression, leurs corps enchevêtrés. De là où il était, le régisseur des écuries Rothschild distinguait ce tas de moribondes horriblement mêlées, tapis de chair hurlant et vulnérable qu'on pouvait déchiqueter à coups de talons et de chaussures pointues avant que la mort ne les saisisse ; il voyait la foule prise de la folie de survivre, foulant vifs ces corps sur lesquels il fallait passer pour atteindre la rue. Il y avait là comme une vision échappée de *L'Enfer* de Dante, un précipité de violence aveugle qui se gravait sur la rétine à jamais.

En quelques minutes, les habitants de la rue accoururent avec des haches pour défoncer la façade en planches du Bazar. Mais la fournaise était telle qu'ils ne purent approcher d'assez près, leur peau rôtissait, il fallait de l'eau, des seaux d'eau, on avait appelé les pompiers mais quand seraient-ils là ? – il fallait inonder la façade, unir les efforts. On rapporta des seaux, les hommes firent la chaîne, la chaîne tenta de s'approcher au plus près de la façade mais la chaleur insoutenable gardait les murs pour que le feu ait tout son repas. L'ogre, derrière, dévorait tout dans une boulimie rapide et précise, sûr de lui, conscient de sa puissance devant laquelle les hommes couraient en tous sens comme des fourmis se bousculant dans leur fuite effrénée.

Les hommes s'affairaient sans relâche, portant secours aux blessés, traînant le long du trottoir les baquets d'eau des chevaux où certains se jetaient pour éteindre les flammes sur leurs vêtements, arrachant à la mort une marquise dont la coiffure flambait, arrosant les rescapés avant de les envelopper dans des couvertures, jetant par instants un regard effaré autour d'eux : les bannes des boutiques prenaient feu ! Les carreaux des maisons des numéros 20, 22 et 24 de la rue Jean-Goujon éclataient. D'énormes plâtras se détachèrent de la façade de la maison du 22, blessant des sauveteurs dans leur chute. Le feu étendait sa convoitise, il voulait toute la rue.

Dans les yeux brûlés du cocher Joseph, des larmes roulaient, débordant des paupières et glissant dans le sillon des rides d'expression. Il avait pensé pouvoir entrer dans ce lieu qu'ils fuyaient tous, y entrer par force, traverser la fumée, chercher la duchesse et la ramener sur son dos, comme un jeune et courageux valet de chambre venait de le faire à l'instant avec la comtesse Greffulhe. Mais le jeune valet de chambre se trouvait à l'intérieur, il avait pu saisir sa maîtresse que la foule emprisonnait déjà, l'arracher à la dislocation, aux bousculades mortelles, la charger sur son dos, puis fendre les ondes gesticulantes et hurlantes avec son fardeau, en un effort interminable, gagnant le seuil de lumière de la rue, aveuglé, battu, roussi, pour la déposer sur le trottoir, épuisé.

Tout à l'heure, une femme qui sortait s'était aperçue que son enfant n'avait pu la suivre. Elle avait remonté le courant en sens inverse, mordant et griffant à la ronde pour se faire un passage, et était retournée dans la fournaise. Joseph guettait cette femme, il voulait qu'elle ressorte, il le voulait si fort qu'elle comptait plus, tout à coup, que cent autres qu'il tentait de sauver. Mais elle avait disparu en enfer. Et il n'était pas sûr qu'elle y eût retrouvé son enfant.

Était-ce sur elle qu'il pleurait ? Ou sur la duchesse qu'il ne pourrait aller chercher qu'au prix de sa vie et de celles de tous ces autres qu'il fallait piétiner pour l'atteindre ? Ces corps convulsés qui imploraient une foule sourde et aveugle lui défendaient l'accès du Bazar plus sûrement que la barrière du feu.

Enragé soudain, il se précipita comme pour charger l'ogre, avança tout près du feu et s'arrêta net en apercevant une jeune fille qui bougeait faiblement, noyée dans le tas humain qui recouvrait maintenant tout l'espace entre les portes. Tas grouillant, plaintif, où les morts portaient la contagion des flammes sur les vivants pris au piège. Où ceux qui sentaient se refermer la gueule du feu s'étaient crus sauvés, leurs yeux agrandis fixant la rue toute proche tandis que leurs corps se recroquevillaient déjà pour l'agonie et la dévoration.

Il attrapa sa main. Mais cette main était toute molle dans la sienne, il dut se pencher tout au bord du gouffre tandis que ses nerfs se révoltaient sous les brûlures, yeux mi-clos, attraper le bras, l'épaule fine sous le tissu bleu calciné de son corsage, attraper un corps de plume en espérant qu'il était entier, le tirer de là, l'arracher au bouillon fumant et le porter jusqu'à l'asile des écuries Rothschild. Sans connaissance, la jeune fille pendait à son bras comme une poupée de chiffon, à moitié nue, la chevelure entièrement brûlée, le corps marqué de blessures profondes. Mais elle respirait. De petites respirations laborieuses de biche agonisante.

À l'entrée de la cour, un piqueur de la maison Rothschild arrosait les victimes avec une lance à eau. Il la braquait déjà sur la jeune fille quand Joseph lui fit signe qu'elle n'en avait pas besoin. Ils la portèrent ensemble, précautionneusement, jusqu'à un brancard improvisé avec des draps. Le docteur Livet, qui soignait les rescapés, vint l'examiner. Le cocher, avant de repartir vers la fournaise, grava dans sa mémoire les traits de la jeune fille, dont la finesse était étrangement soulignée par les ravages du feu. Car son crâne chauve et brûlé mettait en relief la forme de ses yeux, la délicatesse de son nez aquilin, sa bouche mince.

— Ses brûlures m'inquiètent, il faut espérer qu'elle s'en sortira, dit le docteur Livet, l'air exténué, des gouttes de sueur perlant sur son front large. Savez-vous qui c'est ?

Le cocher haussa les épaules. Ce visage ne lui disait rien.

— J'y retourne, jeta Joseph.

— Où ça ? Dans le feu ? C'est insensé, vous êtes brûlé vous aussi !

— J'y retourne !

Voyant qu'on ne l'en empêcherait pas, le docteur lui ordonna de ne pas bouger pendant qu'il bandait ses blessures les plus vilaines, lui appliquait de force un linge humide tout autour de la tête et l'enveloppait dans une couverture qu'il coinça dans son pantalon.

— Et revenez vite, que je remplace ce bandage. C'est un ordre, vous m'entendez ?

*

Après qu'elles eurent quitté la duchesse, elles entrèrent ensemble dans le torrent furieux des candidats à la survie, main dans la main pour ne pas être arrachées l'une à l'autre. Quelques femmes avançaient à contre-courant, hagardes, les cheveux en partie consumés, cherchant un enfant, une sœur, une mère. Une enseigne de comptoir enflammée s'écroula en grondant sur l'une d'elles qui tomba pour ne plus se relever ; déjà le feu était sur elle et la garda. Dans les flammes et la fumée, on n'y voyait plus à trois mètres. Le feu avait barré les fenêtres avant qu'on ait pu les ouvrir, il fermait le chemin aux victimes entassées dans la partie gauche du Bazar, il avançait vite, escorté de crépitements, de chuintements, de sifflements lugubres. La foule terrifiée trébuchait sur des cadavres en grande partie calcinés dont les crânes éclataient à la chaleur dans un craquement sinistre.

Violaine s'aperçut avant elle que Constance brûlait. Un morceau de vélum enflammé tombé sur son épaule avait embrasé un pan de son corsage bleu. Violaine tenta vainement d'éteindre les flammes, tandis que Constance criait en découvrant sa manche en feu. Un homme qui avançait à leur hauteur étouffa le feu sur Constance à l'aide de son pardessus noirci puis disparut, ravalé par la fumée.

Soudain, un mouvement de panique agita la foule. Traversée par une houle profonde qui la déséquilibra en son cœur, elle reflua dans une poussée gigantesque qui entraîna Constance très loin de Violaine, dans les profondeurs incendiées du Bazar, tandis que la comtesse de Raezal était emportée de l'autre côté sans pouvoir lutter.

Violaine se laissa prendre dans le courant, certaine d'aller vers sa mort, fermant les yeux pour les rouvrir avec peine, paupières gonflées par la fumée et la chaleur, les poumons emplis de l'odeur de chair brûlée, mettant toute son énergie à ne pas tomber, surtout ne pas tomber, tomber c'est mourir, avance, n'aie pas peur – sa peur était si forte qu'elle pouvait la tuer. Il lui sembla qu'ils se jetaient dans la gueule du feu, impuissants à aller contre son attraction ; la douleur de ses membres lui monta à la tête et elle s'évanouit dans la foule, portée par ces corps enragés battant bras et jambes pour s'arracher de là, si amalgamés les uns aux autres qu'elle ne tomba pas mais resta en équilibre, telle une statue de la Vierge portée en procession par un peuple en transe.

Quelqu'un la secouait sans ménagement. Par pitié, qu'on la laisse dormir, qu'on la laisse là. On la secoua encore. Elle sentit le picotement de l'herbe sous sa joue. De l'herbe. C'était si étrange.

— Levez-vous, allons ! Le temps presse, allez, debout !

Une religieuse s'impatientait devant elle, sa cornette consumée pendant lamentablement sur un côté, la robe en lambeaux.

Clignant des yeux, Violaine se redressa difficilement, son corps était douloureux. Ses yeux la brûlaient, elle eut du mal à accommoder sa vision, à se repérer.

Devant elle se déployait le terrain vague qui se trouvait à l'arrière du Bazar de la Charité. Une centaine de personnes s'étaient réfugiées là. Elle était dehors. Elle était sauvée.

— Je suis en vie ? Merci, mon Dieu !…

— Plus tard, plus tard ! la coupa la religieuse. Ne restez pas là, pour l'amour du Ciel !

Enfin elle comprit, dans l'odeur âcre que le vent lui soufflait au visage, que le feu se dressait dans son dos de toute sa hauteur avide, monument hérissé de flammes dans lesquelles se tordaient des corps, tels des sarments noirs éclatant sous les braises.

De tous côtés, le terrain vague était fermé par des murs. Ils n'étaient venus là que pour y rôtir, c'était une question de minutes avant que le feu ne soit sur eux.

S'enfuir.

Un mouvement agita la foule inquiète, prisonnière de ce vestibule d'herbe rase. Sur la façade, là, à droite, un visage était apparu à la vitre d'un vasistas trop haut pour qu'ils puissent l'atteindre. Ils crièrent et cette clameur où s'étranglait l'espoir les précipita vers la façade, les femmes juchant les enfants sur leurs épaules avant de s'élancer, tandis que le feu semblait courir après elles. L'une d'elles parvint à sauter jusqu'à la grille à laquelle elle resta cramponnée. Deux hommes derrière la vitre lui hurlèrent de descendre, un marteau à la main pour desceller les barreaux, mais elle refusait d'entendre, ils la supplièrent en vain, ils la suppliaient encore en tapant de toutes leurs forces sur les barreaux, lui brisant les doigts sans qu'elle les desserre. Ses yeux fous les fixaient sans ciller, un moellon détaché de la façade lui ouvrit le crâne sans qu'elle détache ses mains.

Les hommes tapaient sur les barreaux l'un après l'autre. Violaine était en bas, les yeux rivés sur la fenêtre, sentant l'incendie grossir derrière elle. Est-ce son instinct qui la poussa à s'écarter alors que deux femmes surgissaient en feu du brasier ?

Elles jaillirent comme accouchées par les flammes, deux formes titubantes et dansantes, flambant dans leurs vêtements, hurlant le plus vieux hurlement de la terre, torturées jusque dans leur âme. Le feu les étreignit encore pour quelques pas de valse forcée, riant de leur calvaire, avant de les rejeter sur l'herbe, tous leurs cris consumés, leurs faces noirâtres crispées dans un dernier rictus qui n'en finissait pas, bras repliés le long de leurs corps rongés jusqu'à la cendre.

Le silence tomba sur eux tel l'acier froid d'une lame, la terreur peignant sur leurs visages d'écarlates pressentiments. Puis ils poussèrent comme s'ils pouvaient enfoncer le mur, obsédés par cette fenêtre, deux barreaux avaient cédé, trois maintenant, les coups de marteaux pleuvaient, et eux poursuivis par le diable, hantés par ces mortes vivantes que les flammes animaient encore à quelques mètres d'eux.

Quatre barreaux. C'était assez pour commencer le sauvetage. On hissa la malheureuse qui dodelinait de sa tête en sang, les yeux perdus, elle fut la première sauvée pour prix de son inconscience. Derrière on poussait furieusement, on grondait. Les mères suppliaient qu'on prenne d'abord leurs enfants. Un homme jeune à la moustache fournie, qui portait une blouse blanche tachée, voulut enjamber la fenêtre pour descendre dans le terrain vague, puis se ravisa au spectacle de la foule trop étroitement serrée contre la muraille. Il passa une chaise par la fenêtre, sur laquelle les victimes montèrent l'une après l'autre. De là, les hommes les attrapaient et les tiraient à eux.

Quand son tour arriva, Violaine fut bousculée sans merci par une femme au faciès méconnaissable, quelques mèches bouclées dégoulinant sur une épaule largement dénudée quand le reste de son crâne, à vif, lui donnait l'air d'un vautour déplumé.

— Moi d'abord ! hurla-t-elle d'une voix rauque, envoyant une volée de coups de coude.

Violaine tomba sur les genoux, le souffle court, peinant à se relever, n'y parvenant qu'avec l'aide d'une grande femme qui était derrière elle. Elle avait perdu son tour dans la file d'attente.

La femme qui l'avait fait tomber était à présent hissée vers la fenêtre, et Violaine reconnut la marquise de Fontenilles. Un instant, elle la revit en train de lui refuser l'accès au Bazar de la Charité, et un sourire douloureux força ses lèvres fendues.

Dans la file d'attente, la chaleur croissait à chaque seconde, la fumée devenait si épaisse qu'il fallait porter les femmes évanouies jusqu'à l'ouverture d'un jour de souffrance. Deux hommes s'y employaient, trempés de sueur. L'un d'eux était blessé à la tempe et une large brûlure laissait apparaître un pan de chair calcinée dans son dos.

Violaine se sentait partir, glisser dans un rêve cotonneux auquel consentait son corps épuisé, quand un des hommes la saisit par les poignets et la poussa fermement en avant. C'était son tour. Enfin. Gardant les yeux ouverts au prix d'un effort surhumain, elle s'évanouit en arrivant en haut.

Elle était sauvée.

Le cocher de la duchesse d'Alençon, la face tellement brûlée qu'il n'y voyait presque plus et clignait comme un fou de son œil droit mi-clos, en était à son quatrième aller-retour au plus près de la fournaise. Pas dans le Bazar lui-même, dans lequel il était impossible d'entrer, mais aux abords des deux portes dont l'accès était rendu impraticable par les corps amoncelés entre les marches et la rue. Parmi ces corps, beaucoup étaient encore vivants, et Joseph n'aurait pas de repos avant de les avoir sauvés un par un. Il avait déjà sauvé une douzaine de personnes en comptant la jeune fille au corsage bleu. Il ne savait pas si elles survivraient, il ne voulait pas entendre qu'elles pouvaient succomber à leurs brûlures, il fallait qu'elles vivent toutes puisqu'il les avait arrachées au feu, tant d'efforts ne déboucheraient pas sur la mort.

Le docteur Livet lui défendait maintenant d'y retourner, lui enjoignait de lui obéir, et il devinait aux regards qu'on lui lançait que son état était inquiétant. Mais il ne pourrait pas dormir avant de les avoir sauvés, tous ceux qui vagissaient dans ce tas et sursautaient quand on leur marchait dessus. Alors il y retournait, la tête enturbannée dans un linge humide qu'il acceptait tout juste qu'on lui change quand il repassait par la cour. Quand il revenait, un précieux fardeau sur son dos ou dans les bras, il ne restait de son turban que quelques filaments sales et noircis. Ses blessures étaient une myriade d'étoiles de souffrance l'irradiant et le plongeant dans un état second, une ivresse étrange qui galvanisait ses muscles et sa volonté.

Il rentra de nouveau dans la fumée, un pan de son turban rabattu sur son nez et sa bouche, et il lui sembla qu'un essaim d'abeilles furieuses se jetait sur ses yeux. Son œil vaillant se mit à pleurer tandis qu'il avançait à tâtons vers les portes du Bazar. Il distingua le bout d'une jupe rouge et sentit son cœur battre la chamade, submergé par le concentré d'adré-naline et d'émotion qui montait en lui à l'instant de sauver quelqu'un. Rien ne le mettrait jamais dans un tel état, ne lui ferait davantage éprouver la sève puissante et rayonnante de sa vie. Il saisit la jupe d'une main pour atteindre le reste du corps, le saisit par les bras, le tira du tas avec un grand « han » de bûcheron, le hissa sur son épaule pour l'emporter au jour, le front baissé, aveuglé par le brasier et la fumée, lourd et maladroit sous le fardeau.

Titubant jusqu'à la cour des écuries, il déposa la femme sur le sol, incapable de faire un pas de plus sur ses jambes qui le trahissaient.

— Docteur, lâcha-t-il la voix lasse et rauque, j'en ai une !

Le docteur Livet se pencha sur le corps sans le toucher, releva la tête, les yeux pleins de pitié et d'inquiétude.

— Elle est morte, Joseph...

Incrédule, Joseph secoua la tête, incapable d'articuler une réponse, sa protestation réduite à une expression farouche.

— Cette femme est morte ! lui cria le docteur.

Le cocher baissa les yeux à son tour vers cette tête noire et racornie, ce corps en lambeaux, il avait porté un cadavre serré dans ses bras, comment était-ce possible, quel tour sinistre lui avait-on joué ?

— Joseph, il faut vous faire soigner. Je vous interdis d'y retourner. Je vous l'interdis, vous m'entendez ?

Les yeux du docteur Livet étincelaient de colère. Il refusait de voir cet homme se tuer pour en sauver d'autres.

Le cocher haussa les épaules, son œil à demi fermé lui donnant l'air d'un Quasimodo exténué et rageur, il s'était fait berner par la jupe rouge, il avait perdu du temps, un temps précieux à trimballer la mort, pendant ce temps-là ils l'appelaient, là-bas, ils l'espéraient dans leur dernier souffle, leurs respirations chancelantes...

De guerre lasse, le médecin héla deux infirmiers qui installaient un brancard.

— Messieurs, saisissez-vous de cet homme, et conduisez-le à l'hôpital Beaujon.

Joseph dut se rendre, n'étant plus en état de lutter contre deux hommes vigoureux qui n'avaient pas de temps à perdre. Il exigea qu'on prévienne le duc d'Alençon que c'était contre son gré qu'il abandonnait son poste. Les deux infirmiers échangèrent un regard entendu. De toute évidence, le pauvre homme avait perdu la tête.

*

Quand Laszlo de Nérac arriva en vue du Bazar, les pompiers étaient sur place, activant leurs lances pour éteindre le feu là qui gagnait les autres immeubles de la rue. Un épais manteau de fumée enveloppait le Bazar de la Charité qu'on devinait plus qu'on ne le voyait, masse large et sombre d'où montait un ballet de flammes qui, zébrant le ciel de lueurs fauves, offraient un spectacle hypnotisant et funèbre aux observateurs qui commençaient à se masser dans la rue.

Il dut descendre du fiacre au début de la rue que barraient les sergents de ville et continuer à pied, étreint d'une peur affreuse, chacune de ses respirations se prolongeant en coup de poignard tandis qu'il s'écartait pour laisser passer des convois d'ambulanciers et découvrait avec stupeur les ravages du feu sur les immeubles voisins.

Trouver Constance, la trouver coûte que coûte.

Il releva une petite fille que la foule avait renversée au passage.

— D'où viens-tu ? Où est ta mère ?

L'enfant, vêtue d'un paletot noir, tenait à la main un reste de sucre d'orge aux couleurs fondues. Son nez sale, sa figure luisante de sucre et ses yeux inquiets montraient qu'elle était livrée à elle-même.

— Maman est au Bazar. Papa est parti la chercher, dit-elle.

— Tu ne peux pas rester là toute seule, lui dit Laszlo. Viens avec moi, on va voir les gens là-bas, ils sont très gentils, ils s'occuperont de toi en attendant qu'on retrouve tes parents.

Prononçant ces mots, il en réalisa toute l'incertitude.

Un peu plus loin, il la confia à deux religieuses de Notre-Dame-du-Perpétuel-Secours qui venaient d'arriver de la rue François-Ier, inquiètes du sort de leurs compagnes. Elles acceptèrent de garder l'enfant en attendant des nouvelles de sa famille.

À une cinquantaine de mètres du Bazar, la chaleur était insupportable. Laszlo, voulant approcher plus près, se fit refouler par un groupe de sergents de ville. Il protesta qu'il était envoyé par *Le Matin*. On lui répondit sèchement que seuls les secours avaient le droit de passer. Il tenta de passer outre, mais le bras d'un sergent de ville se referma sur son épaule.

— Vous n'allez pas plus loin, monsieur.

— Ma fiancée était au Bazar, lança Laszlo à bout d'arguments. Savez-vous où on conduit les blessés ?

— À l'hôpital Beaujon, à Lariboisière... Qu'est-ce que j'en sais, moi ? répondit le sergent, le fusillant du regard d'un air de dire : ne voyez-vous pas dans quel désastre nous sommes ? Ne restez pas là, ajouta-t-il excédé. Rentrez chez vous, ça sert à rien de...

La fin de sa phrase se perdit dans le fracas énorme qui les fit tous se retourner. La structure du Bazar venait de s'écrouler tout entière, réduisant à néant les derniers espoirs de trouver des survivants. Un terrible silence se fit, gris de cendre et de fumée, lourd des ténèbres infinies où les derniers prisonniers du Bazar de la Charité venaient de sombrer.

*

Laszlo resta un instant sonné par la clameur d'outre-tombe qui avait précédé l'écroulement du bâtiment, le souffle de la flamme et le grand silence qui avait suivi, lui glaçant le sang.

Autour de lui, les vitres des immeubles en face du Bazar éclataient dans un fracas mêlé aux sifflements du feu qui gagnait les façades alentour. Après le silence, des cris fusaient de toutes parts, mêlés aux plaintes des mourants et aux hurlements des blessés. Il profita de la panique générale pour avancer au plus près, disparaissant dans la foule des sauveteurs. Devant lui, le brasier rougeoyant et funèbre se repaissait d'une bouillie âcre dont dépassaient des poutres écroulées et des pans de façade, jalousement gardée par les flammes et agitée de vagues et de tressautements. En une danse macabre, des membres noirs et tordus se dressaient sur la crête des flammes pour replonger dans le ventre affamé du feu, dissimulés aux regards par un manteau de fumée.

Laszlo, le cœur soulevé par une violente nausée, fut bousculé par un ouvrier qui se précipitait vers une jeune femme hagarde qui riait convulsivement au bord du brasier, son chapeau flambant sur sa tête. Son visage n'était plus qu'une plaie et ses joues s'en détachaient par lambeaux, mais le plus glaçant était ce rire en saccades au mécanisme déréglé. L'ouvrier enleva sa veste et la jeta sur les épaules de la pauvre femme avant de l'emporter dans ses bras. Laszlo vit arriver deux bataillons de pompiers qui traînaient plusieurs pompes à vapeur. Un bataillon se déploya autour du brasier, le gros des pompes fut dirigé sur les façades voisines pour arrêter le feu tandis que le deuxième bataillon s'attaquait au cœur de l'incendie. Le régisseur Louis Gaugnard vint demander à un lieutenant d'arroser le terrain vague où des blessés continuaient à brûler vifs. Le lieutenant avisa Laszlo.

— Vous, ne restez pas ici !

— Je travaille au *Matin*, lâcha le jeune homme.

— Bon, venez, mais restez derrière moi ! cria le lieutenant qui se dirigeait vers le terrain vague.

Ils contournèrent le brasier par la gauche, du côté des locaux du journal *La Croix*. À une vingtaine de mètres du feu, la peau cuisait, on ne pouvait pas tenir, et Laszlo s'enveloppa dans la couverture qu'un infirmier lui avait tendue. L'épaisse fumée noirâtre envahissait tout, il peinait à respirer et ses yeux larmoyaient douloureusement. Ils arrivèrent enfin sur le terrain vague, où une gerbe de flammes hautes menaçait toujours un groupe de rescapés. Le lieutenant et ses hommes dirigèrent une pompe à vapeur dans leur direction et Laszlo saisit à son tour le tuyau de cuivre, les yeux mi-clos, toussant et pleurant, se demandant si son visage qu'il sentait rôtir était réellement en train de brûler, si les sapeurs-pompiers s'en rendaient compte ; puis sa pensée chaotique revint à Constance et il se concentra sur l'eau qui jaillissait de la bouche de cuivre, la sauver, la sauver où qu'elle soit. Peu à peu, sous le jet continu des pompes, les flammes se rendirent et ils commencèrent à voir au travers.

À quelques mètres d'eux, deux cadavres gisaient allongés sur le sol. Le premier, entièrement calciné, méconnaissable, les bras tendus vers le ciel, semblait une allégorie de la souffrance humaine. Le deuxième était un corps de femme dénudé par le feu, à l'exception des mollets aux bas de soie étrangement préservés. Son dos grillait encore avec un bruit de graisse dans un poêlon ; l'odeur les prit à la gorge, fade et écœurante, mais l'odeur était partout, montant du brasier attaqué par les jets croisés des pompes, on ne pouvait pas y échapper, elle avait raison de toutes les parades de l'esprit ; par elle, l'incarnation était rendue à ces êtres difformes, par elle tous pouvaient s'identifier à leur martyre. S'il était irréel qu'une créature aussi raffinée que l'homme pût frire comme une côte de bœuf, le voir de ses propres yeux, c'était mordre par surprise dans le fruit de l'arbre de la connaissance. Un poison entrait dans la tête et le corps, qui vous changeait à jamais.

Derrière l'eau ruisselante, Laszlo commença à distinguer des taches blanches dans la fournaise. C'était une constellation de têtes humaines montrant les dents dans un sursaut de colère contre le sort qui leur était échu. Les flammes dansantes, habitant par instants les cavités vides de leurs yeux, y allumaient des lueurs rouges et Laszlo sentit ses dents claquer convulsivement, médusé par ce magma d'où émergeaient des troncs décapités, des mains accusatrices, des bras tordus et noirs. Un engourdissement le prit, le tuyau lui glissa des mains, il perdait connaissance. Ça n'avait plus d'importance si Constance gisait parmi ces concrétions hideuses, si les battements d'une vie aboutissaient ici, dans cette chambre des horreurs à ciel ouvert.

Sur sa gauche, il y eut un mouvement brusque. Un jeune homme dont les nerfs étaient ébranlés voulut se précipiter dans les flammes et il fallut plusieurs pompiers pour l'en empêcher. Laszlo perçut des clameurs aussi lointaines qu'un bourdonnement d'insecte dans un ciel d'été, il était tombé dans l'herbe noircie, sa couverture amortissant la chute, il n'avait pas mal, il voulait seulement dormir.

À cet instant, des bras le saisirent et l'emportèrent.

10

L'apprenti journaliste revint à lui dans la cour des écuries Rothschild, sur le brancard où des infirmiers l'avaient allongé. Un volontaire, penché sur lui, le secoua sans ménagement et le gifla plusieurs fois avant qu'il n'ouvre les yeux.

— Vous m'entendez, monsieur ?

Il articula un oui laborieux.

— Je suis brûlé ? souffla Laszlo avec effroi, hanté par l'image de la montagne de corps disloqués et noircis.

— Des brûlures superficielles, répondit le grand type sec qui l'avait giflé. Rien d'bien grave à première vue, mais y va vous falloir des pansements. On peut vous conduire à l'hôpital Beaujon si vous préférez.

Laszlo fixa sans aménité l'homme aux favoris clairsemés qui se tenait devant lui avec l'assurance d'un médecin alors que son allure générale trahissait plutôt un palefrenier ou un ouvrier du bâtiment.

— Non merci, ça ira. Je dois retourner là-bas. Je suis journaliste.

— Ah non, vous r'tournez nulle part. Le préfet de police fait évacuer la rue, y a qu'les sauveteurs et la police qui sont autorisés à rester sur les lieux.

— Mais je dois écrire un papier sur l'incendie !
gémit Laszlo.

— Dans cet état ? répondit le sauveteur d'un air
sceptique.

Ce type commençait à lui courir sur les nerfs,
avec son arrogance. Laszlo se redressa à demi avec
une grimace de douleur.

— Écoutez, laissez-moi faire mon métier, d'accord ? Cet incendie est une catastrophe sans précé-
dent, allez savoir combien de morts on va trouver
dans ce tas ! Et les blessés, vous avez vu ces femmes ?

— Oh j'les ai vues d'très près…, répondit le
volontaire, goguenard.

— Je dois informer la population !

— Dans ce cas, faites-vous panser dans ce bâtiment, là-bas, et allez voir les chefs de la Sûreté, c'est
eux qui décident. Mais si vous y r'tournez, arrangez-
vous pour plus tomber dans les pommes… On a
assez de travail comme ça.

Laszlo se leva avec peine, endolori par ses blessures autant que par l'humiliation. Il jeta un coup
d'œil à sa veste dont les épaules et les manches étaient
noircies, brûlées par endroits. Sa nuque le brûlait,
ses tempes, ses oreilles, son front et le dessus de ses
mains étaient cramoisis et semblaient à vif.

Il se dirigea avec peine vers un bâtiment où les
infirmiers donnaient les premiers soins à des brûlés
dans un état plus ou moins grave. Il tressaillit en
apercevant une femme au visage couvert de bandelettes. Constance se trouvait-elle parmi ces gens ?

Un infirmier lui enleva sa veste avec précaution
et examina avec soin ses brûlures.

— Ça va, rien de grave, lui dit-il. J'vous applique un liniment et j'vous panse, après vous pourrez rentrer vous reposer chez vous.

Laszlo acquiesça avec soulagement.

— Dure journée pour vous, dit-il.

— Ça oui ! Les pauvres gens, c'qu'ils souffrent, on sait pas comment les soulager. Y en a encore qui vont mourir, vous savez. Ils sont trop brûlés pour guérir.

— Où se trouvent-ils ?

— Certains ont été transportés dans les hôpitaux les plus proches, d'autres chez des particuliers dans le quartier, le plus grand nombre chez eux. Vous cherchez quelqu'un ?

— Une jeune fille brune, très belle... Constance d'Estingel.

— Ça m'dit rien, répondit l'infirmier en lui enduisant le dos d'une pommade grasse et apaisante. Mais certaines arrivent dans un état... Peut-être que j'l'ai vue, en tout cas j'm'en souviens pas. Une jeune fille est morte sous nos yeux il y a quelques minutes, on n'a rien pu faire... Elle avait plus de cheveux.

La gorge serrée, Laszlo demanda où était le corps.

— Dans la rue Jean-Goujon, sur la chaussée, ils installent les corps sur le trottoir en attendant de les transporter ailleurs pour l'identification. Comment voulez-vous que j'vous panse si vous bougez !

*

Armand de Raezal venait d'arriver à son club quand la rumeur s'y répandit que le Grand Bazar

de la Charité venait de flamber. Ce fut un tremblement de terre. La majorité des membres appartenaient à la noblesse ou à la grande bourgeoisie et
tous avaient une épouse, une fille, une cousine ou
une sœur qui avait choisi ce matin une tenue raffinée
et printanière pour se rendre au Bazar, parce que
c'était aujourd'hui que le nonce venait et que les
personnalités les plus brillantes s'y montreraient pour
l'occasion. Armand avait beau être célibataire, sa
sœur était une habituée du Bazar de la Charité et
sa belle-mère comptait parmi les vendeuses ; il avait
donc deux raisons de s'alarmer. Ou plutôt aurait-il
eu deux raisons de s'alarmer s'il avait été doué
d'empathie. Mais ce qui arrivait à sa sœur, en bien
ou en mal, ne le touchait que de loin et le sort de
sa belle-mère lui était au mieux indifférent. Il assista
néanmoins avec intérêt à la panique générale qui
gagna en quelques instants un lieu qui, d'ordinaire,
n'était troublé que par des discussions un peu vives
sur la politique. Dès l'annonce du sinistre, des gentlemen qu'il n'avait jamais vus perdre leur flegme
devinrent blêmes, s'emportèrent contre le personnel
qui n'avait à offrir que des nouvelles imprécises et
désertèrent parties de bridge et salons, abandonnant
leurs cigares fumants sur le rebord des cendriers et,
pour certains, manteaux et chapeaux au vestiaire. Si
Armand de Raezal était protégé des morsures de la
compassion par son égoïsme, il savait en homme du
monde feindre les sentiments appropriés à la circonstance. Ce fut donc avec les signes d'une profonde
inquiétude qu'il quitta les lieux à son tour, non sans

proposer à plusieurs de ses amis effondrés de les aider à chercher leurs disparues.

— Merci mon ami, lui répondit Pierre Du Ronsier qui avait accompagné sa femme et ses filles au Bazar en début d'après-midi. Je cours chez moi voir si elles y sont. C'est bien de votre part d'offrir vos services alors que vous-même... Votre sœur était bien au Bazar ?

Armand de Raezal porta la main à son front comme s'il était bouillant.

— Oui, enfin... Je ne sais pas, sans doute... Ma belle-mère y était aussi. Je n'ai pas de nouvelles... Où a-t-on transporté les blessés ?

— À Beaujon, je crois. Je file, Armand, à plus tard, lança son ami, hélant son cocher.

Le comte de Montgival, qui venait d'apprendre que sa femme était au nombre des victimes, peut-être morte à cette heure, accepta sa proposition avec gratitude.

— Vous seriez assez bon pour m'accompagner là-bas ? S'il lui est arrivé malheur...

— Allons, Roland, elle a sûrement pu se sauver, nous allons la retrouver, j'en suis sûr. Je vous emmène. Vous savez que ma sœur...

— Votre sœur ? Oh ! mon Dieu. Elle était là-bas ?

— J'en ai peur... Ma belle-mère aussi.

— C'est affreux, c'est affreux..., gémit le comte de Montgival, et des larmes coulèrent silencieusement sur son visage rond.

— On dit que la comtesse Greffulhe est morte, mais que la duchesse d'Alençon est sauvée, ajouta-t-il entre ses larmes. Si Marie-Pauline n'a pas survécu, mon Dieu, que vais-je devenir ?

Armand de Raezal, qui pouvait aisément se figurer l'existence sans Léonce ou sans Violaine, se tut jusqu'à la fin du trajet en fiacre, les traits crispés par ce qui semblait l'angoisse la plus vive. Il n'était pas mauvais à ça. Il avait développé ce talent dans l'enfance, et c'est ainsi qu'il était devenu le préféré de sa mère tandis que Léonce peinait à s'attirer ses bonnes grâces. Plus difficile à séduire, son père l'avait toujours considéré comme un petit fat, superficiel et insupportable. Armand n'avait jamais croisé son regard sans appréhension, et peu à peu son admiration filiale s'était muée en une haine aussi puissante qu'inexprimée. La mort prématurée de sa mère lui avait valu quelques années difficiles mais son père venait enfin de la rejoindre dans la tombe. Dorénavant il n'avait plus à redouter son jugement et le grand monde regorgeait de spectateurs crédules. S'il avait la chance de perdre une de ses deux parentes, il gagnerait quelques années de célibat pour deuil inconsolable et pourrait continuer à se livrer à ses penchants secrets sans avoir à composer avec les soupçons d'une épouse.

Ne disait-on pas qu'à quelque chose malheur est bon ? Il jeta un coup d'œil furtif aux joues trempées de son voisin. Il méprisait cette propension à s'épancher sans retenue. Jamais il n'aurait cru le comte de Montgival si émotif. S'il pleurait dans l'incertitude, que ferait-il si on lui annonçait la mort de sa femme ? Le mariage l'avait-il à ce point dévirilisé ? On avait raison de mettre les hommes en garde contre le mariage d'amour. Ses effets étaient dévastateurs.

*

Chez Mme Du Rancy, avenue Montaigne, quatre pièces avaient été transformées en hôpital de fortune. On y avait recueilli les blessés sans faire de distinction entre les gens du peuple et les aristocrates. Aujourd'hui, le cœur de l'hôtesse s'élargissait à tous les malheureux du Bazar. À peine avait-elle appris la nouvelle qu'elle avait dépêché ses gens rue Jean-Goujon avec la mission de ramener chez elle autant de blessés que ses murs pourraient en accueillir. Elle habitait à quelques centaines de mètres du lieu du sinistre, aussi avait-on accepté son offre avec reconnaissance. Une trentaine de grands brûlés avaient été conduits dans son hôtel ; on avait fermé les rideaux, repoussé les meubles, installé des matelas et fait venir du personnel médical de plusieurs hôpitaux de la ville.

— C'est la seule chose qui me reste, monsieur... Faire de ma vie une offrande, avait répondu Mme Du Rancy au préfet Lépine qui la remerciait de sa générosité.

Elle avait perdu son mari et sa fille unique en l'espace de deux ans. Son mari s'était fait renverser par un fiacre alors qu'il sortait un peu éméché d'un restaurant près de la Madeleine. Sa fille était morte en mettant son premier enfant au monde, enfant qu'on n'avait pu sauver, et son gendre s'était remarié au début de l'automne. En deux ans, tous ceux qui lui étaient chers en ce monde avaient disparu. Son gendre lui rendait bien quelques visites de courtoisie, mais parler des morts le faisait se sentir honteux et coupable, lui qui pour vivre devait repousser les fantômes. Et elle avait besoin, quant à elle, de parler des absents, pour garder l'empreinte de leurs voix dans sa mémoire, le satin de la peau de sa fille, son regard doux, la moue préférée de son mari, sa main calleuse et chaude gardant la sienne jusqu'à ce qu'elle s'endorme. Elle ne pouvait passer à autre chose, rien ne l'attendait derrière la porte et elle n'entendrait jamais le galop de pieds minuscules sur les planchers de son grand salon.

Réalisant qu'il lui fallait, pour le temps qu'il lui restait à passer sur terre, trouver de quoi occuper ses pensées et d'autres êtres à chérir, Mme Du Rancy s'était jointe aux dames patronnesses. Participer à l'Œuvre des enfants et des jeunes filles aveugles de Saint-Paul lui avait rendu une énergie qu'elle n'avait plus connue depuis la mort de sa fille. Ces enfants étaient si attachants qu'elle devait réfréner les élans de son cœur pour ne pas les adopter tous. L'ironie du sort est qu'elle aurait dû, ce 4 mai, présider le comptoir n° 13, si elle n'avait glissé dimanche sur le parquet fraîchement ciré de l'office et ne s'était esquinté le dos en tombant. Le docteur Martignac lui ayant formellement interdit de rester debout, elle avait dû céder sa place à Mme Mignotte. Elle devait à cela d'être en vie, mais cette chance sonnait funèbrement à ses oreilles car elle eût préféré mourir à la place d'une seule de ces jeunes filles que le feu avait dévorées. Ce n'était pas dans l'ordre des choses ! Comment Dieu pouvait-Il le permettre ? Elle était en proie à une telle colère qu'elle aurait remué la ville entière. Elle avait ouvert grand les portes de sa maison à ces malheureuses, dans l'espoir de les sauver à la barbe de Dieu. Elle n'avait pas peur de mourir, et son cœur s'était fermé à toute prière. À présent qu'elle était vraiment seule, elle voulait faire de sa vie une offrande non pas à Dieu mais à ses frères humains.

Elle retourna voir la jeune fille qui souffrait tant. Sa chevelure avait été consumée, son crâne à vif était enveloppé de larges bandelettes. Son dos et ses épaules étaient brûlés de part en part, mais son visage était resté intact. Un nez fin, un profil noble et gracieux… Cette enfant ravagée par le feu l'émouvait plus que les autres. Elle s'agenouilla près d'elle avec une grimace car son dos l'élançait toujours. La jeune fille avait repris connaissance tout à l'heure, après les premiers soins des infirmiers. Elle dormait à présent, sous l'emprise d'un puissant sédatif qu'on lui avait donné pour la reposer de la douleur.

Qui était-elle ? Ses vêtements étaient noircis, calcinés en grande partie, le feu n'avait épargné que deux pans d'un corsage bleu roi. On avait retrouvé sur elle une petite croix au bout d'une chaîne en or blanc. Quand elle avait ouvert les yeux, tout à l'heure, elle était trop faible pour parler et le docteur Martignac, requis en urgence, redoutait que ses brûlures n'aient raison d'elle.

— Tu ne mourras pas, ma beauté, murmura Mme Du Rancy. Je ne le permettrai pas.

De là où elle se trouvait, l'hôtesse embrassait du regard une grande partie de son salon. La majorité des femmes qui se trouvaient là, gémissant sur leurs couchettes de fortune et s'évanouissant quand on changeait leurs pansements, appartenaient à son monde. Elle les avait fréquentées à l'heure du thé, le matin au Bois, aux premières de l'Opéra ou aux bals de la saison. Certaines l'avaient irritée plus d'une fois par leur manque de cœur, leur snobisme, la sécheresse de leurs jugements. Mais aujourd'hui, elle les voyait souffrir mille morts, beaucoup resteraient défigurées et elle ne ressentait que de la pitié pour ces mondaines qui étaient venues au Bazar pour y être vues et le payaient de la plus affreuse manière.

Et puis il y avait ces inconnues aux vêtements plus modestes, domestiques, religieuses, petites employées des grands magasins, qui étaient allées au Bazar pour accompagner leurs maîtresses, soutenir une œuvre caritative ou seulement pour s'emplir les yeux du spectacle de ces êtres qui d'ordinaire vivaient cachés derrière les murs des hôtels particuliers et des châteaux. L'une avait la jambe si abîmée qu'on allait devoir l'amputer. Le docteur Martignac attendait dans la soirée un chirurgien de l'hôpital Lariboisière. Pour la calmer, on lui avait fait une injection de cocaïne. Elle s'appelait Clémence Bodin et travaillait au rayon confection du Printemps. Son fiancé attendait dans l'antichambre : il l'avait accompagnée au Bazar en début d'après-midi avant de regagner son travail, trois quarts d'heure avant l'incendie. En pleurs, il racontait à qui voulait l'écouter que sa fiancée était coquette, qu'elle avait confectionné elle-même son corsage en dentelles et sa jupe en soie sauvage (à présent consumés), qu'elle voulait s'établir comme couturière dans un quartier chic et s'était rendue au Bazar pour rencontrer de futures clientes. Sa gouvernante lui proposait une tasse de thé quand le duc d'Alençon fut annoncé à la porte. Il était accompagné de Mme de Rochefort. Mme Du Rancy se précipita pour l'accueillir.

Toujours grand et altier, le duc avait la tête et la figure écarlates et sérieusement brûlées, mais il ne paraissait pas s'en rendre compte. Il avait sur le visage l'expression d'une inquiétude mortelle.

— Je cherche ma femme, on me dit qu'elle est sauvée, est-elle chez vous ?

— Non, mon ami, répondit-elle, sincèrement navrée. Peut-être chez le duc de Chartres ? Je crois qu'il a recueilli des blessés.

Le duc s'écroula sur une chaise en sanglotant. Les larmes perlèrent aux yeux de Mme Du Rancy.

— Elle est sûrement chez le duc de Chartres, mon cher ami… Je vais y envoyer quelqu'un.

— Non, je vais y aller, répondit-il quand il eut repris son calme. Je vais y aller. C'est juste que je crains… J'ai un affreux pressentiment.

— Vous ne pouvez pas y aller vous-même, vos blessures sont vilaines, il faut qu'on vous soigne.

— Mes blessures ?

— Au visage et à la tête, répéta-t-elle. Vous ne partirez pas d'ici sans avoir vu un médecin.

— J'étais venu la chercher au Bazar… J'étais là quand l'incendie a commencé. J'ai tenté d'éviter la panique générale, de faire sortir les gens… Quand je suis revenu la chercher, on m'a dit... On m'a dit qu'elle était sur le terrain vague, je ne l'y ai pas trouvée, alors j'ai voulu retourner à l'intérieur, mais à cet instant... tout s'est écroulé !

La gorge de Mme Du Rancy s'était serrée.

— On va la retrouver. Si on vous dit qu'elle est sauvée, elle est sûrement soignée quelque part. Je vais envoyer mes gens, pendant que le docteur Martignac s'occupe de vos blessures.

— Je n'aurais jamais dû la laisser seule..., gémit le duc, repris de sanglots. J'aurais dû rester près d'elle.

Mme Du Rancy s'assit près de lui et prit sa main dans la sienne.

— N'ayez pas peur, on va la retrouver..., murmura-t-elle.

« Il sait », se dit-elle.

Elle se rappelait comme si c'était hier le matin où elle avait su, elle aussi. Bien avant que son gendre ne l'envoie chercher, alors que sa cuisinière la consultait sur les menus de la semaine. Elle avait ressenti une commotion à la poitrine et son sang s'était retiré de son visage.

Ma petite fille, elle est morte.

Elle serra plus fort la main du duc d'Alençon.

Dans une salle de l'hôpital Beaujon, Violaine gisait sous plusieurs couvertures. Elle avait horriblement froid. Il lui semblait que son corps ne se réchaufferait plus jamais. Trois fois déjà on lui avait porté du thé brûlant qu'elle avait absorbé avec gratitude. Ses voisins de lit, principalement des femmes, étaient gelés aussi, pourtant de grands poêles réchauffaient la salle où on avait installé les rescapés de l'incendie.

Elle avait demandé que l'on prévînt sa famille – bien que ce mot sonnât ironiquement s'agissant d'Armand et de Léonce – qu'elle était ici. Les blessés sauvés par le soupirail qui se trouvait sur le terrain vague derrière le Bazar avaient été hissés les uns après les autres à l'intérieur de l'hôtel du Palais, par les cuisines. De là, on les avait portés à l'étage où la propriétaire des lieux, Mme Roche-Sautier, avait fait préparer des lits. Deux médecins les avaient alors examinés. Le docteur Déjerine pensait que les blessures de la comtesse de Raezal n'étaient pas assez étendues pour que ses jours fussent menacés, mais comme les brûlures de sa hanche droite, de son dos et de ses épaules étaient profondes, il avait demandé qu'on la transférât par prudence à l'hôpital Beaujon.

Depuis, elle attendait qu'on vînt la délivrer de cet endroit funèbre où les cris et les plaintes des grands brûlés heurtaient son esprit à la manière d'un roulis cauchemardesque. Sa voisine, une fille très jeune, souffrait tant que de grosses larmes coulaient le long de son visage endormi et qu'elle laissait échapper de petits gémissements. Là-bas, à l'autre bout de la salle, un vieux général était en train de mourir. Son état avait décliné rapidement ; il était passé en quelques heures de la prostration au délire entrecoupé de hurlements avant de glisser dans le coma. Les infirmières se mettaient à murmurer à l'approche de son lit comme si elles craignaient de le réveiller. Il y avait aussi cette dame d'un certain âge dont le crâne n'était qu'une plaie, et tant d'autres encore... Violaine voulait rentrer chez elle ; dans sa tête tournoyaient les mêmes questions, des images, les visages de Constance et de la duchesse, comme si s'être trouvées ensemble derrière ce comptoir cerné par les flammes les avait liées à la vie à la mort. Elle avait demandé si on avait conduit ici la duchesse d'Alençon.

— Pas que je sache, avait répondu l'infirmier, mais il en arrive tellement et certains n'ont plus leur visage.

Elle avait sursauté. Des monstres. Voilà ce qu'ils étaient. Voilà ce qu'elle était peut-être, qu'est-ce qu'elle en savait ? Elle osait à peine effleurer le bandage qui couvrait son front jusqu'aux yeux, et redoutait de bouger de peur de réveiller ses brûlures.

— Allons, s'était-elle ressaisie. L'important c'est d'être en vie.

Sa jeune voisine se réveilla en hurlant, appelant sa mère comme elle l'avait fait presque sans trêve depuis son arrivée.

Une aide-soignante passa dans un froissement de jupe.

C'est alors que Violaine aperçut Armand. Il traversait la salle en compagnie d'un homme sensiblement plus âgé qui scrutait chaque visage à la recherche d'un de ses proches.

Violaine n'aurait jamais pensé être un jour soulagée de voir son beau-fils. Dans un passé proche, quand il venait en visite et qu'elle entendait le carillon de la porte d'entrée et le pas précipité du major-dome, elle luttait contre la tentation de se faire porter malade. En sa présence, son beau-fils avait cette courtoisie exagérée par laquelle on rappelle son origine à une courtisane anoblie. Des années durant,

143

il avait guetté les signes d'une lassitude amoureuse chez son père, en vain. Gabriel l'avait chérie jusqu'à son dernier souffle. Circonstance aggravante aux yeux d'Armand, son mari n'avait voulu déléguer à aucun de ses enfants le soin de s'occuper d'elle après sa mort. Il s'était chargé lui-même de la mettre à l'abri du besoin. Et cela, elle le savait, ne lui serait jamais pardonné. Mais peu importait, aujourd'hui elle était heureuse de le voir et qui sait, peut-être cet événement terrible marquerait-il un nouveau départ entre eux, un début d'affection.

Mais quand leurs yeux se croisèrent, l'espace d'une seconde, elle lut dans les siens le désappointement de la trouver en vie.

Déjà Armand, démasqué, se précipitait avec la gaucherie d'un homme profondément inquiet, manquant renverser sur son passage un infirmier qui apportait du thé aux malades. Cette hâte n'était sans doute pas destinée à Violaine – il était assez malin pour savoir qu'il ne pourrait rattraper cet instant de vérité, et pas homme à gaspiller son énergie en vain – mais à l'ami qui l'accompagnait.

Violaine eut soudain envie de rencontrer quelqu'un qui fût vraiment heureux de la revoir, elle qui avait frôlé la mort de si près qu'elle en sentait encore le souffle. La présence d'Armand creusait en elle le manque de ses compagnes d'infortune. Où étaient-elles ? Étaient-elles en vie ? Elle aurait tout donné, tandis qu'un brusque chagrin l'étreignait, pour trouver près d'elle la petite Constance d'Estingel.

11

Les rumeurs électrisaient Paris, sur lequel un beau soir tiède était tombé, un soir de dîners en ville, d'apéritifs prolongés aux terrasses des cafés, de baise-mains appuyés sous l'œil complice des cochers de fiacre. Mais ce soir les dîners étaient annulés et les terrasses vides, les théâtres faisaient relâche. Le grand monde était pris de panique, à l'affût des nouvelles et des crieurs de journaux qui ajustaient d'heure en heure leur litanie de portés disparus, de presque morts, de martyrs. Chacun cherchait à savoir, et tous avaient au moins une raison d'être malheureux. D'où était parti l'incendie ? De la lampe du cinémato-graphe. On ignorait ce qui s'était passé, une étincelle, des vapeurs d'éther enflammées et puis l'enfer en quelques minutes. Cette invention qui avait suscité jusqu'ici une vive curiosité, il était temps de la vomir, de dire tout le mal qu'on en pensait, perverse et dangereuse. Insensés, le baron de Mackau et ses amis du comité, d'avoir invité au Bazar cette machine de mort, sacrifiant à la mode. À peine né, le cinéma venait de mourir au Bazar de la Charité, on lui pré-disait un avenir d'arrière-cours et de foires à trois sous. Dans la soirée, on apprit que les deux responsables du cinématographe étaient en vie. Ils répondaient à des entretiens, témoignaient de leur profonde désolation. Ils n'avaient perdu personne. Ils n'avaient pas d'armoiries, pas de fille promise à un beau mariage. Non, ils émanaient tout droit de cette bourgeoisie aux dents longues qui taillait sa route jusqu'aux portes du Jockey-Club, qui prétendait manger le monde parce qu'elle dirigeait les banques et construisait les chemins de fer. L'un des deux était un étranger dont on écorchait le nom avec colère, comme si l'on n'avait pas eu assez des Prussiens pour saigner la ville et des Polonais de la Commune pour la mettre à feu et à sang !

— Portées disparues : baronne Caruel de Saint-Martin, comtesse de Vallin, comtesse de Brodeville, marquise de Bouteiller de Chavigny, vicomtesse de Saint-Périer ! hurlait le crieur sous les fenêtres des hôtels particuliers.

La liste s'allongeait toujours et ces cris blessaient l'oreille tel le grincement de roue d'une charrette en route vers l'échafaud. Ces noms armoriés éclipsaient les petits noms des petites gens, lesquels tombaient sèchement dans le soir, étincelles éteintes avant de toucher l'asphalte. Duchesse de La Torre, marquise de L'Aigle, baronne de Saint-Didier, de Fonscolombe… L'effroi montait avec la nuit, on parlait de flammes de cent mètres de haut qui avaient rendu le sauvetage impossible, de vêtements brûlés, de cheveux flambant sur les crânes, de ces mains cloquées tendues en un appel inutile. On parlait de centaines de mortes, de blessées innombrables, les craintes s'étoilaient en

146

terreurs invérifiables, et si elles étaient toutes mortes, les mères, les sœurs, les filles, les fiancées et les cousines qui n'étaient pas rentrées ? Comment ferait-on, comment vivrait-on dans le vide assourdissant des appartements, qui trouverait-on à chérir et à malmener ? Dans quel regard mirer ses triomphes, dans quels bras trouver le bercement nécessaire au tumulte d'une vie d'homme ?

Un grand bourgeois se jurait de ne plus houspiller sa femme au sujet des domestiques. Elle n'avait pas la poigne voulue, il embaucherait une gouvernante pour châtier à sa place les petites bonnes négligentes et les aides-cuisinières chapardeuses. Elle était trop douce, mais douce il l'aimait et voulait la garder, ne supportant pas l'idée qu'on la lui ravît.

Un autre, qui vivait près de la place des Vosges, pensait à son épouse avec des sentiments si mélangés qu'il s'y perdait jusqu'à la garde ; il la détestait pour ce qu'elle lui avait fait – et qu'elle continuait à lui faire, il en était sûr –, mais voilà qu'il découvrait qu'il ne pouvait vivre sans elle, il en avait le souffle coupé, et malgré lui tendait l'oreille au moindre bruit en bas de l'immeuble, guettant la pendule. Il avait envoyé ses gens aux quatre coins de la ville à sa recherche, il était seul avec son tourment, sa haine enchevêtrée à sa peur de la perdre. Il n'était pas question qu'elle lui échappât dans la mort, il avait besoin de croiser son regard fautif, de la voir dévorée de culpabilité. Si elle était en vie, il la soignerait jour et nuit, la dorloterait, lui jurerait son amour cent fois par jour, afin qu'elle sentît tout le poids de sa dette et qu'elle était condamnée à expier sans fin.

Un autre enfin, derrière les barrages des gardes républicains, attendait au bord de cette foule compacte et angoissée, espérant qu'on l'entende, qu'on lui réponde, qu'on le laisse chercher son Eurydice jusque dans les cendres.

Si elle est là, si elle est là... La terre s'écroule. J'ai prié sans y croire car au fond je n'ai jamais cru que quelqu'un nous écoutait là-haut. Si elle est là, je n'y arriverai pas. Rentrer chez moi, humer son parfum, buter partout sur ses affaires, le déshabillé mauve sur l'accoudoir, les cartons à chapeaux, ces gravures mièvres qu'elle affectionne, le papier peint à fleurs nacrées qu'elle a choisi, le panier de son chien qu'il faudra donner au plus vite ou jeter dehors. Croiser le regard de la petite, lui dire ta mère est partie en vacances, ta mère est malade, on l'a envoyée en Suisse, Maman est au Ciel, tu n'as plus de maman, tu n'as plus rien. Tu ne m'as pas et je ne t'ai pas, tu n'es personne pour moi, un petit animal qui geint et fait des caprices. Non, je n'aurai pas la force. Je sens que je deviens fou.

On avait barré la rue pour que les secours puissent travailler en paix, évacuer les blessés et dégager ce qui restait des corps mutilés, avec des précautions d'archéologues tant ils étaient abîmés, tant ils partaient en cendres.

Qu'est-ce que j'ai fait au Ciel pour me retrouver ici, les pieds dans les braises, à chercher des gens brûlés ? Les cauchemars que je vais en faire, l'absinthe qui m'aide à trouver la vie belle ne suffira pas à les chasser. Ce pied n'avait plus de jambe, mais à son bout était toujours accroché un escarpin de dame noirci. Ce pied, quand je l'ai frôlé dans la cendre chaude, même à travers les gants j'ai su, sur le coup j'ai pensé que j'allais trouver une excuse et rentrer chez moi, mais je l'ai remonté en respirant bien à fond. Je l'ai pas regardé mais je l'ai vu quand même. Je l'ai tendu à mon voisin de droite, presque un gamin, il a frémi en le prenant. Y paraît qu'y en a qui voudraient être à notre place et s'en mettre plein les prunelles. Y en a, des gens bizarres. Le p'tit jeune et moi, on est du même régiment, rue de Penthièvre. Quand on s'est engagés, on était prêts à faire la guerre, à mourir s'il le fallait. On pensait pas qu'un jour on devrait déterrer des dames en morceaux.

Alors qu'une nuit claire teintait la ville d'espoirs trompeurs, le préfet Lépine vint annoncer à la foule massée en haut de la rue Jean-Goujon que les proches des victimes pouvaient se rendre salle Saint-Jean, au palais de l'Industrie, où l'on continuait à transporter les corps et les objets trouvés sur les lieux du sinistre pour l'identification. Il les avertit qu'on n'y admettrait les visiteurs que par petits groupes, pour des raisons de sécurité, et qu'il leur faudrait s'armer de patience et de courage car les corps retrouvés étaient dans un état épouvantable. Il termina en conseillant aux hommes d'épargner autant que possible cette épreuve aux femmes et aux jeunes filles, déjà suffisamment ébranlées par la catastrophe.

*

Si Laszlo de Nérac n'était pas encore à l'aise dans sa nouvelle peau de journaliste, cette carte de visite lui permit d'entrer au palais de l'Industrie sur les pas des officiels. Conscient de son privilège, il restait animé par le désir de courir la ville à la recherche de Constance et son esprit le torturait à la pensée que sa bien-aimée agonisait peut-être à quelques centaines de mètres de lui. Il ne supportait pas l'idée qu'elle pût se sentir abandonnée, et qu'importait si elle l'avait rejeté, dans ce moment il n'aurait pu trouver la paix qu'en lui tenant la main. Mais quand le sous-chef de la Sûreté – un homme qui n'admettait pas la plaisanterie – lui avait froidement demandé pour quelle feuille il travaillait avant de lui ordonner de le suivre, il n'avait pas osé protester, lui emboîtant le pas en compagnie de deux journalistes du *Figaro* et de *La Croix*.

La silhouette massive du palais de l'Industrie, en cours de démolition, se dressait près du rond-point des Champs-Élysées, grand vaisseau en ruine cerné de palissades contemplant la ville depuis sa splendeur écroulée. Dans l'aile nord-ouest du palais, la salle Saint-Jean, encore intacte et qui servait de dépôt de sculptures à la société des Beaux-Arts, avait été mise à disposition de la préfecture de police dès l'annonce du sinistre. Depuis le début de la soirée, on y transférait avec d'infinies précautions les cadavres retirés des décombres du Bazar de la Charité. En approchant, les journalistes trouvèrent cette morgue de fortune plongée dans un noir d'encre où se distinguaient à peine les contours de deux voitures des pompes funèbres chargées de cercueils.

Laszlo entra avec réticence. À l'intérieur, un brasero gigantesque projetait ses lueurs rougeoyantes sur les murs nus tandis que des gardiens de la paix, munis de longues torches, passaient le long des cadavres alignés sur des claies. Le jeune homme fut saisi par l'odeur âcre de ce lieu, où des arômes puissants de résine, de phénol et de pétrole se mêlaient à la note de tête insistante de la chair brûlée. À la lueur vagabonde des torches, c'était une exhibition digne des tables de dissection de l'école de médecine, sinistre collection de nudités mutilées, scalpées, de têtes réduites à la taille d'un poing, d'entrailles béantes où restait accroché un pan de dentelle noircie, de grimaces figées par la mort.

— Dieu du Ciel, gémit Jules Huret, le journaliste du *Figaro*.

Non seulement ce spectacle de la mort était impudique, mais il n'offrirait nulle consolation aux familles qui y seraient confrontées tout à l'heure. Car ces corps en morceaux n'exprimaient que douleur et agonie. Les anges ne les avaient pas serrés dans leurs bras pour apaiser leurs dernières minutes sur cette terre, pas plus qu'ils n'avaient arraché les fillettes dansant dans le brasier pour les porter jusqu'au Ciel dans un bercement d'ailes. Tous ces gens avaient horriblement souffert, leurs vies se racornissant sous la flamme en un hurlement infini. Hurlement que leurs proches liraient dans le rictus de ces têtes réduites, dans la posture de ces bras suppliants, et emporteraient comme un dernier poison.

Laszlo pria pour que Constance ne figure pas parmi ces pauvres restes, pour qu'elle ait été épargnée. Il réalisa que pour la première fois, il ne le désirait pas pour lui mais parce qu'il voulait qu'elle vive, même sans lui, même si elle devait être à un autre.

— Allons, messieurs, ne restez pas ensemble, nous allons faire entrer les familles, leur lança le sous-chef de la Sûreté. Et surtout, ne vous adressez pas aux gens qui vont entrer. Pas un mot, pas une question. Pas ici.

Laszlo commença lentement à faire le tour de la salle, jetant de brefs coups d'œil aux cadavres. Combien y en avait-il ? Une bonne centaine, peut-être plus, et on continuait à en apporter, enveloppés dans de grands draps blancs. L'odeur insoutenable refluait jusque dans son œsophage et lui retournait les tripes, il s'efforça tant bien que mal de maîtriser ses haut-le-cœur. Il devait regarder plus attentivement, il le savait, sentant en lui une profonde faiblesse, une dérobade.

Il dépassa un cadavre d'enfant, se concentra sur un corps mince et recroquevillé contre un autre corps.

Je ne vais pas y arriver.

La mâchoire était béante, l'abdomen ouvert. Un morceau de bottine accroché au pied droit.

Constance portait-elle ce genre de bottines ?

Il réalisa qu'il n'en savait rien. Elle avait des chevilles fines, une démarche élégante, mais il n'avait jamais prêté la moindre attention à ses chaussures.

Le corps d'à côté était décapité, le ventre nu et rose, un jupon effiloché découvrait une jambe noircie, l'autre manquait.

Une rage prit Laszlo à l'idée que le corps de ces femmes, celui de sa bien-aimée peut-être, était livré en pâture aux regards, les secrets de leur anatomie étalés sur ces planches, que cette ultime profanation leur était infligée *post mortem*. Il se souvint de son émoi la première fois qu'il avait aperçu la cheville de Constance, à la sortie d'un bal de printemps, se demandant si cette vision était née de son imagination enfiévrée. Après tant d'années à fantasmer sur des kilomètres de soie sauvage, de taffetas ou de dentelle, le choc de cette nudité morbide était comme une porte ouverte à la volée, un sacrilège déchirant.

— Vous avez vu ça ? murmura le journaliste du *Figaro* à l'oreille de Laszlo, désignant une grande statue de Rouget de Lisle dressée sur son socle qui, le regard écumant et la bouche rageuse, toisait ces corps mutilés comme si sa justice venait de s'abattre sur eux avec un siècle de retard.

*

— Madame, l'avertit son majordome, M. et Mme d'Estingel sont là et demandent à voir Madame.

Mme Du Rancy soupira. Elle ne connaissait pas ces gens, sans doute avaient-ils perdu quelqu'un et espéraient-ils le trouver ici. Mais après toutes ces heures debout, elle éprouvait une lassitude profonde et la douleur de son dos était un fer rouge. Le duc d'Alençon venait de partir, escorté par deux de ses amis qui l'avaient convaincu de les laisser le ramener chez lui, que sa femme l'y attendait peut-être, ou au moins des nouvelles. Quant au fiancé de la petite Clémence Bodin, il s'était effondré quand on lui avait parlé de l'amputation et le docteur avait dû lui ordonner de rentrer chez lui. Depuis cinq heures de l'après-midi, Mme Du Rancy installait les blessés et veillait à ce qu'ils ne manquent de rien, apportait son soutien aux familles et son aide au personnel soignant. L'épuisement la gagnait, et la nuit serait longue.

— Faites-les entrer dans le petit salon, je les verrai dans un moment, dit-elle.

Elle s'assura que Clémence Bodin s'était enfin endormie. L'amputation avait eu lieu une heure plus tôt et elle avait été très douloureuse : malgré les calmants, les hurlements de la pauvre enfant avaient ébranlé la maison jusqu'à l'étage des domestiques. On avait dû calmer les grands brûlés que ces cris plongeaient dans une extrême agitation. Elle songea avec tristesse que l'avenir de la petite Clémence était compromis, maintenant qu'elle s'y dirigeait sur une seule jambe. Et ce fiancé si éprouvé, l'abandonnerait-il à son sort ? Elle n'avait aucune fortune susceptible de faire pardonner son infirmité. Et insensiblement, tandis qu'elle remontait la couverture d'une femme frigorifiée par ses brûlures, Mme Du Rancy commença à réfléchir à la manière d'aider cette petite couturière à se lancer, maintenant que sa beauté – unique planche de salut d'une jeune fille pauvre – était à jamais altérée.

Un couple de son âge l'attendait dans le salon bleu. Tandis qu'ils se levaient avec un sourire anxieux, elle eut le sentiment qu'elle les avait déjà croisés, sans doute au cours d'événements mondains, souvenirs qui lui semblaient appartenir à une ère aussi révolue que la civilisation de Pompéi ou les fêtes du Trianon.

— Bonjour, dit-elle en tendant sa main à baiser à l'homme. Je suis Mme Du Rancy. Je ne voudrais pas être impolie, il me semble que nous nous connaissons mais comme ma mémoire me joue parfois des tours…

— Oui, nous avons été présentées au bal de la princesse de Romainville, répondit la femme avec empressement. En mai dernier. Vous étiez en conversation avec le général de Lescaut quand Mme de Viviers de Lort nous a présentées.

Mme Du Rancy devina que sa visiteuse avait gardé précieusement le souvenir d'une rencontre qui la flattait, peut-être même y avait-elle vu la promesse d'être un jour admise dans des cercles que son nom (sans doute avaient-ils été anoblis sous l'Empire) ne lui autorisait pas.

— Merci de rafraîchir ma mémoire. Voici de bien tristes circonstances pour nous revoir…

— Oui, la coupa Mme d'Estingel, et nous sommes désolés de faire irruption chez vous à cette heure tardive, mais on nous a dit que vous aviez recueilli des blessés… Et nous sommes sans nouvelles de notre fille… Elle était au comptoir de la duchesse d'Alençon.

Mme Du Rancy s'installa avec précaution dans un large fauteuil, incapable de rester plus longtemps debout tant son dos la faisait souffrir, et invita ses visiteurs à en faire autant.

— Auriez-vous sur vous un portrait de votre fille ?

— Non, répondit Louis d'Estingel avec étonnement. Nous sommes venus dès que nous avons appris. Mais rassurez-vous, si elle est ici, je la reconnaîtrai tout de suite.

— Cher monsieur, vous comprendrez que je limite les visites, beaucoup des malades que j'ai recueillis sont dans un état grave et ont besoin de calme et de repos. Mais je vous en prie, parlez-moi de votre fille. Comment s'appelle-t-elle ? À quoi ressemble-t-elle ? Comment était-elle vêtue ce matin ?

Son interlocuteur se raidissait, prenant cet interrogatoire pour une offense personnelle.

— Vous décrire ma fille ? Voyons… Constance est une jeune fille brune, elle a des yeux… Amélie ?

— Verts.

— Oui, voilà, verts. Elle était habillée… que portait-elle, voyons ? continua-t-il avec un coup d'œil impatienté à son épouse.

— Une jupe en taffetas et un corsage de soie bleue, répondit-elle.

— Êtes-vous sûre, ma chère ?

— Je lui avais suggéré quelque chose de plus chic, mais impossible de lui faire entendre raison…

— Portait-elle un bijou, une bague ? demanda Mme Du Rancy avec attention.

— Une petite croix en or blanc, répondit Amélie d'Estingel avec un léger pincement de lèvres.

Constance ne quittait jamais ce cadeau de la mère supérieure des dominicaines de Neuilly. Au terme d'une épuisante bataille, Amélie avait seulement obtenu qu'elle consentît à porter des bijoux dignes de ce nom pour aller au bal ou à l'Opéra.

Mme Du Rancy avait tressailli à la mention de la petite croix.

— Je crois qu'elle est ici. Ses brûlures sont sérieuses, mais elle est en vie.

— Elle est vivante ! s'écria Louis d'Estingel. Elle est vivante, Dieu soit loué.

— Elle est brûlée, dites-vous ? s'écria sa femme avec angoisse. Au visage ?

— Suivez-moi, je vous en prie, dit Mme Du Rancy. Je vais vous conduire à elle.

*

Un peu plus tard dans cette soirée mouvementée où le quartier des Champs-Élysées n'était qu'un ballet incessant de fiacres et de foules affluant ou refluant de la rue Jean-Goujon, Louis et Amélie d'Estingel remontèrent dans leur voiture, pressés de rentrer chez eux. Le soulagement d'avoir retrouvé Constance en vie avait cédé à l'inquiétude concernant son avenir. Ils se turent de longues minutes, plongés dans de désagréables pensées. Puis, alors que le cheval trottait non loin du palais de l'Industrie devant les portes duquel une foule fiévreuse se massait toujours, Amélie d'Estingel rompit le silence :

— Que va-t-on faire, Louis ?

— Je ne sais pas, murmura son mari d'un air préoccupé.

— Jamais elle ne trouvera de mari. C'est fini, continua-t-elle, les larmes lui montant aux yeux.

— Peut-être la voudra-t-il encore, lui…

— Allons, il n'est pas stupide à ce point, rétorqua Amélie.

— Eh bien, au pire nous la mettrons au couvent avec ses amies les bonnes sœurs ! lança Louis d'Estingel, excédé.

— Jamais. Je ne l'accepterai jamais, Louis !

— Préférez-vous la garder à la maison toute votre existence ? ricana-t-il. Vous ne la supporterez pas six mois.

Amélie d'Estingel se tut, défaite.

— Allez-vous contacter ce garçon ? demanda-t-elle alors qu'ils tournaient le coin de l'avenue de Friedland.

— Je vais le faire dès demain. Et s'il accepte de repasser notre porche, ma chère… Vous serez sa meilleure amie. Vous m'entendez ? Vous serez affable et attentionnée, vous lui ferez la conversation, et s'il parle de la Commune, ma chère… Vous serez communarde !

Il ne put s'empêcher de sourire, savourant son avantage dans cette heure où elle tremblait que le fardeau de sa fille ne lui fût jamais retiré. Dans la lumière jaune des becs de gaz, il la vit blêmir. Ces petites cruautés étaient un plaisir qu'il pouvait rarement s'octroyer.

— En un mot, conclut-il, vous serez la belle-mère la plus aimante du monde. Cela va vous être très difficile, mais il y va de l'avenir de Constance, n'est-ce pas ?

Elle acquiesça en silence.

— À la bonne heure. Ah, il faudra aussi être dévouée à votre époux, afin que ce jeune homme voie cette famille comme un havre prêt à l'accueillir. Il est important qu'il perçoive le respect qu'on me porte, toute la tendresse dont on m'entoure dans ma propre maison.

Un sourire revint flotter sur ses lèvres, sous la moustache.

— Mais bien sûr, Louis, répondit-elle sèchement. Et vous, de votre côté, vous lui montrerez ce qu'est un époux aimant. La sorte d'hommes qui ne passe pas ses soirées en compagnie des filles de cabaret pour rentrer s'effondrer sur le divan de son bureau.

*

Du noir profond remontaient des images heurtées, si choquantes qu'elles étaient aussitôt ravalées dans le gouffre qui les avait enfantées. Des figures maculées de suie, ricanantes, des mains calleuses et mouillées, des yeux de chasseurs. Dans la douleur communiaient toutes ses hantises, ses terreurs s'y entrechoquaient en longs frissons épidermiques. Le mendiant qu'elle avait un jour croisé à Notre-Dame, sa bouche béante découvrant des chicots noirs et sanglants, la poursuivait de sa litanie grossière, vision aussitôt chassée par celle des malades couverts d'abcès de Lourdes. Des mains se tendaient vers elle, avides et salissantes. Des yeux la caressaient, des bouches voulaient la mordre, elle sentait ces haleines de sangliers, épiait ces halètements. Derrière ses paupières fermées, le brouillard rouge était piqué de points lumineux, d'épines dans la chair, d'embrasements des nerfs. Elle souffrait sans fin, comme si on lui arrachait la peau lambeau par lambeau.

Elle poussa un long hurlement qui la tira de sa léthargie, et ouvrit les yeux.

— Constance, mon enfant, calmez-vous. N'ayez pas peur. Je suis Mme Du Rancy. Vous êtes dans ma maison. Vous êtes sauvée.

— Protégez-moi, protégez-moi !

— De qui, mon enfant ?

— De ces gens horribles, ils me poursuivent...

— Mais il n'y a personne ici. De qui parlez-vous, Constance ?

— Ils sont là, ils me suivent...

— Ils sont partis, rassurez-vous. Tenez, avalez ça.

— Ils sont partis ? Vous êtes sûre ? chuchota Constance.

— Oui, il n'y a personne. Vous n'avez plus besoin de vous inquiéter.

— Ils me retrouveront... Ils me retrouvent toujours, gémit la jeune fille.

Des larmes roulaient sur ses joues.

Mme Du Rancy se leva et rejoignit l'homme corpulent qui préparait des décoctions sur une vieille table, près de la fenêtre.

— La petite Constance d'Estingel s'est réveillée.

— Ah ! comment va-t-elle ?

— Elle délire... elle a l'air terrifiée.

— C'est parce qu'elle est en état de choc. Peut-on la garder quelques jours en observation ?

— Ses parents n'y sont pas opposés.

— Bien. Il faut lui donner des calmants, qu'elle dorme autant qu'elle peut. Elle en a besoin.

Un peu plus tard, quand Mme Du Rancy repassa voir Constance, la jeune fille dormait. Sous l'effet des tranquillisants, son visage s'était détendu et seules ses paupières tressaillaient par instants. Une femme de chambre qu'elle avait affectée aux soins des malades vint lui parler :

— Madame, la jeune fille a demandé après quelqu'un. Plusieurs fois.

— Qui ?

— Je n'ai pas compris le nom, je suis désolée. On aurait dit un nom étranger. C'est grave, Madame, si je n'ai pas retenu le nom ?

— Non, Alice, ce n'est pas grave. Nous tâcherons d'être plus attentives la prochaine fois.

*

Il était minuit quand les portes du palais de l'Industrie se refermèrent au nez d'une foule révoltée qu'on lui demande de revenir le lendemain matin. Laszlo venait de passer six heures à regarder des hommes arpenter la salle à la recherche de leur femme ou de leur fille, des femmes s'effondrer ou perdre connaissance, des enfants errer tels de petits fantômes dans cette morgue improvisée.

Il était saoul du chagrin des autres, et épuisé d'avoir cherché Constance en vain parmi ces dépouilles sans dissiper ses craintes pour autant ; car il pouvait s'être trompé, ou elle pouvait être toujours ensevelie sous les décombres. Pour avoir vu tant de gens hésiter devant un cadavre, dévisageant avec une attention anxieuse un visage carbonisé, incapables d'affirmer avec certitude qu'il leur était familier, il se disait qu'il était peut-être passé cent fois devant le corps de sa fiancée sans que son cœur l'avertît qu'elle était là.

Il quitta la salle Saint-Jean avec les derniers visiteurs. À quelques mètres dans la cour, un homme s'emportait violemment contre le garde républicain qui lui interdisait de passer.

— Mais enfin, monsieur, connaissez-vous mon nom ? Savez-vous bien qui je suis ?

— Monsieur, c'est un ordre du procureur de la République et il s'adresse à tout le monde. Revenez demain matin, la salle sera ouverte à six heures, lui répondit le garde d'une voix ferme.

L'homme s'emporta, ses cheveux blancs hérissés de colère.

— Comment osez-vous me refouler comme un vulgaire passant ? Je peux vous faire envoyer demain à l'autre bout du pays, moi, monsieur. Ma petite fille se trouve peut-être derrière cette porte et vous m'empêchez de passer ? Elle est tout ce que j'ai ! ajouta-t-il tandis que sa voix péremptoire se brisait. Et vous voudriez que je la laisse passer la nuit là, toute seule, abandonnée dans le noir ?

À cette idée, le vieillard d'airain fondit en larmes. Une sœur de la Charité se précipita aussitôt, lui prit le bras et l'entraîna à l'écart en lui parlant tout bas.

Quelques minutes plus tard, on rouvrit la porte pour laisser entrer les employés du laboratoire municipal, qui portaient des baquets d'eau sublimée qu'ils verseraient sur les corps pour en retarder la putréfaction. Deux hommes en profitèrent pour passer avec eux, soutenant un jeune homme blond, très pâle, que les gardes refusèrent de laisser entrer. Il se débattit de longues minutes, criant d'une voix faible :

— Laissez-moi ! Vous n'avez pas le droit ! Vous n'avez pas le droit !

Finalement un de ses amis l'entraîna de force vers la sortie du bâtiment, lui parlant à voix basse :

— Allons, Julien, venez, nous reviendrons demain, je vous le promets.

Demain, songea Laszlo. Il était trop tard pour courir les hôpitaux à la recherche de Constance, il devait rentrer chez lui, trouver le moyen de dormir quelques heures, manger un peu. Et jeter sur le papier quelques notes en vue d'un article. Il en était incapable mais savait que c'était précisément dans cet état, la gorge serrée et l'esprit livré à l'angoisse, qu'il parviendrait à témoigner de ce qu'il venait de vivre.

12

Léonce d'Ambronay lut avec attention la première page du quotidien qu'elle avait ouvert en grand sur la table du petit déjeuner, repoussant une assiette de tartines. D'ordinaire, on ne pouvait pas lui reprocher de s'abîmer les yeux (qu'elle avait fort jolis et bleus) à lire quoi que ce soit. Mais aujourd'hui, elle s'était précipitée sur *La Croix* avant même que son mari ait pu en déchiffrer les titres. Avec un sourire patient, ce dernier buvait son café noir en attendant qu'elle daigne le lui rendre.

« *Une effroyable catastrophe vient de se produire au Bazar de la Charité installé rue Jean-Goujon, près de la maison de* La Bonne Presse.

Le feu a pris à ce vaste établissement en bois à l'heure où la foule était le plus considérable.

Au premier moment, on a voulu arrêter la panique, mais en quelques instants, le feu avait tout envahi, et une immense gerbe de flammes, de plus de cent mètres de long, montait dévorant tous ceux qui n'avaient pu sortir par les cinq larges issues.

Tout secours était impossible.

Les pompes à vapeur arrivées ont enfin épuisé le brasier qui menaçait les maisons voisines.

Du côté de la maison de La Bonne Presse, *on a pu, avec des échelles, sauver une quinzaine de personnes, dont plusieurs grièvement blessées ; mais bientôt le spectacle horrible est apparu. Sous les charbons, on voyait des tas énormes de cadavres tout contorsionnés, aucun visage n'était reconnaissable. Les os, les entrailles sortaient çà et là. »*

— C'est affreux ! lâcha-t-elle tandis qu'un frisson lui remontait l'échine. Et vous dites que ma belle-mère y était ?

— Oui, elle y était.

— Comment le savez-vous ?

— Hier un domestique a déposé ici quelques affaires de votre père que j'avais fait mettre de côté. Il était sans nouvelles d'elle, on la cherchait partout.

Léonce resta un instant silencieuse.

— Mon Dieu, pensez que j'aurais pu m'y trouver, si notre petite Augustine n'avait pas fait un début de fièvre ! Cela me glace. Imaginez-vous votre femme prise au piège des flammes ?

Pierre-Marie d'Ambronay balaya quelques miettes de pain sur la nappe d'un revers de main.

— L'imaginez-vous ? répéta la jeune femme, qui ne comptait pas épargner à son époux la terreur rétrospective d'avoir manqué la perdre.

— Je préfère ne pas l'imaginer, répondit-il en la regardant tendrement. Du reste vous êtes là, bien vivante. Notre fille vous a peut-être sauvée d'une mort terrible, Dieu en soit loué. N'êtes-vous pas inquiète pour votre belle-mère ?

— Bien sûr que je suis inquiète, enfin, Pierre-Marie ! Pensez-vous qu'elle est en vie ?

— Je l'ignore. Mais je pense que nous devrions aller aux nouvelles. Ne pas s'alarmer quand tant de gens courent la ville à la recherche de leurs proches, cela pourrait passer pour de l'indifférence. Ce serait bien cruel, si votre belle-mère était laissée pour morte dans quelque hôpital sinistre, et que nous ne nous soyons pas souciés d'elle. N'est-ce pas ?

— Mais bien sûr ! s'empourpra Léonce. Croyez-vous que je ne suis pas mortifiée à l'idée que Violaine puisse se trouver parmi ces gens qu'on a mis au palais de l'Industrie ? Pensez-vous que ça ne me fait rien ? Mon Dieu, je suis épuisée par cette nuit au chevet d'Augustine... Mais enfin, croyez-vous que le sort de cette malheureuse m'indiffère ?

— Pas un instant, ma chérie, répondit Pierre-Marie. Je sais le courage qui est le vôtre de gérer cette maison, les gouvernantes des enfants, la cuisinière, le souci que cela vous cause... Et je sais qu'en plus d'être un ange de douceur et de beauté, vous êtes un brave petit soldat. Je connais votre cœur. Aussi, je pense qu'il est temps de nous mettre en quête de votre belle-mère. Si nous allions ce matin nous renseigner à l'hôpital Beaujon ?

Rassérénée comme chaque fois qu'elle lisait dans les yeux de son mari l'attendrissement des premiers jours, Léonce fut sur le point d'accepter. Elle était prête à certains efforts pour qu'on la trouve méritante. Mais le barrage de son aversion fut le plus fort.

— Mais c'est que... Augustine est encore souffrante et je tremble de la laisser.

— Emmenons-la, sa gouvernante veillera sur elle, proposa Pierre-Marie.

— Au milieu de tous ces gens brûlés ? Vous n'y pensez pas ! Voyons, ce n'est pas la place d'un bébé.

— Alors laissons-la ici, d'ailleurs vous me disiez à l'instant qu'elle allait beaucoup mieux ce matin. Nous serons vite de retour !

Ce n'était pas la première fois que Léonce d'Ambronay remarquait à quel point son mari était têtu. Son entêtement n'avait d'égal que sa candeur pour ce qui touchait à la psychologie féminine. Elle soupira tandis que ses yeux se posaient de nouveau sur la première page du journal. Elle fixa les caractères d'imprimerie jusqu'à les voir danser. « Je suis souffrante », pensa-t-elle, et elle se concentra aussi fort qu'elle en était capable sur cet exercice d'autopersuasion. Il lui suffisait de se conditionner pour devenir pâle comme la craie. Elle pouvait s'évanouir si l'enjeu était d'importance. Cette faculté de plier son corps à sa volonté lui avait été précieuse dans sa jeunesse pour se dérober aux leçons de sa gouvernante, aux interminables sessions de catéchisme de l'abbé Fermat ou aux visites obligées à quelque vieille tante équipée d'un lorgnon et qui sentait mauvais.

Au bout de quelques minutes, un léger malaise s'empara d'elle, et sa main se porta naturellement à son front tandis qu'elle éprouvait le besoin de desserrer le col de son corsage. Pierre-Marie, sur le départ, sonnait déjà le majordome pour qu'il fît préparer la voiture.

— Allons-y, ma chérie, dit-il en lui tendant le bras avec enthousiasme, comme s'il l'invitait à une promenade au Bois suivie d'un lunch au Pré Catelan.

— Un instant, mon ami, un instant, soupira-t-elle, se retenant au bord de la table.

Il l'examina avec étonnement.

— Qu'y a-t-il, mon ange, vous êtes souffrante ?

— Non, non, ce n'est rien sûrement, protesta-t-elle, blême. Un léger vertige. Accordez-moi une minute, ça va passer.

— Auriez-vous attrapé le mal d'Augustine ?

— Non, ce n'est pas ça. Toutes ces lignes que j'ai lues tout à l'heure dans le journal me donnent le vertige. Ces corps aux entrailles béantes… Rien que d'y penser, la tête me tourne. Mais ce n'est rien, ça va déjà mieux.

Elle lut dans les yeux de Pierre-Marie la culpabilité qu'elle espérait. Ces hôpitaux surchargés de victimes dans un état épouvantable n'étaient-ils pas des lieux trop éprouvants pour une épouse sensible et impressionnable ?

— Ma chérie, je suis confus…, bredouilla-t-il. Je n'aurais pas dû vous proposer de m'accompagner. Vous êtes livide ! Je vais y aller seul. Voulez-vous que je vous aide à vous allonger un instant ?

— Mais mon ami, et Violaine ? Ma place est auprès d'elle…

— Non, restez là, reposez-vous pendant mon absence. C'est un ordre !

Léonce d'Ambronay adressa un sourire exténué à cet époux aimant qui savait si bien la protéger des réalités de ce monde. Et qui voyait un ange de bonté là où se tenait une petite créature qui demeurait en surface de la vie, arborant ses principes chrétiens telle une parure de diamants étincelants et vides.

« *Au palais de l'Industrie.*

Deuxième jour.

Je lis, sous la plume de mes confrères, une surenchère de descriptions sordides du spectacle dont nous sommes témoins jour après jour, dans ce palais de l'Industrie où jusqu'à présent ne retentissaient que des cris d'étonnement et d'admiration devant les merveilles de l'art et de la technologie. Je refuse de rivaliser dans l'outrance. Vous trouverez dans vos meilleurs journaux la description fidèle des entrailles ouvertes de la comtesse de L., qu'on identifia à son alliance qu'elle avait enfouie dans sa cage thoracique, enfonçant ses poings dans sa poitrine au paroxysme de la douleur à l'instant de brûler vive. Ou le tableau saisissant de Mlle de B. qui n'avait plus de tête mais qu'on identifia à un pan de jupon marqué au chiffre de sa famille et miraculeusement intact. Vous trouverez tout cela, et pire encore. Le palais de l'Industrie n'est plus qu'une chambre des horreurs qui concurrence l'imagination des foires les plus inventives. Un musée Dupuytren de la chair brûlée où l'anatomie de celles qui furent belles et délicates est exposée sans pudeur, aussi béante et nue que sur l'étal d'un boucher, aussi brutale que des corps pourrissant sur un champ de bataille.

À travers ce charnier grinçant où transpirent d'indicibles agonies, nous errons, nous les journalistes, nous chargeant de ce long hurlement qui vibre à travers un océan de silence et de chuchotements. C'est ici le territoire des fantômes. À la lueur des braseros, la statue de Rouget de Lisle toise le corps noirci d'une comtesse, et il nous semble entendre le rire glacé de Saint-Just devant ce massacre de la fine fleur de l'aristocratie française. Mais c'est oublier que des ouvrières ont brûlé avec elles, des soubrettes, des petites filles qui avaient mis leurs habits du dimanche en vue de ce rendez-vous macabre.

Que le deuil des grandes familles n'éclipse pas celui des gens de la rue, comme il le fit si souvent dans l'Histoire. Qu'on n'oublie pas ce petit Alfred que sa mère a reconnu à ses godillots usés, et qui était venu trouver les dames de charité dans l'espoir d'être hébergé car la misère ne permettait plus à sa mère de le garder auprès d'elle. Ses chaussures fendillées, brûlées aux extrémités, aux lacets faits de bouts multiples noués ensemble, dépassaient de son minuscule cadavre. Le cri que sa mère a poussé à la vue de ces souliers me reste dans le cœur. Alfred David avait quatre ans.

Je garde aussi en moi l'unique sanglot de cet homme qui peina des heures durant à identifier les corps de sa femme et de ses deux filles. C'était un homme du monde, dont le visage autoritaire signalait l'habitude d'être obéi. Mais il avançait ici intimidé, rempli de doutes et d'humilité, accompagné de la femme de chambre de sa femme et de la gouvernante de ses filles, interrogeant l'une et l'autre d'une voix suppliante : "Reconnaissez-vous ce jupon ? Ce corsage est-il celui de Gabrielle ? Là, cette dentelle rose... Rappelez-vous, je vous en prie : Mathilde portait-elle des bottines comme celles-ci ?" Les deux femmes en larmes ne savaient plus, la mémoire brouillée par l'enjeu, revenaient sur leurs pas, se penchaient sur ces dépouilles méconnaissables, grattaient d'un bout de bois ce qui restait d'étoffe sur les chairs brûlées, les laissaient, recommençaient, maîtrisant leurs haut-le-cœur et l'horreur qu'elles ressentaient. Finalement, l'homme identifia la plus jeune de ses filles à une bague en or qu'il lui avait offerte pour son seizième anniversaire. Il y avait fait graver son prénom, Mathilde, et la date, 16 mai 1896. Et en dessous, ces mots : "À ma petite reine de mai". Elle allait avoir dix-sept ans. Quand il lut l'inscription au greffier, il ne put retenir ses larmes. Ce furent les seules que je lui vis verser. Une heure plus tard, il repartait avec trois cercueils.

Il reste encore assez de corps sans sépulture, de corps sans nom, pour que demain, à six heures, les portes de la salle Saint-Jean grincent à nouveau sur leurs gonds. Pour que recommencent la danse des corbillards, le défilé des visiteurs, l'interrogatoire sourcilleux des fonctionnaires de la Préfecture. Demain, tout recommencera. Dehors, le printemps parisien est là, un soleil éclatant darde ses rayons comme pour repousser les ombres qui nous encerclent. Mais pour beaucoup d'entre nous, le mois de mai n'évoquera plus désormais que la mort et le deuil.

Je rentre chez moi à la nuit tombée, frôlant les voitures des pompes funèbres. Je me sens seul et vide, comme si tous ces chagrins, toutes ces recherches infructueuses m'avaient vidé le cœur de tout ce qui le réchauffait jusqu'ici. Demain est un autre jour.

Laszlo de Nérac »

Il replia son article, l'inséra dans l'enveloppe et ordonna qu'on l'apporte sur-le-champ au rédacteur en chef du *Matin*.

— Monsieur veut-il qu'on lui serve une collation ou préfère-t-il un vrai dîner à la salle à manger ? interrogea Anna, la bonne que sa sœur Caroline lui avait envoyée de Nérac.

Elle se tenait dans l'encadrement du petit salon, l'air embarrassé, comme si son maître était en deuil. L'était-il ? Les bruits les plus divers couraient, et la cuisinière affirmait que sa fiancée était morte dans cet horrible incendie, ajoutant, péremptoire, que sa fiancée n'était plus sa fiancée. Julien, le majordome, niait que les fiançailles fussent rompues. Anna ne savait qui croire, mais ce qui était sûr c'est que Monsieur avait une pauvre mine.

— Non merci, je n'ai pas faim, répondit Laszlo de Nérac d'une voix distraite. Apportez-moi une absinthe.

Elle se retira sur la pointe des pieds. Elle aimait bien Monsieur. C'était un gentleman. Pas de propos ni de gestes déplacés avec lui, nul besoin de redouter un tête-à-tête. Pourtant elle en connaissait qui auraient accepté ses avances sans rechigner. C'était si rare, un gentleman. Après trois places consécutives, c'était le premier qu'elle croisait.

Laszlo, resserrant la ceinture de son peignoir de soie pourpre, caressa la tête du chat qui passait par là.

— Quelle journée, Delescluze…

Le vieux chat appuya sa tête rousse partiellement blanchie contre la paume de son maître dans un geste doux et insistant.

Laszlo sursauta au hennissement d'un cheval qui s'arrêtait dans la rue, et se précipita à la fenêtre, fixant le bas de la rue du Faubourg-Saint-Honoré avec attention. Un fiacre stationnait devant la porte de l'immeuble. Le jeune homme retint sa respiration, guettant la sonnette de l'entrée.

Quelques minutes plus tard, son majordome lui apportait un pli de Maurice Dampierre, qu'il décacheta fiévreusement.

Elle est vivante !

Vous dormirez en paix cette nuit grâce à moi, j'en suis fort aise. D'après mes renseignements, votre bien-aimée est hébergée chez Mme Du Rancy, avenue Montaigne, avec d'autres victimes de la Charité.

Bien à vous,

Maurice

Laszlo éclata d'un rire cassé qui charriait des sanglots. Maurice ne lui avait fait aucune promesse mais l'avait tenue malgré tout. Le soulagement arriva comme le vent au bout d'une journée de canicule, et avec lui, l'espoir de surmonter cette nuit de cendres et d'épouvante.

— Elle est vivante, Delescluze. Elle est vivante. Et Maurice sera témoin à mon mariage, sourit-il tandis qu'un aiguillon de joie traversait le brouillard qui lui glaçait le cœur.

Maintenant qu'il la savait sauve, sa lettre et son refus lui paraissaient dérisoires face à cette affirmation de la puissance de la vie sur la mort. Ces enfantillages ne tenaient pas devant le feu, ils reprenaient leur juste dimension, s'inscrivaient dans les péripéties nécessaires d'une rencontre. Un jour ils seraient vieux, il les lui rappellerait et elle sourirait, rougissant de l'avoir tourmenté dans cette aube de leur amour où elle pouvait encore feindre d'ignorer que son cœur l'avait choisi.

Sirotant son absinthe, il tria les papiers qui s'entassaient sur son bureau, finit par retrouver ces vers de Verlaine qu'il avait soulignés une nuit, après le bal de la princesse de Romainville :

Rêvons, c'est l'heure.
Un vaste et tendre
Apaisement
Semble descendre
Du firmament
Que l'astre irise...
C'est l'heure exquise.

Ces mots l'avaient touché d'autant plus qu'il était déjà plein de Constance. À peine rencontrée, elle s'était installée dans son esprit telle une sentinelle, omniprésente dans son absence, ange gardien ou démon tentateur, influençant ses lectures et son regard sur le monde comme s'il ne pouvait plus voir ou penser qu'à travers le prisme de ses sentiments pour elle. Il comprenait en même temps que ces quelques vers soulignés lui avaient annoncé cet instant, ce soulagement qui s'épanchait dans son être et semblait à la fois repousser et amplifier les ombres alentour, tel le faisceau d'une torche dans le noir d'une forêt.

Dans la nuit sinistre de l'hôpital Beaujon, rythmée de plaintes et de gémissements, alors que le vieux général qui avait agonisé tout le jour venait de rendre les armes, Violaine retournait en rêve au cœur du Bazar en flammes.

La fournaise l'encerclait de nouveau, la gardant prisonnière. Pas un cri alentour, pas une bousculade, comme si elle était seule et que tous les autres avaient fui. Des lueurs écarlates dansaient sur les poutres noircies, le plancher ondulait sous ses pas, presque liquide. Tout était obscurci par la fumée, elle se cogna à une cloison brûlante et rentra dans une toile peinte en tentant de rebrousser chemin, cherchant une issue, mais le feu les fermait toutes. Non, pas toutes. Derrière elle, elle perçut un courant d'air, un rai de lumière, une fenêtre ouverte ! Elle entendit alors un gémissement. Quelqu'un se tenait là, à quelques mètres. Elle cligna des yeux sans succès, ses yeux la brûlaient. Elle se força à les rouvrir, cligna, accommoda sa vision floue et douloureuse, finit par distinguer une silhouette debout, immobile, vêtue de noir.

— Madame, c'est vous !

La silhouette avança dans sa direction, chancelante.

— Violaine… Allez-vous-en, laissez-moi, sauvez-vous.

La voix était lasse et rauque de toute cette fumée respirée.

— Je ne pars pas sans vous, madame !

La duchesse tendit une main tremblante vers le brasier et Violaine aperçut furtivement son visage.

— Sauvez-vous, Violaine, murmura-t-elle, ses yeux pâles fixes et agrandis comme sous l'effet d'une transe hypnotique. Ah, le feu…, lâcha-t-elle dans un soupir.

Puis elle lui tourna le dos, marchant vers la petite réserve où l'on entreposait les objets à vendre, derrière le comptoir n° 4. Violaine fut tentée de la suivre mais c'était un cul-de-sac, elles le savaient toutes les deux, y entrer c'était mourir, et Violaine ne voulait pas mourir.

— Sophie !… hurla-t-elle d'une voix enrouée. Sophie !

Comme si son cri pouvait suffire à réveiller la duchesse, à la ramener à la raison.

Elle n'entendait plus rien que le silence troublé par le fracas des poutres écroulées et le crépitement du feu.

— Sophie ! continua-t-elle à crier à travers ses larmes tandis qu'elle rebroussait chemin, arc-boutée dans la fumée, les bras repliés sur son front en une protection illusoire, se dirigeant à l'aveuglette vers le courant d'air. Ne me laissez pas, Sophie.

Violaine se réveilla en larmes, glacée malgré les épaisseurs de couvertures. À quelques mètres d'elle, le vieux général ne bougeait plus, emmailloté dans ses bandelettes blanches telle la momie d'un roman-feuilleton. Le dortoir des monstres, songea-t-elle. Le plus hideux se trouve sous les pansements. Curieusement, cette pensée l'apaisait.

Elle savait que son cauchemar ne se dissiperait pas. Car Sophie d'Alençon avait bien disparu dans ce cul-de-sac, et la dernière expression qu'elle avait vue sur le visage de la duchesse obsédait Violaine. Car c'était celle d'une résolution.

*

Le Paris des quartiers chics, celui qui s'amusait, dansait, aimait être effrayé et choqué et dont le principal souci était de tuer l'ennui, avait pris le deuil. Les théâtres faisaient relâche jusqu'à nouvel ordre, les soirées étaient annulées, les bals de printemps ajournés. Des couloirs de la Chambre aux salons d'essayage des couturières, il n'était plus question que de l'incendie et de la répartition des fautes. On blâmait le baron de Mackau d'avoir négligé certaines mesures de sécurité en introduisant au Bazar une invention aussi risquée que le cinématographe. On incriminait l'exiguïté du réduit où l'on avait installé le projecteur Normandin et Joly, séparé du public par une simple toile goudronnée. Les plus savants évoquaient le danger de la lampe Molteni qui, fonctionnant à la lumière oxyéthérique, nécessitait qu'on approchât un bâton de chaux chauffé à blanc trop près de ces bandes filmiques en celluloïd qui flambaient comme rien. Enfin, certains journalistes affirmaient que la faute revenait aux employés du cinématographe, qui avaient enflammé par erreur des vapeurs d'éther, mettant le feu à tout l'édifice en un rien de temps. Une enquête avait été diligentée et le préfet Lépine aurait à cœur de fournir des coupables à l'indignation parisienne.

Soudain on apprit que *Le Journal* tenait le scoop, l'entretien avec les deux employés du cinématographe. Comment les reporters du *Journal* avaient-ils pu l'obtenir avant que les deux hommes soient mis à l'abri de la curiosité publique, c'était un mystère.

Toujours est-il que l'édition du jour fut un succès, les exemplaires s'arrachaient dans la rue. C'était prévisible, Bellac chargeait Bagrachow, et Bagrachow chargeait Bellac. Bien malin qui pourrait déterminer le plus coupable, ils seraient, comme on pouvait le conjecturer, tous deux crucifiés pour détourner l'attention de la négligence de gens plus haut placés.

« Extraits des entretiens croisés de Bellac et de Bagrachow

Bellac : Monsieur Normandin, ingénieur-mécanicien et entrepreneur de cinématographes, me charge de faire fonctionner ses appareils. Nous n'avons installé le matériel au Bazar que le 4 mai, nous avions été prévenus trop tard pour l'inauguration. La salle où nous étions était fermée par un tourniquet, elle faisait neuf mètres de profondeur sur quatre mètres de large. Et moi j'étais dans une minuscule cahute sans lumière ; on m'avait promis de me faire percer une lucarne dans les jours suivants. Je faisais fonctionner le projecteur et réglais en même temps la lumière, qui émanait d'une lampe oxyéthérique : un bâton de chaux est porté par une tige à l'avant de la lampe, sur lequel on dirige la flamme de l'éther en ayant soin d'insuffler de l'oxygène sous haute pression. Une fois chauffé, le bâton de chaux produit une lumière blanche presque aussi intense et jolie que celle de l'électricité. Un de mes amis, un

Russe nommé Bagrachow, chef de laboratoire chez Normandin, avait insisté pour m'accompagner à la vente de charité. Il était dans la salle – en spectateur – quand je commençai, sur le coup des quatre heures.

Soudain, la lampe baissa et s'éteignit. Je supposai que l'éther manquait et priai le public, qui était dans l'obscurité, d'attendre une minute. À tâtons, je dévissai la lampe, enlevai le bouchon de l'ouverture par laquelle on introduit l'éther. J'avais déjà saisi le récipient quand je demandai au Russe :

— Donne donc de la lumière dans la salle...

Il ouvrit le vasistas de la salle, mais je n'y voyais toujours rien. Je m'écriai :

— Donne-moi aussi de la lumière !

J'entendais par là : "Écarte les rideaux." Ce qu'il fit. Je n'y voyais toujours pas assez. Il me demanda :

— Où est la boîte ?

Il parlait de la boîte d'allumettes. Je m'entendis répondre sans réfléchir :

— Là, sur la table.

Au craquement de l'allumette, mon sang ne fit qu'un tour, et je criai.

Trop tard.

Ma lampe, que je venais d'éteindre, était encore brûlante. Les vapeurs s'enflammèrent. Saturé d'éther, je me trouvai en quelques secondes cerné par les flammes tandis que les pellicules en celluloïd prenaient feu. Je parvins à m'extraire de la cahute, aidai Bagrachow à arracher le tourniquet de l'entrée, arrachai les rideaux de la baraque qui, enflammés, empêchaient les gens de sortir. Tous les spectateurs purent s'échapper par les portes. Je fus emporté dans la rue par un flot de fuyards, et c'est à cela que je dois la vie. »

« *Témoignage de Bagrachow, poursuivi comme l'auteur principal de l'incendie* : Parler de tout cela me cause une forte émotion... De deux heures et demie à quatre heures, Bellac donna quatre séances devant un public différent à chaque fois. Vers quatre heures, j'étais près de lui, dissimulé par un rideau, et je l'avertis que la lumière faiblissait sur l'écran. Il répondit qu'il allait rallumer sa lampe, et prévint le public. La lampe éteinte, l'obscurité était presque complète. J'ouvris sur sa demande un petit vasistas, mais il donnait trop peu de lumière. Alors Bellac me demanda :

— Tu n'as pas une bougie ?

— Non.

— Pas de bougie, répéta-t-il. As-tu une allumette ?

— Non.

— Il doit y en avoir une boîte sur la table.

Tâtonnant, je mis la main sur la boîte d'allumettes.

— Allume, et recule-toi, me dit Bellac.

Mais déjà le feu jailli de l'allumette enflammait les vapeurs d'éther qui se dégageaient du récipient dont Bellac se servait pour remplir sa lampe. Du goulot du récipient, je vis sortir comme une coulée de lave. Une gerbe de flammes, puis une explosion... L'incendie était partout, partout...

[*Les yeux de Bagrachow papillotent, comme sous l'effet d'un éblouissement.*]*

Je me précipitai sur le tourniquet que je parvins à arracher. Avec Bellac, nous fîmes sortir la trentaine de spectateurs. Je criai "Ce n'est rien, pas de panique !", un sauve-qui-peut général s'ensuivit. Je tentai de gagner la rue, mais le passage était obstrué. Cherchant une issue, je donnai un coup de poing dans une cloison avec une force décuplée par la peur et réussis à enfoncer, puis à déclouer une planche… Une planche, c'était le salut. Vite, j'en arrachai une deuxième…

Déjà la foule se précipitait par cette ouverture, s'écrasant sous une pluie de goudron enflammé. Mes cheveux brûlaient, je fus jeté à terre, piétiné… J'ai de larges blessures aux reins, aux jambes. De l'autre côté, c'était le terrain vague. Cent vingt ou cent trente personnes s'y entassaient, tandis qu'on descellait les barreaux d'une fenêtre de l'hôtel voisin. Je ne vis là que des femmes, des femmes courant à la fenêtre trop haute pour être escaladée sans aide. Une chaise était passée par l'ouverture. Je me mis à hisser les femmes, les jeunes filles, luttant pour ne pas être piétiné. Comme le feu avançait sur nous, je relevai de grosses planches laissées là, des madriers de deux ou trois mètres de long, que les femmes appuyaient sur leurs épaules pour se protéger, s'en servant comme de petites guérites. Oui, j'ai porté secours à ces malheureuses, et j'en bénis le Ciel. J'ai prié mon avocat de les retrouver en vue de mon procès. Elles ne m'auront pas oublié, j'en suis sûr.

[Bagrachow se passe la main sur les yeux. De larges gouttes de sueur perlent sur son front.]*

*: Notes du journaliste. »

13

Amélie d'Estingel ne s'était pas attendue à trouver la marquise de Fontenilles si abîmée. Des connaissances communes lui avaient assuré que cette dernière s'en était tirée sans dommage, qu'elle avait pu rentrer chez elle le soir même. Mais elles n'avaient pas mentionné les larges pansements qui lui barraient le visage et ce bandeau de soie qui masquait sans doute une chevelure brûlée. Certes, ses jours n'étaient pas en danger, mais quel drame pour une femme si élégante et raffinée de voir la beauté de son visage perdue à jamais ! Pauline de Fontenilles, dont un poète anglais avait célébré le profil et l'allure après l'avoir vue valser lors d'un cotillon et dont tant d'hommes s'étaient amourachés depuis sa jeunesse, resterait défigurée. Et Amélie, qui savait à quelle vitesse la valeur sociale d'une femme chute dès lors que son physique est atteint, sentit ses paroles de réconfort mourir sur ses lèvres.

— Je ne suis pas belle à voir, n'est-ce pas…, murmura Pauline de Fontenilles avec un sourire crispé.

Amélie secoua la tête, horriblement gênée. Elle s'en voulait d'être venue. C'était une situation si inconfortable. Elle détestait la promiscuité du malheur. Elle redoutait toujours d'y être entraînée malgré elle. Aussi choisissait-elle ses amies riches et bien portantes, recherchant inconsciemment en elles l'égoïsme qui lui garantissait des conversations sans douleur, balisées et artificielles.

— Ne protestez pas, ma chère... Votre regard ne ment pas. Vous voyez, ajouta-t-elle en désignant les murs de son salon, j'ai fait recouvrir tous les miroirs de cette maison de tentures... Je ne voulais pas risquer de m'évanouir en m'y apercevant. Mais je n'ai pas besoin de me voir pour savoir que je suis laide à faire peur. Je sens ma chair détruite, ma peau... mes cheveux... Je ne serai plus jamais la même. Je suis finie, je le sais.

Amélie triturait de ses doigts gantés un pli dans le bas de son corsage gris perle, étudiant les arabesques qui ornaient le velours de la causeuse sur laquelle elle était assise.

— Comment va Constance ? interrogea la marquise qui savait qu'elle ne retrouverait l'attention de son amie qu'en lui parlant d'elle, de ses soucis, de sa fille qui en réunissait beaucoup dans sa jeune personne.

— Constance ? Elle va mieux, je vous remercie. Mais elle... Elle garde de larges brûlures et...

Avant la fin de sa phrase, Amélie se trouva coincée. Elle était venue confier à son amie le malheur irrémédiable qui frappait Constance, ces larges brûlures sur son dos, sa chevelure consumée qui ne repousserait pas, tout ce qui mettait en péril un éventuel mariage. Mais la marquise était elle-même dans un tel état... Comment, dès lors, s'en faire plaindre ?

— Elle est vivante et c'est l'essentiel ! la coupa Pauline de Fontenilles. Souffre-t-elle beaucoup ?

— Oui, beaucoup. Elle est encore chez Mme Du Rancy, elle y est bien soignée, on lui donne tous les calmants dont elle a besoin.

— Mais... n'avez-vous pas souhaité la ramener chez vous ? s'étonna la marquise en haussant les sourcils.

— Mme Du Rancy préférait la garder un peu et j'ai jugé bon de ne pas la changer d'environnement, répondit Amélie un peu vite.

— Vous savez, dit Pauline de Fontenilles après un silence, quand ma petite fille est tombée malade, alors que son frère venait d'être emporté par la même maladie... elle n'était pas belle à voir, je vous prie de me croire. Maigre, en sueur, blême, épuisée par la fièvre... Comme elle était contagieuse, on m'a défendu de l'approcher. Je n'ai pas pu entrer dans sa chambre durant son agonie. Je ne l'ai revue que morte, juste avant qu'on l'emmène loin de moi, qu'on l'enferme dans un épais cercueil et qu'on brûle tout ce qu'elle avait touché, ses jouets, ses vêtements, ses livres d'images et les tissus de sa chambre d'enfant. J'aurais pu désobéir, au moins tenter de l'apercevoir, de lui apporter le réconfort de mon amour dans ses derniers moments. Mais je ne l'ai pas fait. J'avais trop peur de sa maladie, de sa souffrance. Je vais vous confier quelque chose, à vous qui êtes mon amie...

Elle s'interrompit un instant, essuyant une larme qui roulait sur sa joue pansée.

— Aujourd'hui je le regrette, Amélie. Je regrette de ne pas être entrée dans sa chambre, de ne pas l'avoir serrée dans mes bras, de ne pas l'avoir aidée à s'en aller.

Amélie d'Estingel s'empourpra.

— Constance n'est pas mourante, Dieu merci ! Elle a besoin de calme, de repos et de soins médicaux. Elle trouve tout cela chez Mme Du Rancy, pourquoi l'en priverais-je ?

— Mais elle ne vous a pas, vous. Allez à elle, Amélie. La vie est brève.

En sortant de chez la marquise, Amélie songea que la balance qui pesait les avantages et les inconvénients de cette amitié venait de pencher sensiblement d'un côté. Tout ce qui rendait hier encore la société de la marquise charmante – ce goût pour la légèreté et le luxe qu'elle mettait au service des plus brillantes fêtes de Paris, son œil acéré sur ses contemporains – semblait aussi altéré que sa personne. Il y avait peu de chances que le grand monde se presse désormais à ses dîners et à ses bals. Et pour être franche, Amélie d'Estingel avait déjà bien assez de soucis avec Constance pour s'encombrer d'un autre fardeau. Son affection pour Pauline de Fontenilles valait-elle d'endurer d'autres visites comme celle-ci, assorties de leçons de morale ? Elle soupira. Tout cela était fâcheux.

*

Sa première visite, Violaine de Raezal crut l'avoir rêvée. C'était au lendemain de l'incendie, elle flottait

185

dans la brume épaisse où la maintenaient les puissants sédatifs qu'on lui administrait toutes les deux heures pour apaiser les tisons de sa douleur. Dans un de ces interludes où ses yeux s'ouvraient pour mieux replonger dans le sommeil artificiel où l'entraînaient les concentrés opiacés qui circulaient dans son sang, elle reconnut la silhouette gracile, les cheveux serrés sous un petit chapeau à la mode surmonté d'une aigrette tremblante, le nez pointu, les chevilles dansantes sous les plis d'une jupe en tuyau d'une modernité déconcertante dans ce lieu austère et terne. Que faisait-elle là, intimidée et chuchotante, s'entretenant avec les médecins et les infirmiers en jetant de furtifs coups d'œil aux rangées de lits ? L'espace d'un instant, Violaine eut envie de lui faire signe, de lui demander si elle avait des nouvelles de la duchesse d'Alençon. Mais les tranquillisants gagnèrent cette lutte brève et elle sombra à nouveau. Confondant cette vision avec celles qui passaient dans le carrousel de son cerveau épuisé, elle se figura l'avoir inventée.

La deuxième visite eut lieu deux jours plus tard. Ce matin-là, Violaine de Raezal quittait l'hôpital Beaujon. Durant son séjour ici, plusieurs survivants du Bazar étaient morts dans de grandes souffrances, dont le général Munier. Violaine avait vécu ces trois jours telle une pénitente ligotée dans un entrelacs de cauchemars et de remords, espérant une rédemption.

Elle attendait le docteur Ménard quand elle la découvrit devant elle. Élégante et discrète, la visiteuse lui tendit la main en la dévisageant de ses yeux verts et futés.

— Bonjour, chère madame, vous souvenez-vous de moi ? Mary Holgart. Sophie d'Alençon nous a présentées il y a quelques jours, juste avant que...

Violaine hocha la tête. Il lui semblait que ces présentations avaient eu lieu des années plus tôt ; l'Américaine était comme une amie oubliée rappelant l'existence d'un monde disparu.

— Comment allez-vous, Violaine ? C'est bien Violaine, n'est-ce pas ? Je suis navrée de ce qui vous est arrivé..., dit Mary Holgart avec cette pointe d'accent charmant qui faisait qu'on lui pardonnait tout, même de vous appeler par votre prénom alors que vous la connaissiez à peine. Êtes-vous tirée d'affaire ?

— Je vais mieux, répondit Violaine. Je vais pouvoir continuer ma convalescence à domicile. Et vous ?

La mine de Mary Holgart s'était altérée depuis le jour de l'inauguration du Bazar de la Charité. Des cernes profonds marquaient le contour de ses yeux, soulignant le bleu des veines. Son teint de rousse, criblé de taches de rousseur, était d'une pâleur de craie. Malgré cela, elle paraissait plus jeune que son amie la duchesse d'Alençon. Elle eut un rire léger.

— Savez-vous que j'aurais dû me trouver au Bazar le 4 mai ? J'ai été retenue par ma couturière française, je n'ai pas pu arriver à temps pour voir le nonce... Manquer sa bénédiction m'a sauvé la vie, n'est-ce pas ironique ?

— Votre couturière vous a sauvé la vie. Gardez-la précieusement ! répondit Violaine.

L'Américaine eut un sourire voilé avant de poursuivre en baissant la voix :

— Je cherche la duchesse d'Alençon...

— Est-elle en vie ? interrogea Violaine à brûle-pourpoint.

— Oh, eh bien... J'espérais que vous pourriez me le dire ! Je ne sais pas. Il y a toutes ces rumeurs, on dit qu'elle est sauvée mais aucune trace d'elle nulle part... Je suis venue l'autre jour à sa recherche. Et puis je vous ai vue... J'espérais que vous pourriez m'aider. Mais vous étiez trop mal, on m'a conseillé de revenir plus tard.

— Malheureusement, je n'ai pas plus de nouvelles que vous, répondit Violaine. Le duc la cherche toujours, alors ?

Un éclair traversa les yeux couleur de serpentine de Mary Holgart.

— Oui, oui... Tout le monde la cherche. Mais peut-être ne veut-elle pas qu'on la trouve...

— Que voulez-vous dire ? la coupa Violaine.

L'Américaine se leva brusquement.

— Je m'égare, chère Violaine, ne prêtez pas attention à mes divagations. Je suis épuisée, et si inquiète pour la duchesse... Mais puisque vous étiez près d'elle quand c'est arrivé... Rendez-moi visite un de ces jours, j'en serai heureuse. Voici ma carte, je suis en France jusqu'à la fin du mois, je loge chez ma tante. À bientôt, prenez soin de vous !

Après son départ, Violaine de Raezal jeta un coup d'œil à la carte de visite de Mary Holgart. Elle avait biffé son adresse bostonienne et écrit en dessous, d'une écriture pressée : « Chez Madame de Marsay, rue des Lions-Saint-Paul ».

*

Le cocher Joseph s'échappa de l'hôpital dès que ses jambes le lui permirent. Les brûlures de sa nuque, de ses épaules et de son dos étaient suppurantes et vilaines, mais il n'en avait cure. Il s'enfuit à la nuit en sautant d'une fenêtre, s'éraflant l'avant-bras gauche sur toute la longueur, et marcha jusqu'à la place François-Ier. La lune était voilée, le ciel clair s'était chargé de nuages serrés, l'air sentait la pluie et le temps lourd pesait sur le crâne du cocher tel un couvercle. Il vérifia que les gardiens de la paix étaient toujours en poste rue Jean-Goujon, impossible d'approcher sans risquer d'être ramené à Beaujon – ou pire, à Bicêtre ! Sa voiture devait toujours l'attendre là où il l'avait laissée, dans la cour des écuries Rothschild. Il trouverait un moyen de la récupérer demain. À moins que le duc ne l'ait déjà remplacé, sanctionnant son abandon de poste. Ce n'était pas les candidats qui manquaient pour une place aussi privilégiée que la sienne, songea-t-il avec amertume. Rebroussant chemin vers les Champs-Élysées tandis qu'un orage grondait au loin, en haut du faubourg Saint-Antoine ou sur les contreforts de Belleville, il rencontra un attroupement. Une dizaine de passants entouraient un crieur de journaux. Joseph s'approcha.

— Mort du général Munier, mort de Mlle de Valence, mort de la comtesse de La Blotterie et de la comtesse de Vallin, mort de la comtesse Couret de Villeneuve, de la comtesse de Luppé, de la marquise d'Isle !

— Et la duchesse d'Alençon ? cria le cocher.

— La duchesse, on ne sait pas, répondit le crieur, reculant devant ce rôdeur patibulaire à la figure esquintée et au bras ensanglanté. Portées disparues : la duchesse d'Alençon, la marquise d'Alhouet Le Mesnil, Mme Du Châtelard, la vicomtesse de Lestac ! Identifiées au palais de l'Industrie : Mme Caruel de Saint-Martin, la comtesse Marie de Bonneval, la baronne de Saint-Didier, la comtesse de Mimerel, Mme Louis Kahn, Mme Hoskier, Mlle Henriette d'Hinnisdal, sœur Ginoux de Fermon ! Cette liste se complète à chaque instant, encore seize corps non identifiés, achetez l'édition du soir !

Cœur battant, Joseph emporta cet espoir en repartant à larges enjambées vers le rond-point des Champs, les poings serrés dans ses poches tandis que le ciel commençait de distiller des gouttes de pluie. À la première station de fiacres, il tomba sur Eugène Rampot, un compagnon d'absinthe.

— Joseph ! Te voilà ? Tu es dans un sale état, mon vieux !

— Conduis-moi à l'hôtel d'Alençon !

Effrayé, Eugène Rampot ne se fit pas prier pour réveiller son cheval qui somnolait sous l'averse.

En chemin, il osa demander à Joseph, installé près de lui sur la plate-forme, pourquoi il ne courait pas plutôt chez sa mère lui dire qu'il était vivant.

Joseph ne jugea pas utile de répondre. Il avait quitté sa mère à l'âge de onze ans pour entrer chez le duc d'Alençon et ne l'avait pas revue depuis vingt ans. Sans doute ne la reconnaîtrait-il même pas, sa mère, s'il la croisait dans la rue. Des années durant, il lui avait envoyé consciencieusement une partie de ses gages à la fin de chaque mois. Et puis un jour, son argent lui était revenu, sa mère n'habitait plus à cette adresse. Était-elle encore de ce monde ? Il l'ignorait. La seule personne pour qui il s'inquiétait à cette heure, c'était la duchesse d'Alençon. Sa seule famille, c'était le duc, sa femme et leurs enfants. Il mourrait pour le duc s'il le lui demandait. Il mourrait pour la duchesse sans qu'elle le lui demandât.

*

« Au palais de l'Industrie.

Je suis retourné ce matin à la Chambre des horreurs en compagnie de plusieurs confrères. On sent chez certains une excitation de se trouver là, près de ces dépouilles qu'on arrose jour et nuit pour en retarder la putréfaction, dans l'épicentre de cette douleur qui explose de toutes parts chez ces gens qui d'ordinaire s'excusent quand ils toussent et qui, devant ces pantins noircis aux entrailles fondues dans lesquels il leur faut reconnaître une femme ou une fille, s'effondrent d'un coup et pleurent toutes les larmes de leur corps. Ces êtres qui ont appris dès la prime enfance à orchestrer chacune de leurs apparitions publiques comme une cérémonie mondaine sanglotent et s'évanouissent, hurlent leur peine et leur horreur, doivent être soutenus par le personnel des pompes funèbres. Leur deuil, jusqu'ici une affaire privée, s'étale en première page des journaux, assorti de la description exhaustive des chairs rongées, des cervelles répandues, des os dénudés et des yeux caves de ceux qu'ils ont perdus. Je précise exhaustive, tant la presse se repaît de ces descriptions sanguinolentes. Il m'est arrivé devant certains textes d'imaginer l'auteur dans la posture d'un peintre du Salon des refusés cherchant la teinte exacte d'une jambe décomposée. En première page d'un grand journal catholique, sous le titre "Funèbre nomenclature", on peut lire :

"Il y a trente personnes dont rien n'a été retrouvé ; pour les identifier, il reste exactement :

— six chevelures de femmes, perruques ou cheveux roussis ;

— deux tibias ;

— une main complète sans bague ;

— trois troncs incomplets, un pied intact, coupé au-dessus de la cheville, dans une élégante bottine sans marque ;

— deux côtes ;

— une mâchoire inférieure ;

— onze fausses dents ;

— une dizaine de kilogrammes d'entrailles."

Jusqu'au 4 mai, on suggérait les réalités les plus crues de la vie avec précautions et euphémismes. On disait d'un défunt "il a passé", et voilà qu'on ne nous fait grâce d'aucun pourrissement. Comme si la force du drame ou le fait qu'il se soit abattu sur des gens hier encore intouchables autorisait chacun à se délester de toute pudeur et à agir en voyeur.

A contrario, je veux rendre hommage à MM. Atthalin et Mouquin, qui assistent les familles des victimes et s'assurent avec une grande exigence que le corps qu'ils viennent d'identifier est bien le leur. Bien sûr, *il y a eu et il y aura encore des méprises tragiques. Hier un père, M. Chabot, venait d'identifier sa fille, quand un détail l'a fait douter. Le cadavre qu'il avait sous les yeux portait un corset noir, et sa fille avait acheté un corset blanc pour se rendre au Bazar. Il rentre aussitôt chez lui, à Vanves, où sa femme lui dit que leur fille n'avait pas mis son nouveau corset – qui n'allait pas –, mais un corset noir. Il retourne au palais de l'Industrie, mais las ! le corps qu'il avait reconnu a été emporté par une autre famille. Frappé par la foudre, il fond sur M. Atthalin, jure qu'on a pris sa fille pour une autre, implore de la voir au moins une dernière fois, de pouvoir lui dire adieu. Pendant plus de deux heures, il reste là, insiste, menace, supplie. On lui répond que le corps qu'il réclame a été formellement identifié, qu'il y avait des preuves, des bijoux, et ce corset noir justement, qu'on dirait échappé d'un conte de Grimm, corset blanc changé en corset noir le temps d'une farce cruelle et d'un corps escamoté. Cet homme est reparti seul, courbé comme un vieillard, persuadé qu'on allait coucher sa fille dans la tombe d'une autre, criant qu'on venait de lui voler sa mort. Confrontés à ces dilemmes plusieurs fois par jour, MM. Atthalin et Mouquin assument la tâche délicate de statuer sur l'incertain, de donner un corps à une famille plutôt qu'à une autre. Pour les avoir vus à l'œuvre de six heures du matin à minuit, réexaminant vingt fois les "preuves" réunies, ordonnant à un brigadier de se rendre chez la couturière de la rue de Seine vérifier que tel lambeau de soie a bien été acheté chez elle par Mme de R., nettoyant et frottant eux-mêmes chaque bijou pour en faciliter la reconnaissance, interrogeant encore et encore la mémoire des visiteurs, je les salue bien bas.*

Enfin, tout Paris ne parle que d'elle. La duchesse d'Alençon. Des jours que tout le monde la cherche.

On l'a d'abord crue en vie, méconnaissable sous ses bandages ou terrée je ne sais où. Puis on a remonté des décombres sa montre et ses deux alliances. Une délégation d'amis du duc est venue aujourd'hui avec deux femmes de chambre. Des heures durant, ils ont examiné patiemment chaque cadavre, à la recherche d'un indice, dans cette salle Saint-Jean où ne restent à présent que les corps les plus abîmés, corps sans tête ou brûlés aux deux tiers. Procédant par élimination lente et minutieuse, ils ont fini par resserrer le champ des possibles. Les femmes penchaient pour un cadavre mince, entièrement carbonisé, sans le moindre lambeau d'étoffe, les pieds nus, le crâne réduit à une grimace qui dévoilait les dents, seule partie intacte de ce qui avait été une femme. Après bien des hésitations, ils ont décidé de faire appel au dentiste de la duchesse. Nul doute que les journaux s'arracheront la suite du feuilleton.

Quant à moi, je me prends à rêver qu'elle ait pu s'échapper du brasier, abandonnant ses bagues pour glisser dans la nuit anonyme, et arracher au Dieu vengeur, qui – dit-on – a pris plaisir à voir brûler toutes ces femmes, un autre destin. C'est ma rêverie. Demain, nous saurons et je devrai sans doute m'en défaire. Alors en attendant, laissez-la-moi.

L. de Nérac »

— Vous exagérez, Nérac ! protesta François Germand. Ça ne vous suffit plus d'épingler l'indécence de la presse, maintenant vous espérez qu'on ne retrouvera pas la duchesse d'Alençon ? Je vous ai embauché pour être caustique, pas pour nous mettre à dos la famille d'Orléans.

— Est-ce mal de dire que je préférerais savoir la duchesse en vie ? répondit Laszlo, se carrant avec satisfaction dans le fauteuil en cuir noir qui faisait face à celui du directeur éditorial du *Matin*.

Depuis qu'il était entré ici réclamer du travail, il lui semblait que des mois avaient passé. Il était plus affirmé, plus solide que lorsqu'il s'était assis sur ce fauteuil pour la première fois. Il faut dire que sa chronique avait du succès, on en parlait partout, et les ventes du *Matin* avaient significativement augmenté depuis qu'elle paraissait. Certes, le moindre papier sur l'incendie du Bazar de la Charité aiguillonnait les ventes, mais c'était la première fois que le jeune homme éprouvait l'impact de textes qu'il avait écrits. On l'abordait dans la rue ou aux environs du palais de l'Industrie. Il recevait du courrier en abondance, et qu'importait l'indignation dont vibraient certaines lettres ; c'était le début d'une popularité. Et cet élixir aidait Laszlo à distraire son esprit de Constance, Constance qui refusait de le voir, qu'il n'avait pu approcher depuis qu'il la savait en vie.

— Ne jouez pas sur les mots, vous l'espérez surtout loin de son mari ! Et ceci alors que tout Paris le plaint !

— Mais qui dit qu'on le plaint pour de bonnes raisons ? répondit Laszlo, goguenard. Ne nous plaint-on pas toujours sur un malentendu ? Et puis, pourquoi sa peine à lui prendrait-elle le pas sur toutes les autres ?

— Vous êtes assommant à ergoter tout le temps comme ça ! rugit François Germand. Si vous retouchiez ce dernier paragraphe ?

— Non. Je refuse d'en changer un seul mot. Il faudra me renvoyer.

— J'y réfléchis, répondit le directeur éditorial en martelant machinalement la chronique manuscrite qu'il avait sous les yeux. En attendant, servez-nous donc un cognac. Le soufre qui se dégage de vous me donne soif.

*

À l'hôtel d'Alençon, avenue de Friedland, les fenêtres restaient éclairées malgré l'heure tardive. Le duc et sa femme se couchaient tôt en général, et en voyant la lumière derrière les volets du salon, le cocher Joseph sentit son angoisse prendre forme de pressentiment. Il remercia son camarade Eugène Rampot, lui promit qu'ils boiraient une absinthe tous les deux la prochaine fois, et sauta du marchepied avec une grimace. Son corps n'était qu'une carcasse trempée et endolorie, mais il ne s'en souciait guère. Ce qui l'ennuyait, c'était d'être si effrayant à voir. Il avait peur qu'on ne reconnaisse plus le cocher tiré à quatre épingles de l'hôtel d'Alençon, qu'on le jette dehors ou qu'on le livre à un sergent de ville.

Avant de sonner à la loge du gardien, il se recoiffa avec ses doigts, usant de sa salive comme d'une brillantine.

La porte s'ouvrit sur la figure revêche du gardien. D'ordinaire, Pierre Moulin n'était pas si farouche ; mais l'afflux soudain de fureteurs et de journalistes sans scrupules à l'hôtel d'Alençon lui avait forgé une mine de circonstance. Retrouvant le visage marqué du vieux garçon avec qui il aimait tant jouer aux cartes après le service, Joseph sentit l'émotion lui piquer les yeux. Le regard de Pierre ne cilla pas, résolument hostile.

— Qu'est-ce que vous voulez, à c't'heure ?

— Pierrot... Tu me reconnais pas ? lança Joseph, soudain triste à mourir.

Le vieux gardien plissa les yeux sous la lumière du porche.

— Jo ? C'est toi, mon vieux ? C'est bien toi ?

Au même instant, il ouvrit la porte en grand et se précipita vers lui en lui ouvrant les bras.

— Dieu, dans quel état es-tu, mon pauvre gars ! J't'ai pas fait mal ?

Joseph secoua la tête trop énergiquement, ce qui lui arracha un gémissement qui se termina en rire cassé. Enfin, il rentrait chez lui.

— Entre, je vais te faire un café. Ou à manger, tiens. As-tu faim ?

— Un peu, avoua le cocher qui n'avait pas mangé depuis deux jours.

Avec le soulagement du retour, les brûlures de son estomac se réveillaient.

Il suivit Pierre dans sa loge, un appartement de trois pièces exiguës mais propres et confortables. Dans ce petit salon douillet, ils avaient passé de longues soirées à deviser en jouant aux cartes. Pierrot lui apporta une veste et un pantalon pour remplacer ses vêtements déchirés et trempés qu'il l'aida à enlever, avec des gestes de plus en plus précautionneux à mesure qu'il découvrait les larges brûlures du cocher.

— Dis, Jo, tes pansements sont dans un sale état, faudrait les montrer au docteur de M. le duc pour qu'il te les change de neuf...

— T'inquiète, ça va, je m'en occuperai plus tard.

Vêtu de propre et de sec, Joseph s'assit avec précaution sur une vieille chaise à croisillons. Il avisa un grand cadre retourné qui était appuyé contre le mur en face de lui.

— Tu t'es acheté un tableau ?

Pierre Moulin le regarda, gêné.

— Non, c'est une toile qu'on a livrée pour Mme la duchesse, le jour de l'inauguration...

— Ah oui ?

— J'ai pas osé la montrer à M. le duc. Mme la duchesse m'avait dit qu'elle avait commandé cette toile à Benjamin Constant, elle me l'a rappelé ce fameux jour en partant. Elle a même dit, j'me souviens : « Je lui ai laissé toute liberté pour le sujet, j'espère que ce sera réussi ! » Le peintre l'a fait livrer ici en début d'après-midi, je l'ai posée là et j'y ai pas pensé avant l'soir à cause de la nouvelle... Bon après quand j'ai vu ce que c'était, j'ai pas eu l'cœur de la montrer à M. le duc. Je l'ai laissée là.

— Montre-la-moi, dit Joseph, la bouche sèche.

Le gardien retourna le cadre et l'approcha de la lumière. Joseph tout ce temps s'était dit que la duchesse était vivante. Qu'il fallait qu'elle le fût, pour qu'il n'eût pas à se reprocher toute sa vie de l'avoir abandonnée. Mais quand il découvrit le tableau, il eut la certitude du contraire. Du fond de son enfance campagnarde, des pains retournés aux signes de croix hâtivement tracés, des cloches tintant sous l'orage au frisson d'avoir surpris une corneille, remonta en lui toute la force des signes et des présages, et son être entier se remplit d'effroi, lui qu'effrayaient si peu de choses.

Sur le tableau, une Jeanne d'Arc au visage saisissant était dévorée par les flammes. Ses yeux rivés au ciel en appelaient à la clémence d'un Dieu intransigeant.

— Pierrot, il faut que je parle à M. le duc…, murmura le cocher.

— J'suis pas sûr que ce soit bien le moment, Joseph, dit le gardien en reposant délicatement le cadre face contre le mur. Il est pas bien du tout, M. le duc, il a renvoyé tout le monde ce soir…

Quand il se retourna, le cocher avait disparu. Dehors, la pluie s'était arrêtée aussi brusquement qu'elle était venue, comme si quelqu'un, là-haut, avait fermé un robinet.

*

Dans le petit salon, enroulé sur lui-même comme si un coup de poing venait de le plier en deux, Ferdinand d'Orléans, duc d'Alençon, se concentrait sur sa respiration. Quand il avait six ans, son père le jetait au réveil dans la rivière glacée, dans cette campagne anglaise où Sophie s'était plus tard étiolée avant qu'on les autorisât enfin à rentrer en France. La brûlure de l'eau gelée le tétanisait, la terreur de ne pas savoir nager le mettait en panique, bras et jambes battaient anarchiquement, l'eau emplissant sa bouche étranglait ses cris.

« Respirez, d'Alençon ! hurlait son père de la rive. Respirez pour dompter la peur ! »

Respirer. Il n'avait jamais oublié. Inspirer, expirer, se forcer à la lenteur, retrouver la sensation de sa vie la plus animale, n'être qu'un poumon qui s'emplit, une cage thoracique qui se creuse.

De toutes les terreurs de son existence, finalement peu nombreuses, celle de perdre Sophie était la plus violente. Il le savait à présent. Sans doute ne s'en remettrait-il pas. Très vite il avait su que la femme qu'il avait choisie lui deviendrait indispensable, qu'il ne s'en déferait pas, ne la laisserait pas partir. Le lien qui les unissait avait été secoué, malmené, au bord de se briser. Il ne l'avait pas permis. Et aujourd'hui que la mort la lui arrachait, il suffoquait. Sa respiration le brûlait, son souffle se désaccordait, ses injonctions étaient sans effet. Il se noyait dans sa peur.

Il n'entendit pas l'homme frapper. Depuis que la nouvelle était tombée de la bouche d'un de ses plus chers amis, il n'entendait plus rien. Il était comme ces camarades de l'armée assourdis par le sifflement d'un shrapnell. L'homme tambourinait à présent contre la porte, comme si c'était une question de vie ou de mort. Enfin il entra sans permission, se précipita vers le duc, redoutant sans doute un malaise cardiaque ; et relevant la tête, Ferdinand, duc d'Alençon, enfant jeté dans l'eau froide, homme d'acier trempé et meneur d'hommes, s'effondra en reconnaissant ce visage.

— Joseph…

Il aurait à cet instant refoulé tout autre visiteur. Mais Joseph avait partagé avec lui, toutes ces années, la mission de la garder, de veiller sur elle, de s'inquiéter de ses lubies et de protéger ses pas.

Le cocher de sa femme s'était agenouillé, sa figure amochée – tellement abîmée qu'il semblait rescapé d'une rixe dans une ruelle opaque – était mouillée de larmes. Le duc se pencha vers lui, posant sa main sur l'épaule de cet autre qui aimait sa femme, de cet autre qui ne se consolerait pas non plus de l'avoir perdue.

— Ils l'ont trouvée, Joseph…

Il s'arrêta, le souffle court, cherchant l'oxygène.

— Ne parlez plus, Monsieur le duc, restez calme.

Le duc prit le temps de quelques respirations saccadées, comme sa poitrine était serrée ! Comme il lui fallait lutter pour une goulée d'air !

— Le dentiste. C'est lui qui l'a trouvée…

— Respirez, Monsieur le duc. Écoutez-moi. Je suis là, maintenant, je ne vous quitterai pas.

— Oh Joseph, sans elle… Comment vivre ?

— Je sais, Monsieur le duc. Je sais.

Et patiemment, dans le salon déserté par les domestiques que le duc avait chassés après le départ du messager, tandis que s'égrenaient les heures d'une nuit sans lune, le cocher Joseph attendit que son maître réapprît à respirer. Il ne le quitta qu'au petit matin, après l'avoir porté sur son lit. Ce n'est qu'en retournant dans sa chambre qu'il se rendit compte que le sang gouttait toujours de son avant-bras.

14

On avait défendu à Constance d'Estingel de lire la presse, aussi avait-elle dû ruser pour obtenir l'édition du jour :

« Sur son bûcher, Jeanne scella le pardon donné par Dieu à la France et le rétablissement de notre patrie ; le nouveau bûcher formé au sein même de Paris, qui dévora les membres délicats de tant de nobles femmes et de tant d'innocentes jeunes filles, scellera la réconciliation de Dieu avec nous.

Tout est trop extraordinaire en cet événement pour qu'on puisse méconnaître un dessein providentiel.

Cette maison de planches avait six portes au lieu d'une seule les années précédentes, elle ne contenait aucun foyer, ni gaz ni électricité. Une lampe à projection a seule été allumée et aussitôt l'incendie a tout consumé en si peu de minutes que ceux qui ont fui semblent avoir échappé par miracle. Les frêles murailles n'ont pu être enfoncées et aucun secours n'a pu être porté. »

Longue et mince dans la chemise de nuit blanche dont on l'avait revêtue après avoir refait ses pansements, la jeune fille ressemblait à cette somnambule qu'on avait vue errer plusieurs nuits sur les toits du Louvre, les bras tendus et les yeux grands ouverts. On avait soupçonné une folle de s'être échappée de la Salpêtrière avant que le préfet confirmât qu'une patiente de l'institut Charcot avait disparu et qu'on finît par la retrouver noyée dans la Seine. La chevelure noire et brillante de Constance n'existait plus, à l'exception de quelques mèches ; son crâne brûlé, emmailloté dans de larges bandages, était dissimulé par un large carré de soie grège qui lui donnait l'air d'une jeune moniale. Elle se tenait assise, grave et pâle sur son lit, le regard à la fois brûlant et absent. Les mots du journal cognaient dans sa tête, avec l'insistance de notes martelées sur un piano : *providentiel, nouveau bûcher, scellera la réconciliation de Dieu avec nous.*

Et la satisfaction qui transpirait de l'encre du journal, satisfaction que tout se soit si bien agencé dans cette histoire, que le feu ait pu accomplir son œuvre sans être dérangé. *Un dessein providentiel.* Un journaliste s'émerveillait ensuite que l'une des vendeuses, partie quérir son chapelet oublié chez elle, ait été de retour à point pour le martyre.

— Constance, voyons… Ne vous ai-je pas défendu de lire la presse ? Vous n'êtes pas raisonnable, mon petit ! s'écria Mme Du Rancy après avoir toqué à la porte.

— J'ai besoin de lire ces articles, protesta la jeune fille d'un ton catégorique. Je voudrais qu'on m'en apporte d'autres.

— J'en parlerai avec le médecin mais je sais ce qu'il va me répondre ! répliqua Mme Du Rancy.

Comment vous replonger dans ces horreurs peut-il vous faire le moindre bien ?

— Croyez-vous que je n'y sois pas déjà plongée ? répondit Constance en la fixant avec une acuité qui lui fit baisser les yeux.

— Votre mère souhaite vous voir. Elle attend dans l'antichambre. Puis-je la faire monter ?

Constance garda le silence. C'était un bouillonnement ininterrompu en elle depuis l'incendie, qui ne lui laissait aucun répit. Les vagues d'un océan très ancien déferlaient dans son esprit. Un tumulte qui ne lui permettait de dormir que par courtes phases entrecoupées de cauchemars. Elle était épuisée, ses nerfs tressautaient au moindre bruit, cordes tendues à se rompre. Elle en était venue à aimer sa souffrance physique parce qu'elle accaparait par moments toute l'attention de son cerveau, la délivrant d'un mal plus souterrain.

— C'est votre mère, je ne peux pas l'écarter de votre chambre…

La jeune fille leva les yeux vers son hôtesse. Elle lui était si reconnaissante d'avoir fait en sorte de la garder ici et retardé ainsi le moment où ses parents la ramèneraient chez eux. De Mme Du Rancy se dégageait une profonde bienveillance. Constance ne se doutait pas des déchirements par lesquels cette femme était passée pour atteindre ce point d'amour altruiste où son être s'effaçait dans le mouvement vers les autres. Elle ne soupçonnait pas que cela ne s'était pas fait sans batailles, sans révoltes et sans redditions, elle ignorait que la femme qui se tenait devant elle puisait dans sa guerre contre Dieu la force d'aimer les autres. Elle ne voyait que le résultat, cet amour christique auquel elle aspirait vainement.

Elle acquiesça lentement, percevant que sa protectrice était partagée entre deux sentiments.

— Elle veut votre bien, ne l'oubliez pas. Elle ne sait peut-être pas vous l'exprimer sans vous blesser… Mais tout ce qu'elle désire, c'est vous savoir heureuse et en sécurité.

Constance esquissa un léger sourire. Dans le monde diapré de Mme Du Rancy, les mères avaient pour unique intérêt le bonheur de leurs filles.

— Bien, puis-je la faire entrer maintenant ?

La jeune fille ferma les yeux. C'était un oui bien timide, le seul dont elle fût capable. Une fois Mme Du Rancy sortie de la chambre, elle compta mentalement les secondes qu'il lui restait pour se préparer à l'entrevue. Elle savait que le calme était proche, il lui suffirait de l'atteindre et tout se passerait bien, sa mère ne s'attarderait qu'un instant avant de repartir car elle ne supportait jamais longtemps de jouer les gardes-malades. Tout redeviendrait tranquille en elle et alentour. Le nom de Laszlo ne la tourmenterait plus comme un vent malin. Et peut-être accepterait-elle enfin que le bûcher de la Providence n'ait pas voulu d'elle.

*

Gagner la nef de Notre-Dame ce matin-là tenait de la gageure. Brandissant sa carte de journaliste et son invitation, sans laquelle il était vain d'espérer entrer, Laszlo de Nérac dut jouer des coudes pour traverser la foule bruissante. Tout le monde s'était donné rendez-vous à la grand-messe en mémoire des victimes de l'incendie du Bazar de la Charité. Le long de la façade de la cathédrale, de larges draperies noires avaient été déployées. À l'intérieur, on avait installé un catafalque renfermant quelques cercueils au centre du transept. La foule s'était déjà répandue dans les rues voisines et jusque sur les toits des immeubles jouxtant la cathédrale. Il fallut près d'une heure à Laszlo pour avancer assez près pour distinguer les officiels installés sur les premiers bancs devant l'autel. La messe ne commencerait pas avant une bonne heure et les conversations allaient bon train. Les personnalités politiques et les représentants des familles royales d'Europe, à leur arrivée, étaient dirigés près du chœur tandis que la partie droite de la nef était réservée aux familles des victimes. Le duc d'Alençon et son fils le duc de Vendôme, ne pouvant décemment céder la première place au président de la République en leur qualité de princes de France, s'étaient fait représenter par le duc d'Audiffret-Pasquier et par le baron Tristan Lambert.

— On dit que le duc d'Alençon est effondré, dit une femme coiffée d'une aigrette noire assise devant Laszlo. Le malheureux, tout de même. Il l'aimait tant…

— Les sœurs de la duchesse se montreront-elles à la messe ? interrogea sa voisine.

— L'impératrice certainement pas, elle ne supporte pas la foule. La comtesse de Trani, peut-être…

— On les dit très sauvages, ces princesses bavaroises, commenta la voisine qui semblait à l'affût des potins sur les grands de ce monde. Et puis… il y a tant de rumeurs sur leur compte… Pas très recommandables, vous voyez… Tenez, on raconte même…

Ici la voisine, une dame corpulente étranglée par le col montant de sa robe qui lui donnait une complexion tirant vers l'aubergine, baissa la voix de sorte que Laszlo ne put entendre le secret compromettant qui venait de trouver un nouveau canal de propagation. C'était frustrant. De quoi pouvait-il s'agir ? Depuis trente ans, on avait prêté nombre de liaisons à la comtesse de Trani, à la reine de Naples ou même à l'impératrice d'Autriche. Ces rumeurs participaient de la légende qu'inspiraient leur beauté, leur solitude écrasante, la mélancolie qui les nimbait. Elles étaient ces héroïnes romantiques errant incognito à travers l'Europe des lieux de villégiature et de chasse, qui semaient interrogations et fantasmes sur leur passage avant de disparaître, mystérieuses et voilées. Au cœur de ces récits extravagants sans cesse rebrodés de nouveaux motifs se nichait la folie de la branche royale bavaroise, jetant le soupçon sur la santé mentale de la famille entière ; car on savait bien que la folie injectée dans les racines d'un arbre généalogique irriguait toutes ses branches, voilà qui expliquait bien des comportements pour peu qu'on y regardât de près. Laszlo, qui avait toujours eu un faible pour ces princesses exilées, eût donné cher pour entendre la dernière infamie prêtée à Mathilde de Trani ou à sa sœur Marie des Deux-Siciles.

— Non ? s'exclama l'Aigrette noire. Quelle horreur ! ma chère… Enfin… Cette pauvre duchesse d'Alençon était si digne, quant à elle… Savez-vous ce qu'on raconte ? Qu'elle a choisi de partir la dernière ! Tout le monde ne pensait qu'à se sauver et elle, elle s'est sacrifiée ! Une sainte, ma chère. Oh moi, ça ne me surprendrait pas que le Saint-Père la canonise.

Laszlo soupira. La canoniser... Rien à faire, il aurait préféré que la duchesse s'offrît la chance d'une existence anonyme et partît sans se retourner, laissant ces bonnes gens la pleurer. Hélas ! il semblait qu'elle fût morte pour de bon. Qu'on eût retrouvé son corps, du moins ce qu'il en restait. Tandis que la tristesse s'emparait de lui à cette pensée, un homme à l'embonpoint encombrant se fraya bruyamment un chemin jusqu'à lui, renversant au passage la canne préférée de Laszlo, qu'on lui avait rapportée la veille après qu'il l'avait oubliée dans un fiacre en arrivant rue Jean-Goujon le jour de l'incendie.

— Ah, mon cher Nérac, j'espérais justement vous trouver ici ! dit Louis d'Estingel, se hâtant de ramasser sa canne avant de lui dédier un sourire trop chaleureux pour être honnête.

Pensait-il que le jeune homme avait oublié ces après-midi où il avait trouvé porte close à l'hôtel d'Estingel ? La condescendance qu'on lui avait rendue pour prix de son amour ?

— Bonjour, monsieur. Je suis étonné de vous trouver ici. Votre fille est vivante, je crois ? répondit Laszlo d'un ton glacial. C'est une messe pour les morts.

— Une messe pour les victimes, rectifia Louis d'Estingel, et nous avons l'infortune d'en faire partie. Enfin bref... Mon épouse n'a pu venir, elle est

auprès de Constance. La pauvre petite est très ébranlée, vous savez… C'est difficile pour des parents.

Laszlo tressaillit malgré lui au nom de Constance.
Il avait tant espéré la voir chez cette Mme Du Rancy !
Il y avait couru le lendemain du jour où Maurice
lui avait appris qu'elle avait survécu. La dame en
question avait ajouté d'un air navré que la jeune fille
ne voulait voir personne. Laszlo avait griffonné un
message suppliant Constance de le recevoir, sans plus
d'effet. Depuis, il distrayait son esprit d'elle, et y
arrivait régulièrement. Mais son prénom se plantait
toujours dans son cerveau comme une seringue de
cocaïne.

— Comment va-t-elle ? demanda-t-il la gorge
serrée.

— Elle n'a le cœur à rien, répondit Louis d'Estingel qui ne le quittait pas des yeux. Elle a besoin de
toute notre affection en ce moment. À tous, ajouta-
t-il. Ce serait bien si vous passiez, un matin.

— Constance ne veut pas me voir.

— Elle voudra, mon cher.

Laszlo se demanda ce que Louis d'Estingel entendait par là. Comptait-il la forcer à l'épouser, ou bien
se faisait-il le messager d'un souhait de Constance ?
Son interlocuteur appartenait à cette sorte d'hommes
à qui l'on ne peut se fier car ils n'ont de parole que
volage et transitoire, captive des intérêts de l'instant.
Cependant, le jeune homme n'était pas encore prêt
à renoncer à Constance.

— Dites, puisqu'on cause…, continua Louis d'Estingel sur un ton de confidence, vous n'y allez pas
de main morte dans vos articles ! On parle beaucoup

de vous en ce moment. Vous n'avez pas que des amis, Nérac... Enfin, sachez que chez nous en tout cas, vous serez toujours reçu comme un fils. Bien, je ne vous ennuie pas plus longtemps, à bientôt j'espère, ajouta-t-il en quittant le banc aussi peu discrètement qu'il était arrivé.

Laszlo demeura pensif, luttant contre l'émoi qui l'envahissait. D'Estingel le voulait toujours pour gendre alors même que sa plume commençait à déranger la bonne société, dont l'indignation croissante se reflétait dans le courrier au journal. Pour quelle raison cet homme faible et vaniteux tenait-il à le garder sous le coude ? Cette attitude ne collait pas avec le personnage. Et Constance là-dedans ? Le père défendait-il les intérêts sentimentaux de sa fille, ou servait-il seulement les siens ?

Un brouhaha se fit dans la cathédrale à l'arrivée du président et de ses ministres. Félix Faure était donc venu rendre un hommage religieux aux victimes du Bazar de la Charité, malgré la virulence du parti laïc au sein de son gouvernement. Laszlo se concentra sur son objectif : saisir toute la densité de cet instant et en tirer la matière d'un bon papier. Il aurait tout le temps, plus tard, d'écouter son cœur aux abois.

*

Enfant, Constance avait développé le don de disparaître en elle-même quand elle devinait, derrière le vibrato excédé de sa mère, sa volonté d'user de son autorité pour la réduire à l'obéissance. Depuis qu'une

sœur de son père l'avait emmenée en voyage en Tos-
cane, l'année de ses seize ans, elle s'aidait pour ce
faire d'une image précise : celle du tombeau de la
petite Ilaria del Carretto, en l'église San Martino de
Lucques. Elle fermait les yeux quelques minutes, le
temps d'imaginer Ilaria, son beau visage de marbre
plongé dans un sommeil éternel, le col de sa cape
effleurant son menton orgueilleux, sa bouche serrée
emportant ses derniers mots dans la tombe. Ensuite
c'était simple, elle devenait Ilaria, et la colère de sa
mère n'attrapait que du vide. De guerre lasse, elle
finissait par en appeler à l'arbitrage de son mari, lequel
temporisait mollement avant de battre en retraite.
Mais aujourd'hui Constance n'y arrivait pas, son esprit
perdu se heurtait contre les brisants de ses émotions,
sa peau était parcourue de légers frissons, ses gestes
trop nerveux. Elle se regardait de l'extérieur dans un
mélange de fascination et de panique, *Non, tu es trop
lisible, ressaisis-toi, je t'en prie !*

Sa mère l'avait embrassée en entrant, une bise
sèche et rapide claquant sur sa joue comme une porte
dans un courant d'air. Constance ne supportait plus
ces amabilités de surface, ces tièdes protestations
d'affection aussitôt chassées par la litanie de ses petits
maux du jour. Car les mille morts que souffrait son
enfant brûlée n'étaient pas de taille à faire oublier
à Amélie d'Estingel sa dernière migraine, ses veines
douloureuses ou ces fameux « élancements dans la
cage thoracique » qui lui faisaient redouter une tuberculose rampante.

— Ce bon docteur Michel me dit de prendre les
eaux, mais comment pourrais-je vous laisser à Paris

dans cet état ? se lamenta-t-elle tandis que Constance l'observait froidement. Si au moins vous acceptiez un peu de compagnie… Mais on me dit que vous ne voulez voir personne.

— Je vois Mme Du Rancy, nous parlons chaque jour.

— Mais enfin, Constance, vous ne pouvez pas vous enterrer ainsi à ne voir que cette femme ! s'emporta Amélie d'Estingel. À présent que vos jours ne sont plus en danger, il faut retrouver une vie sociale. Évidemment vous ne pouvez pas encore sortir dans le monde, les gens vous regarderaient comme une bête curieuse…

— Pourquoi ? Parce que je n'ai plus de cheveux ?

Un éclair traversa les yeux noirs de Constance. Amélie se leva et fit quelques pas jusqu'à la fenêtre, soudain absorbée par l'étude des passants qui arpentaient l'avenue Montaigne.

— Mais non voyons, il ne s'agit pas de cela. D'ailleurs je connais un perruquier qui saura retrouver la teinte exacte de votre chevelure à partir de cette mèche que vous avez donnée un jour à votre fiancé… Je suis sûre qu'il obtiendra une perruque qui vous permettra de paraître à nouveau en société. L'essentiel est que votre fiancé soit encore assez épris de vous pour pardonner cette infirmité. Les hommes accordent tant d'importance à notre chevelure… Sans elle, une femme perd la plus grande partie de sa séduction. C'est tellement fâcheux ! Enfin, votre père m'a promis de parler à votre fiancé.

— Quel fiancé ? Je n'en ai plus.

— Bien sûr que si, répondit Amélie en se retournant, glaciale. Et vous feriez bien de ne pas ruiner, en l'oubliant, le seul avenir qu'il vous reste. Que comptez-vous faire, Constance ? Vous entêter à repousser ce garçon à l'heure où tout autre parti vous est fermé ? Avez-vous donc pour projet de rester fille ?

Les mots d'une réponse moururent sur les lèvres de la jeune fille. Sa mère s'était rapprochée d'elle et se tenait à présent au-dessus de la causeuse, frottant machinalement ses mains l'une contre l'autre.

— Ce qui vous est arrivé est dramatique, mais heureusement la ville entière ne parle que de l'incendie. Tout le monde est prêt à s'émouvoir de votre situation, ne gâchez pas tout. Hier encore, chez la princesse de Romainville, il était question de la dépouille de la pauvre duchesse d'Alençon...

— Qu'avez-vous dit ? s'écria Constance, soudain blême.

— Eh bien oui, elle est morte, répéta sa mère avec agacement. Ne l'avez-vous pas lu dans ce journal que vous vous êtes procuré je ne sais comment ?

La jeune fille s'assit sur le bord du lit, défaite, sans pouvoir retenir ses larmes. Ne l'avait-elle pas su depuis le début ? Ne l'avait-elle pas compris à l'instant où la duchesse leur avait demandé de la laisser là et de fuir ? La violence du chagrin la recroquevilla sur elle-même. Elle savait depuis le début et avait repoussé cette pensée de toutes ses forces quatre jours durant, tant il lui était impossible de croire que Sophie d'Alençon avait pu choisir de quitter ce monde.

Secouée de sanglots, Constance sentit remonter la tristesse abyssale qui l'avait saisie enfant, le soir de la mort de Céleste Macherot. Mais même s'il était plus convenable à ses yeux de pleurer une princesse de France qu'une cuisinière, face à la sensiblerie de sa fille, Amélie n'avait aucune patience.

— Constance, ressaisissez-vous, enfin ! C'est triste bien sûr, mais vous la connaissiez à peine ! Tenez-vous un peu, voyons… Que feriez-vous si j'étais morte ?

La jeune fille préféra ne pas répondre à cette question perfide.

— Et Mme de Raezal ? articula-t-elle, redressant son visage barbouillé de larmes. Est-elle sauvée ?

Amélie d'Estingel la fixa avec le même dégoût surpris que le jour où sa fille, âgée de quatre ans, lui avait fièrement apporté une limace serrée dans son tablier.

— Pourquoi mentionnez-vous cette femme ?

— Est-elle en vie ?

— Mais je ne sais pas, en voilà des questions ! Qu'ai-je à faire de cette femme ?

— Je veux la voir.

— Oh ça, il n'en est pas question ! Jamais vous ne la reverrez. Il est déjà fâcheux que vous ayez dû la côtoyer au Bazar. Puisse-t-elle faire partie des victimes, ce ne serait pas une perte…

— Comment osez-vous ? hurla Constance en se redressant sur le bord de son lit. Comment osez-vous dire ces horreurs ? Vous si bonne catholique, toujours la pièce à la main quand vous croisez un mendiant… Votre âme est sèche et noire ! Croyez-vous que Dieu ne la voit pas ?

Amélie d'Estingel dévisagea sa fille avec effroi, sa main agrippant le dossier de la causeuse.

— Constance… Comment me parlez-vous ?

— Je verrai cette femme. Si par miracle elle est en vie, je la verrai, que ça vous plaise ou non ! cria la jeune fille hors d'elle, tremblant de la tête aux pieds. Et vous, vous qui ne pensez qu'à vous débarrasser de moi… Sachez que moi non plus je ne veux pas de vous ! Oubliez-moi, je ne suis plus votre fille et je vous hais ! Vous êtes mauvaise !

Alertée par les cris de Constance, Mme Du Rancy tambourinait à la porte. Une Amélie d'Estingel très ébranlée lui ouvrit, pâle comme une cire.

— Appelez un médecin, je vous en prie. Ma fille a perdu l'esprit.

*

Maurice Dampierre rêvassait à la terrasse d'un café sur le boulevard Bonne-Nouvelle. Presque une heure, Laszlo était en retard mais la grand-messe avait dû traîner en longueur et la foule bloquer la sortie de la cathédrale. Maurice le plaignait de tout cœur : prendre un grand bol de foule stupide et d'encens, se farcir les homélies interminables de curés pontifiants et les prêches républicains de ces messieurs du gouvernement, le journalisme méritait-il tant d'abnégation ? À la place de Laszlo, Maurice eût jeté sa conscience professionnelle aux orties et troqué la messe pour un verre de muscadet au soleil.

Bah, on attendrait un peu, tant pis. Et puis l'obstination gasco-hongroise avait du bon ; il était en train de sortir quelque chose de ce garçon, il devenait quelqu'un en écrivant ses papiers mal payés. À force de le voir traîner son impatience oisive et son roman inachevé, Maurice commençait à désespérer de le voir trouver sa voie ; puisqu'il ne pouvait se satisfaire d'être un aristocrate, qu'attendait-il pour s'inventer un autre destin au lieu d'atermoyer ! Eh bien voilà, preuve était faite que ce petit Nérac avait une plume profonde et acérée, capable de moquer sans pitié tout en émouvant aux tripes. Tous ceux qui l'avaient pris jusqu'ici pour un charmant imposteur devraient à présent compter avec lui, et Maurice, qui avait toujours pensé que son protégé réservait des surprises, était heureux. Le coup de la duchesse d'Alençon glissant dans l'anonymat d'une nouvelle vie au sortir des braises ? Excellent ! Avec ce mot, il s'était taillé un chemin dans Paris. Son nom était sur toutes les bouches. En critiquant l'obscénité de ses confrères, il s'était fait haïr de la quasi-totalité de la presse à l'exception notable de son employeur. Et le meilleur, c'est que Maurice était convaincu qu'il n'avait fait qu'exprimer sincèrement le fond de sa pensée. Laszlo n'était pas un de ces rusés qui hument le vent du scandale en opportunistes. Non, l'impertinence et le courage étaient les attributs naturels de sa pensée. Brave garçon.

À l'instant où Maurice Dampierre, tout à ces réflexions, commençait à éprouver les morsures de la faim, Laszlo déboula au coin de la rue d'Hauteville, son chapeau à la main, les cheveux en bataille et l'air passablement énervé. Sans saluer Maurice, il se laissa tomber sur le fauteuil en osier en face de lui.

— Alors vous vous en êtes sorti, finalement ? sourit Maurice Dampierre.

— Ah, ne m'en parlez pas. Quelle épreuve ! J'ai soif. Que buvez-vous ?

— Je buvais une bière en vous attendant, mais je me disais qu'un petit muscadet, par ce beau temps…

— En ce cas, je prendrai une bière. Et un muscadet ensuite ! cria Laszlo au serveur qui traversait la terrasse… Et un muscadet tout de suite pour mon ami !

— Vous êtes en grande forme ! commenta Maurice, taquin.

— Je n'ai plus la moindre énergie, soupira Laszlo en s'accoudant à la table de bistrot. Toutes ces journées au palais de l'Industrie, levé à l'aube, rentré tard, et maintenant cette messe… J'aurai bu le calice jusqu'à la lie, Maurice ! Et Constance qui refuse de me voir… Et son père qui aujourd'hui m'accueille à bras ouverts. Je crois que j'ai besoin de dormir un grand coup.

— C'est que vous avez beaucoup donné ces derniers jours… Et puis au diable cette petite fille brûlée, que vous importe ? D'ici peu vous en aurez cent à vos pieds, vous êtes l'étoile montante dans le ciel du *Matin* ! Et au diable son père, vous avez bien assez du vôtre. Soyez libre, que diable ! Libre et arrogant !

Le serveur apporta la bière que Laszlo siffla d'un trait pendant que son complice trempait ses lèvres dans le muscadet d'un air réjoui.

— Alors c'était affreux, cette messe ? s'enquit Maurice avec jubilation.

— Terrible. Une foule… Des gens partout, vous marchant sur les pieds pour admirer de plus près le lord-maire de Londres ou le fringant Louis Barthou. Une volière de commères endimanchées gloussant toutes ensemble.

— Comme je vous plains. Pour rien au monde je n'aurais pu…

— Et le plus beau, Maurice, ce fut l'intervention du père Ollivier ! le coupa Laszlo, un pétillement de malice dans l'œil.

— Le père Ollivier ?

— Un dominicain. Arrogant et grandiloquent, une merveille. C'est lui qui a prononcé l'homélie. Et elle va faire parler, je vous le dis ! Imaginez la scène : toute l'équipe présidentielle au premier rang… et voilà notre révérend père dominicain, dressé en chaire tel un inquisiteur, qui déclare qu'en allumant cet incendie, Dieu a voulu châtier la France pour son plus grand péché : la république !

— Non !

— Si. Ce fut le point d'orgue de son sermon. Félix Faure n'a pas cillé. J'ai compris ce qu'on entend par « silence de cathédrale ».

— Excellent ! Ces curés quand même, quel toupet ! rugit Maurice. Rien ne les arrête.

— Les dominicains sont les pires, souligna Laszlo. N'oubliez pas qu'ils ont envoyé sur le bûcher une bonne partie de la noblesse de Gascogne. L'humilité et le doute n'ont jamais été leur fort.

— Oh, je sens votre âme de Gascon courroucé qui se réveille, sourit Maurice Dampierre. Dites-moi que vous allez vous le payer.

Laszlo sourit sans mot dire et vida le fond de sa chopine. Ils se turent un instant, observant le manège d'une marchande des quatre-saisons qui alpaguait le chaland dans le flux des promeneurs.

— Rien à voir, mais…, reprit Maurice, avez-vous eu vent de certaines rumeurs ?

— Au sujet de la duchesse d'Alençon ? sourit Laszlo. C'est moi qui les ai mises en circulation.

— Je le sais et je les adore ! Non, d'autres rumeurs. Celles qui courent au sujet des hommes qui se seraient « mal conduits » au Bazar de la Charité.

— Mal conduits ? C'est-à-dire ? demanda Laszlo, son attention réveillée.

— Je n'ai pas encore identifié la source, mais on raconte que les hommes auraient piétiné les femmes pour sortir les premiers.

— Piétiné les femmes ?

— Et que certains auraient même donné des coups de canne à ces malheureuses. Autant dire que si ces rumeurs sont fondées, notre sexe n'en sort pas grandi.

Laszlo réfléchissait intensément, fouillant ses souvenirs.

— J'étais sur place à la fin de l'incendie, j'ai vu beaucoup de blessés en état de choc, mais je n'ai entendu personne se plaindre de violences de ce genre… À mon avis cette histoire a été montée de

toutes pièces pour donner du grain à moudre à l'opinion publique !

— Sans doute, le coupa Maurice, y a-t-il peu de
vérité dans ces bruits qui courent. Pour autant, vous
auriez tort de les prendre à la légère. Je connais les
Parisiens. Maintenant que le fracas de l'incendie
commence à faiblir, ils seront trop contents de se
jeter sur un nouveau scandale comme des chiens sur
un os.

15

Rentrer chez elle après ces jours éprouvants la plongea d'abord dans un soulagement mêlé d'euphorie. Si le souvenir de Gabriel renvoyait Violaine de Raezal à l'incertitude cruelle de son avenir, il lui rappelait néanmoins qu'elle avait été aimée et que la force qu'elle y avait puisée était toujours en elle. Peut-être pourrait-elle s'appuyer sur cette force pour chasser l'angoisse qui ne la quittait plus depuis l'incendie.

Le jour de son départ de l'hôpital Beaujon, Armand se contenta d'envoyer son cocher et sa femme de chambre la chercher avec sa voiture. Le docteur Déjerine passa lui faire ses dernières recommandations, lui répétant qu'elle était encore convalescente et que si elle ne courait plus un danger mortel, il faudrait surveiller de près l'évolution de ses brûlures dans les semaines à venir. Elle devrait se reposer le plus possible, boire beaucoup et prendre consciencieusement les sédatifs qu'on lui avait prescrits.

Ne supportant pas de voir ses brûlures exposées à la lumière, Violaine se détournait de ces stigmates inscrits dans sa chair pendant qu'on lui appliquait des liniments et refaisait ses pansements. Elle ignorait si elle retrouverait un jour le plaisir de s'épuiser dans une longue promenade, celui de revêtir une nouvelle robe. Elle avait la chance d'avoir gardé une chevelure intacte à l'exception de quelques mèches et d'une longue bande brûlée derrière la tempe droite. Les cheveux restaient ce trésor des femmes qui nourrissait la rêverie érotique des hommes, qui serpentait le soir venu au bas de leurs reins, que les peintres habillaient de lumière et les poètes d'assonances luxueuses. Une femme sans cheveux était une hérésie, une magicienne au mécanisme éventré. Dieu merci, elle avait toujours ses longues mèches blondes, mais la peau douce et veloutée de ses omoplates et de sa nuque n'était plus qu'une terre sauvage constituée d'îles râpeuses, de deltas mal refermés, de plaines calcinées.

Au fond quelle importance puisque mon amour est mort ? se morigénait-elle. Si elle pleurait sur sa peau blessée, c'est qu'elle n'avait pas renoncé à être encore aimée, caressée, n'avait pas enterré son désir avec Gabriel.

Elle remercia cet homme qui l'avait vue nue, laide et abîmée des jours durant, et lui tendit sa main d'un mouvement gauche car retrouver les usages du monde était incongru après tant d'intimité forcée. Il s'inclina pour baiser cette main bandée qu'un talon de femme avait transpercée quelques jours plus tôt.

Quand Elsa vint la chercher, son soulagement de la voir en vie lui fit chaud au cœur. À son arrivée rue de Babylone, elle trouva tous les domestiques réunis dans l'entrée pour l'accueillir et chacun lui témoigna à sa manière qu'il était heureux de son retour. Lorsqu'elle avait franchi ce porche pour la première fois, jeune mariée intimidée de pénétrer dans une vie d'homme, elle s'était sentie comparée à l'ancienne maîtresse des lieux et jugée sans détour. Au fil du temps, elle avait conquis leur estime en armant sa spontanéité de fermeté et de distance. Il faut dire que la première Mme de Raezal avait été une maîtresse à l'autorité glaciale, faisant régner un ordre sourcilleux où aucun faux pas n'était pardonné. Peu à peu, les bonnes et les filles de cuisine apprirent à respecter une patronne qui n'était pas sans cesse sur leur dos à les épier, ne les forçait pas à trimer quand elles étaient malades et leur accordait un jour par semaine pour visiter leurs proches. Léonce et Armand déploraient que la demeure de leur père fût moins bien tenue, mais Gabriel accueillait ces reproches avec indifférence.

« Vous me rendez heureux, lui souriait-il en la serrant dans ses bras. Cette maison a une âme aujourd'hui. »

Violaine savoura sa première nuit sous son toit, la rumeur de Paris montant aux balcons, les lueurs dansantes aux fenêtres d'en face, le parfum des marguerites qu'Elsa avait arrangées dans un vase. Le docteur Moreau vint refaire ses pansements. Entre le médecin et Violaine s'était nouée une sorte d'amitié durant les semaines qu'ils avaient passées ensemble au chevet de Gabriel. Il examina ses plaies avec émotion, désolé de trouver Mme la comtesse si grièvement brûlée. Après son départ, les calmants eurent raison d'elle et ses yeux épuisés se fermèrent sur ces vers d'André Chénier :

Là je dors, chante, lis, pleure, étudie et pense ;
Là, dans un calme pur, je médite en silence
Ce qu'un jour je veux être ; et, seul à m'applaudir,
Je sème la moisson que je veux recueillir.

Cette nuit-là, pour la première fois, elle ne ressentit pas l'absence de Gabriel comme un serrement de cœur infini.

Dès le lendemain, les choses se gâtèrent lorsque ses beaux-enfants vinrent prendre le thé.

*

Quand il repassa chez lui avant d'aller à son club, Louis d'Estingel était satisfait. Il avait touché deux mots au petit Nérac et peut-être sauvé l'avenir de sa fille. Là où Amélie échouait en forçant les choses, il renouait les fils rompus avec diplomatie et souplesse. Le jeune Nérac était toujours épris de Constance et Louis s'en réjouissait sincèrement. Il n'était certes pas le parti idéal, et il avait une fâcheuse tendance à scier la branche sur laquelle il était assis, mais l'important était que sa fille ne finît pas ses jours seule et rancie comme ces vieilles filles confites en dévotion qu'on conviait aux déjeuners de famille dominicaux et que les enfants refusaient d'embrasser. Même s'il était peu démonstratif, il l'aimait et ne souffrait pas l'idée qu'elle devînt une laissée-pour-compte, ironiquement nimbée du mépris avec lequel elle avait repoussé ses prétendants. Il préférait qu'elle pestât sa vie durant contre un mari imparfait. Ce destin avait plutôt bien réussi à sa mère...

Sifflotant joyeusement, il toqua à la porte du petit salon de son épouse.

— Entrez, répondit-elle d'une voix mourante.

Il s'approcha de la chauffeuse où sa femme était étendue dans la pénombre, rideaux tirés, ses sels à portée de main.

— Ah, Louis..., soupira Amélie en clignant des yeux dans sa direction.

— Vous êtes souffrante ? demanda-t-il d'un ton joyeux. Figurez-vous que j'ai œuvré pour Constance ce matin. Et pour nous ! J'ai parlé à cet insolent de Nérac et je pense que l'affaire est en bonne voie.

— Louis, mon ami..., répéta sa femme en retour d'un ton si dramatique qu'il la considéra plus attentivement.

— Mais enfin, que se passe-t-il ? rugit-il avec agacement.

— Un grand malheur..., articula faiblement la gisante.

— Allez-vous me dire de quoi il s'agit ? s'impatienta-t-il.

— Constance...

— Constance... Oh mon Dieu... Elle est... ?

Il avait pâli.

— Non, mon ami. C'est bien pire.

— Pire que morte ? la coupa-t-il, dubitatif.

— Il semble qu'elle ait perdu la raison.

Soulagé, Louis d'Estingel se laissa tomber dans un fauteuil tapissé que sa femme avait hérité de sa mère.

— Ah bon, vous m'avez fait peur ! Ce n'est que ça ? Avec le temps et le mariage, elle s'assagira, vous verrez. Rappelez-vous quand elle parlait d'entrer chez les sœurs… Bientôt nous en rirons.

— Louis, écoutez-moi à la fin ! cria soudain Amélie en se redressant sur ses avant-bras fluets. Constance m'a hurlé des horreurs, elle a arraché ses pansements, elle était comme folle !

— Mais enfin, que dites-vous ? lâcha Louis d'Estingel, abasourdi. Ma petite fille, folle ? Allons, qu'est-ce que c'est que cette histoire !

Livide et décoiffée, son épouse le fixait avec l'expression de gravité tragique d'une pythie prophétisant la chute de Rome.

— Vous n'avez pas l'air de vous rendre compte. Nous ne parlons plus d'enfantillages. C'est très grave. Le docteur Martignac, qui soigne Constance, redoute une attaque d'hystérie. Un neurologue réputé va l'examiner demain matin. Le docteur Martignac le connaît bien et il a accepté de venir à sa demande.

— Mais enfin, bon Dieu ! pourquoi serait-elle hystérique ? la coupa-t-il d'une voix chargée de colère. Comme ça, du jour au lendemain ?

— Le docteur m'a expliqué que souvent la maladie est là depuis longtemps mais « en sommeil », pour ainsi dire, et qu'elle se déclare brutalement après un choc…

— Un choc ?

— L'incendie, Louis ! Tout concorde ! jeta Amélie avec des inflexions dignes de Sarah Bernhardt.

— Allons, allons, n'allez pas si vite en besogne, répondit-il avec colère. Et puis quelle serait l'origine de cette maladie, hein ? Il n'y a aucun cas de folie dans ma famille. Une chose est sûre, si Constance est hystérique, ça ne peut venir que de votre côté.

Une lueur de colère s'alluma dans les yeux de son épouse.

— C'est plus fort que vous, n'est-ce pas ? Jeter l'opprobre sur ma famille. Vous oubliez un peu vite votre grand-oncle Henri, qui a fini ses jours dans un asile...

Le visage de Louis s'empourpra violemment.

— Mais enfin ça n'a rien à voir ! Mon grand-oncle avait... une maladie des viscères... qui d'ailleurs eut raison de lui...

— Cette fameuse maladie dont personne n'a jamais voulu me parler ? répondit-elle, acerbe.

— Je refuse d'avoir cette conversation avec vous ! cria-t-il en se levant. Je ne peux pas croire que ma fille soit folle, et je n'y croirai que lorsqu'on me le prouvera !

— C'est bien dommage que vous n'ayez pas été là ce matin, dans ce cas ! lança son épouse juste avant qu'il ait claqué la porte.

Quand il quitta son hôtel particulier pour se rendre à son club, Louis d'Estingel était de méchante humeur. Le genre d'humeur nécessitant l'absorption de plusieurs verres d'un whisky bien tassé et une soirée en bonne compagnie. Les allusions que sa femme avait faites à propos de son grand-oncle Henri lui restaient en travers de la gorge. Dieu savait que le pauvre homme n'avait jamais eu aucune prédisposition à la folie, juste une faiblesse coupable pour les filles de petite vertu qui l'avait entraîné dans la tombe. Louis était encore adolescent quand le verdict de syphilis avait jeté un froid glacial sur tous les hommes de sa famille, et ce mal sauvage dont il ignorait tout s'était figé dans son jeune esprit sous la forme d'une terreur qui le saisissait encore, parfois, au bout d'une nuit d'agapes dans un lieu mal famé. Il consultait le médecin de famille à la moindre rougeur sur son épiderme, et faisait contrôler régulièrement ses parties les plus intimes, sans pour autant renoncer aux plaisirs qui suspendaient cette épée de Damoclès au-dessus de lui. Il n'était pas question que la maladie de son grand-oncle Henri devînt un sujet de conversation ! Louis était furieux contre sa femme. Dieu fasse qu'Amélie ait au moins la sagesse de garder pour elle ses élucubrations au sujet de Constance. Si le bruit se répandait que leur fille était atteinte d'hystérie, même Laszlo de Nérac ne voudrait plus d'elle.

*

Violaine était heureuse de marcher dans Paris bien que le mouvement réveillât ses brûlures, et elle se saoulait de cette vie hétéroclite et bruyante dont trois jours d'immobilité forcée l'avaient privée. Elle n'était pas censée prendre de l'exercice avant plusieurs semaines, les médecins avaient été formels sur ce point, mais le besoin de chasser sa tristesse par une longue promenade avait été le plus fort. À peine Léonce et Armand avaient-ils tourné au coin de la rue de Babylone qu'elle avait demandé son manteau pour sortir. Tout en progressant d'un pas moins alerte et très endolori, elle se faisait la leçon : pourquoi continuer à espérer de sa belle-fille un élan d'affection, attendre d'Armand les marques d'une sympathie dont il était incapable ? Sans doute parce qu'elle ne pouvait s'empêcher de chercher en eux des traces de Gabriel. Mais si Armand avait l'allure de son père, il n'en avait ni l'élégance morale ni la sensibilité. Quant à Léonce, elle avait hérité du regard bleu pâle de Gabriel mais, pour le reste… Elle revit l'air innocent avec laquelle sa belle-fille avait témoigné son soulagement de la savoir en vie.

— Nous nous sommes fait tant de souci à votre sujet, Violaine… Vous étiez avec cette pauvre duchesse d'Alençon, n'est-ce pas ?

— Oui, nous étions ensemble au début de l'incendie, avait répondu Violaine avec tristesse. Ensuite nous avons été séparées, et j'ignorais qu'elle était morte… Cela me fait une peine immense.

— Je n'en doute pas, c'est si triste…, avait répondu Léonce, ajoutant de sa voix flûtée : Quel dommage que dans le mouvement de vous sauver, vous l'ayez abandonnée à son sort… Mais je suppose que dans la panique, il est bien difficile de penser à d'autres qu'à soi… Je trouve que cela rend encore plus admirable l'héroïsme de ces femmes qui ont rebroussé chemin jusque dans les flammes pour chercher leur fille ou leur mère…

Il ne fallait pas sous-estimer l'intelligence que Léonce employait à frapper au cœur ceux qu'elle n'aimait pas.

Au croisement du boulevard Saint-Germain et du boulevard Saint-Michel, elle brava la circulation des fiacres pour traverser en face des jardins de l'hôtel de Cluny. L'après-midi touchait à sa fin et le soir s'épanchait déjà dans l'atmosphère, nimbant les rues d'une lumière dorée tandis que des odeurs d'herbes brûlées, échappées des jardins des hôtels particuliers ou des arrière-cours d'habitations modestes, passaient dans l'air citadin. Ici, Violaine était venue marcher au bras de Gabriel, toujours si élégant avec son haut-de-forme et sa canne à pommeau d'argent gravée à son chiffre. Sur la fin, ils ne faisaient que quelques pas ensemble jusqu'à la Seine, puis reprenaient la voiture pour gagner le Bois. Elle feignait de ne pas voir l'épuisement de Gabriel, son teint cireux, le tremblement de ses doigts amaigris qu'elle serrait entre les siens. Chassant cette image, Violaine héla un fiacre.

— Emmenez-moi rue Jean-Goujon, dit-elle sur le ton glacé qui masquait sa timidité.

Le cocher lui lança un regard entendu, la prenant sans doute pour une de ces grandes bourgeoises en mal de sensation qui affluaient aux abords de la prison de la Grande Roquette les jours d'exécution. Voir un condamné se faire trancher la tête n'était pas l'apanage des gens frustes ; certains membres de la haute société aimaient s'offrir ce frisson.

La rue Jean-Goujon était toujours fermée par des barrières, et des gardes républicains en défendaient l'accès. Le cocher déposa la comtesse de Raezal sur la place François-Ier.

— Je crains qu'on ne vous laisse pas aller plus loin, Madame, la prévint-il en l'aidant à descendre du fiacre.

Elle régla sa course et s'éloigna en frissonnant, était-ce de revenir ici ou à cause de la brise qui s'était levée ? Relevant le col de son manteau noir, elle marcha vers la guérite des gardes républicains. Ils étaient trois en faction à l'entrée de la rue, et d'instinct elle s'adressa au plus jeune, dont le visage poupin gardait quelque chose de l'enfance :

— Monsieur, j'aimerais, si vous le permettez, aller jusqu'aux ruines du Bazar de la Charité.

— C'est impossible, madame. On n'a pas encore fini de fouiller les décombres et l'accès est fermé aux visiteurs.

— Je vous demande cette faveur, monsieur, parce que... j'étais au Bazar au moment de l'incendie. J'ai eu la chance de survivre, mais j'y ai perdu une amie très chère et je voudrais m'y recueillir un instant...

Les deux autres gardes bavardaient en tirant sur de petites pipes en terre sans leur prêter attention. Le jeune homme au visage rond avait de longs cils pâles, des yeux encore innocents, et le léger tremblement de son menton démentait l'autorité de sa voix. Il semblait partagé.

— Madame, on ne laisse passer que les résidents. Je ne peux faire une exception pour vous...

Bien sûr que vous le pouvez. Regardez-moi, jeune homme, vous qui avez une mère pour trembler pour vous, une mère dont le cœur s'emballe quand vous n'êtes pas rentré et qui garde une mèche de vos cheveux d'enfant serrée dans un médaillon.

Sans le quitter des yeux, Violaine déboutonna le haut de son manteau et dégrafa le col montant de sa robe, découvrant le large pansement sur sa nuque.

— Monsieur, ce lieu a failli devenir ma tombe... Alors je vous supplie de me laisser y prier pour l'amie que j'ai perdue. Je ne vous demande que de m'accorder un instant et je m'en irai.

Elle voyait se poser le cas de conscience dans son regard déjà moins ferme. Il jeta un coup d'œil à ses compagnons, absorbés dans une conversation que ponctuaient les volutes parfumées d'un tabac blond.

— C'est bon, venez, je vous accompagne.

Il la laissa passer et lui emboîta le pas tandis qu'elle remontait la rue, découvrant avec stupeur les dégâts causés par la contagion du feu sur les façades des immeubles. À l'emplacement du Bazar, il n'y avait plus qu'un tas de cendres et de suie d'où émergeaient des poutres calcinées et des débris indéfinissables, dans lequel une dizaine d'hommes continuaient à chercher des restes humains et à collecter ce qui était digne d'être sauvé. Des bijoux et d'autres reliques précieuses demeuraient enfouis dans la fosse et la surveillance nuit et jour ne décourageait pas les pickpockets. On en prenait en flagrant délit sur le terrain vague à la nuit tombée, ou en train de se carapater les poches pleines vers les bords de Seine.

Les jambes de Violaine se dérobaient. Ne restait-il donc rien, ou si peu de chose, de ce grand Bazar rutilant où la foule s'était massée si nombreuse ? Le jeune garde l'observait avec méfiance, craignant sans doute qu'elle s'évanouisse ou se livre à une de ces impressionnantes crises de nerfs dont la rue Jean-Goujon avait retenti plus souvent qu'à son tour depuis le 4 mai.

La jeune femme s'agenouilla sans trouver les mots d'une prière, elle n'avait pas prié depuis si longtemps qu'elle ne savait plus, même pour la duchesse, même si la nouvelle de sa mort avait creusé en elle un vide déchirant. Elle ferma les yeux, pensa à leur première entrevue dans le sanatorium des pauvres, à ces mots qu'elle l'avait entendue murmurer au jeune tuberculeux :

« Dans ce monde, il n'est pas de bonheur possible. »

Je me sens orpheline, Sophie. Je n'arrive pas à croire que vous n'êtes plus là, que vous n'allez pas revenir tout à l'heure et m'entraîner dans une de vos folies de charité. Et je ne sais même pas si Constance d'Estingel, que vous m'aviez confiée, est toujours en vie. Je ne me suis jamais sentie plus seule. Enfin je ne suis pas venue pleurer sur moi, mais vous dire que vous n'aviez pas le droit de partir... Que si vous aimiez si fort votre Dieu, il fallait rester parmi nous et œuvrer pour Lui ! Ce n'est pas au Ciel que les pauvres ont besoin de vous !

Des larmes acides coulaient sur son visage. Elles n'avaient pas abandonné la duchesse, c'était elle qui les avait abandonnées en choisissant cette mort affreuse... Mais pourquoi ?

— Madame, relevez-vous, s'il vous plaît. Je vais vous raccompagner à la barrière, dit le jeune garde républicain en lui touchant le bras.

Il l'aida à se relever avec des gestes dont la délicatesse trahissait sa compassion, et attendit gentiment qu'elle essuie ses larmes.

Quand ils atteignirent la barrière, un visiteur haussait le ton devant la guérite.

— Écoutez, ceci est une lettre de la main de M. le duc d'Alençon ! Je suis son cocher, je dois récupérer sa voiture aujourd'hui dans la cour des écuries Rothschild ! Aujourd'hui, vous m'entendez ?

Le cœur de la comtesse bondit dans sa poitrine.

— Donnez-la voir, cette lettre ! dit son interlocuteur qui ne semblait guère impressionné par la colère de ce grand gaillard au visage esquinté.

Saisissant la lettre de sa main gantée, il l'approcha de ses yeux, donnant de l'autre main un petit coup à son képi d'un air suffisant.

— Bon, ça m'a l'air en règle. Vous pouvez passer, mais ne traînez pas en route.

Lorsque le cocher du duc passa à sa hauteur, Violaine, empourprée par l'émotion, lui adressa un discret signe de tête. Il cligna des yeux, sa vision altérée par l'état de son œil gauche devait lui donner du mal à cette heure où le jour glissait entre chien et loup. Son expression s'éclaira en reconnaissant la comtesse de Raezal.

— Madame la comtesse ! Si je m'attendais à trouver Madame la comtesse ici !

— Oui, quelle surprise ! s'écria Violaine. Mon Dieu, Joseph, pourriez-vous… me reconduire quand vous aurez récupéré la voiture du duc ?

Elle avait parlé sans réfléchir, mais aussitôt prononcés, ces mots inconvenants lui embrasèrent le visage et elle eût voulu les effacer. Les gardes républicains n'avaient pas perdu une miette de cet échange, et elle rougit de plus belle à la pensée qu'on pût lui prêter une intention équivoque. Conscient de sa gêne, le cocher se hâta de répondre :

— Bien sûr, Madame la comtesse. M. le duc d'Alençon vous attend pour dîner. Je suis navré de vous avoir fait attendre mais... j'ai été retardé ! ajouta-t-il, gratifiant les gardes d'un regard noir.

Après avoir patienté une bonne vingtaine de minutes, frigorifiée par l'air qui avait fraîchi avec la tombée du jour, Violaine vit surgir la voiture, et le temps qu'on lui ouvrît la barrière, elle put grimper au chaud dans l'habitacle. Joseph attendit d'avoir atteint les abords du palais de l'Industrie pour s'arrêter.

Elle songea à le prier de monter près d'elle sur la banquette tant le froid était vif, mais l'idée de violer à nouveau l'étiquette et de ce que cet homme en penserait, sans compter le risque d'avoir des témoins, la réfrigéra sur-le-champ. Finalement, elle préféra descendre de la voiture. Ils se tenaient debout l'un en face de l'autre dans l'ombre crépusculaire des grands arbres agités par le vent glacé, séparés par ce mur invisible qui leur défendait la moindre familiarité, la moindre spontanéité dans l'échange.

— Que je suis contente de vous voir, Joseph ! Mon Dieu, mais vous êtes blessé ?

— Non, ce n'est rien..., répondit-il, comment va Madame la comtesse ? Je suis heureux de trouver Madame la comtesse en vie.

— J'ai eu de la chance... Mes brûlures me font souffrir mais je suis vivante... Comment se porte le duc d'Alençon ?

— M. le duc est très malheureux, murmura-t-il. Demain matin, nous partons pour Dreux.

Ainsi que Violaine l'avait lu dans le journal, après avoir été identifié par son dentiste, le corps de la duchesse avait été transporté dans les caveaux de Saint-Philippe-du-Roule pour la mise en bière en présence du duc de Vendôme, son fils. Le duc d'Alençon, trop souffrant, n'avait pu y assister. Selon les dernières volontés de la défunte, on avait revêtu de la robe des dominicaines son pauvre corps calciné avant de le conduire dans une chapelle ardente improvisée dans la maison des dominicaines, faubourg Saint-Honoré. De là, il serait transporté à Dreux pour l'inhumation par un train spécial composé de dix-sept voitures, dont les trois premières étaient réservées aux princes et aux princesses. La duchesse avait écrit dans son testament qu'elle souhaitait que sa magnifique chevelure fût entièrement brûlée. Ce vœu ironiquement exaucé renforçait sa légende naissante et les Parisiens s'arrachaient les détails supposés de son martyre dans la presse.

Dix jours déjà que Sophie d'Alençon avait disparu dans les flammes.

En partant vous avez semé le chaos et le tumulte, et ces questions qui n'en finissent pas de résonner dans le vide.

*

Le dîner s'étirait au rythme alangui des convives enivrés, dans le léger tintement des couverts sur le bord des assiettes ornées d'un filet d'or, quand le comte de Montfermeil relança leur intérêt en abordant le sujet de cet insolent qui les éclaboussait dans la presse, s'autorisant de son lignage.

— Mon Dieu, il est é-pou-van-ta-ble ! lâcha M. de Péruz avec une grimace de sa bouche de dandy, comme s'il recrachait un morceau de viande. Je ne peux souffrir cet individu.

— Et vous n'avez pas lu son dernier chef-d'œuvre ? interrogea le comte de Montfermeil à la cantonade. Voilà qu'il s'en prend au père Ollivier, horrible inquisiteur se félicitant du sacrifice de tant de vierges !

Des exclamations scandalisées fusèrent de part et d'autre tandis que les domestiques faisaient circuler de superbes plateaux de fromages et que le sommelier remplissait les verres d'un excellent bordeaux.

— Ce Nérac est méprisable. Le sermon du père Ollivier était si digne, si juste..., s'indigna leur hôte. Il était grand temps que l'Église, par la bouche d'un de ses plus fervents représentants, dise son fait à tous ces républicains imbus d'eux-mêmes qui se haussent du col en s'autorisant de la faveur publique. Et parler si légèrement de toutes ces victimes dont le sacrifice nous rappelle à la miséricorde divine...

— J'ai lu l'article de ce monsieur, ajouta M. de Maubuisson, caressant la moustache taillée à la Richelieu qui faisait sa fierté et dont il prenait grand soin. Parler ainsi du sermon de Notre-Dame, c'est faire injure aux victimes et à leurs familles. Ni plus ni moins.

Au bout de la table, l'hôtesse restait silencieuse. Depuis le début de la soirée, elle n'avait dit que très peu de chose. C'était un repas d'hommes organisé par son époux. Elle-même n'avait plus le cœur à lancer ces réceptions brillantes qui avaient fait sa renommée. Un grand bandeau de soie rose indien la coiffait, élégant et raffiné. Mais quel que fût l'éclat de sa toilette ou le culot de ses inspirations, elle ne pourrait cacher les vilaines brûlures qui lui zébraient le visage, sous le liniment graisseux et la gaze des pansements. L'ordre de sa vie s'en trouvait boule-versé jusque dans ses fondements, elle ne finissait pas d'en prendre la mesure.

Elle avait rencontré son mari deux mois après son entrée dans le monde. Dès qu'il avait posé ses yeux sur elle, il n'avait eu de cesse de la ravir comme un trophée. Elle, sa beauté ensorcelante et l'immense fortune dont elle hériterait un jour en tant qu'enfant unique. À cette époque, elle virevoltait dans les salles de bal sur les corps de prétendants pâmés, elle était la muse d'un poète célèbre et tous s'arrachaient la moindre de ses faveurs, un sourire, un tour de valse, le privilège d'ouvrir le bal à son bras. Amédée de Fontenilles avait emporté la proie, pour avoir été le plus opiniâtre. Vingt ans durant, il l'avait exhibée partout, guettant le désir et la jalousie dans les yeux de ses amis les plus chers et les plus malintentionnés. Depuis qu'elle était en âge de plaire, Pauline de Fontenilles était une magnifique poupée dotée d'un mécanisme piquant et volontiers cruel. Elle ignorait ce qu'elle pouvait devenir maintenant que ce destin avait fondu dans les flammes du Bazar de la Charité. Déjà, son époux sans tendresse ne la regardait plus qu'avec une sorte de pitié si blessante qu'elle se murait dans le silence et la solitude la plupart du temps.

— Ce qu'il mériterait ? Qu'une de ces brutes épaisses qui errent la nuit près des Champs-Élysées, enhardie par l'alcool, lui flanque une raclée.

Avec ce mot, le baron de La Blottière s'attira les protestations amusées des gentlemen qui l'entouraient. Amaury de La Blottière était connu pour son tempérament impétueux et ne répugnait pas lui-même, quand la situation l'exigeait, à faire usage de violence physique. Elle donnait à ses yeux le piquant nécessaire à une vie d'oisiveté dans laquelle travailler eût été déchoir. Ses ancêtres avaient fait prospérer de grands domaines agricoles au fin fond de la Beauce ; lui végétait et s'ennuyait de thés mondains en dîners fins et en soirées à l'Opéra. Alors qu'il n'avait pas vingt-cinq ans, ses joues flaccides et son teint blafard accusaient une troublante ressemblance avec Louis-Philippe.

— Il y a certainement un meilleur châtiment à inventer pour ce M. de Nérac, répondit la marquise de Fontenilles à la faveur d'une pause dans la conversation.

D'un même mouvement, ils se tournèrent vers elle, comme si le son de sa voix leur était devenu insolite.

— Une suggestion, ma chère marquise ? demanda Amaury de La Blottière, et sa condescendance la courrouça.

Aurait-il adopté ce ton avant qu'elle soit défigurée ? Elle ne lui aurait pas jeté un regard du temps de sa beauté triomphante. Elle qui n'aimait que les hommes grands et bien bâtis et ne respectait chez ses pairs que le rang, la beauté et la fortune. Elle qui ne supportait plus de croiser sa propre image dans un miroir.

Aussitôt elle fit signe au majordome qui vint s'incliner devant elle, ce qui lui permit de ne pas répondre à ce fat de La Blottière. Il ne pouvait en être dupe, mais cette diversion rendait l'affront subtil et inattaquable.

— Nous allons passer au salon, dit-elle.

Le majordome s'inclina à nouveau et disparut le temps de transmettre la consigne à tous les valets auxquels il commandait ; nul besoin de leur préciser qu'il était temps de rallumer le feu, d'apporter les liqueurs, le café et les cigares au salon, c'était une maison bien tenue et tout le monde y accomplissait ses tâches suivant l'heure et la circonstance, en une partition impeccablement jouée.

Plus tard, elle leur confierait ce à quoi elle avait pensé ce matin, en recevant ce pli d'un journaliste catholique qui la priait de lui confier son témoignage sur l'incendie afin de faire le jour sur les rumeurs bien désagréables qui enflammaient la vie parisienne.

Elle avait tout son temps. Et l'idée de retrouver un certain pouvoir sur son entourage était si exquise, roulant dans ses neurones avec la suavité de l'opium, qu'elle en oubliait pour un instant le saccage de sa beauté.

16

Le docteur Hyacinthe Brunet arriva vers dix heures
chez Mme Du Rancy. La jeune patiente qu'il venait
voir l'attendait dans sa chambre, mais il prit d'abord
le temps d'écouter patiemment ce que son confrère
avait à lui dire, posant çà et là quelques questions
sèches et précises. Non qu'il fût d'un tempérament
glacial, mais son impatience de chercheur le poussait
à ne point s'embarrasser des formes, au risque de
froisser les sensibilités. Hyacinthe Brunet avait fait
ses classes avec les meilleurs cliniciens de la Salpêtrière avant de rejoindre les dissidents de l'École de
Nancy. De là Pierre Janet, ayant suivi de près ses
travaux de recherche, avait fini par le rappeler à
Paris et faire de lui son assistant. La neurologie était
pour le docteur Brunet ce qu'avait été le cercle
antarctique pour Charles Wilkes, une *terra incognita*
encore à inventer. Sur sa route éclairée de certitudes
et d'intuitions lumineuses, il lui semblait que les
pionniers qui l'avaient précédé se penchaient avec
respect sur son épaule ; et s'il n'ignorait pas les contri-
butions des chercheurs étrangers, y compris celles
de ce Juif autrichien qui irritait tant de ses confrères,

il n'exagérait pas leur importance au regard de la sienne. Du haut de ses quarante et un ans, de ses vingt ans d'expérience clinique, de son mètre soixante-dix-huit et de ses soixante-dix kilos, Hyacinthe Brunet était conscient qu'il laisserait son nom à la postérité. Cette perspective ne le grisait pas. Ce qui comptait pour lui, c'était d'aller au bout de sa passion intellectuelle et de s'enfoncer chaque jour plus avant dans ce continent mystérieux de la psyché dont l'exploration prenait le pas sur tout le reste, l'argent, les femmes, les enfants, toutes constructions nécessaires à une vie d'homme. Et l'aliéniste qui venait rendre visite à Constance d'Estingel ce matin de mai ne vivait que pour et par son travail. C'était sa seule passion et elle le consumait entièrement.

Après s'être entretenu avec le docteur Martignac, il demanda à voir Mme Du Rancy, qui le reçut dans le petit salon parme où elle recevait ses amis proches et ses visiteurs les plus confidentiels. Ils s'installèrent sur les fauteuils Louis XV qui faisaient face à une élégante cheminée en pierre. Il nota que son interlocutrice semblait nerveuse et mal à l'aise. Il faisait souvent cet effet aux femmes, comme si elles se sentaient examinées contre leur gré, et trahies par tous ces petits réflexes qu'elles ne pouvaient retenir.

— Pardonnez-moi de vous déranger, madame, je sais avec quel dévouement vous avez recueilli les victimes de ce terrible incendie. Mon confrère le docteur Martignac a dû vous faire part de l'objet de ma visite, peut-être en avez-vous discuté ensemble…

Elle hocha la tête gravement. Elle semblait avoir atteint ce point de maturité où les tourbillons les plus violents de la féminité étaient enfin derrière elle, le mariage et la maternité ayant assagi la part la plus sauvage de sa nature.

— Il s'agit de cette jeune fille qui poursuit sa convalescence chez vous.

— Mlle d'Estingel.

— Oui, Mlle d'Estingel. Avant de la rencontrer, je voulais que vous m'en parliez un peu.

Mme Du Rancy entrelaça ses doigts à la manière d'une pensionnaire redoutant l'interrogatoire. Les vagues d'appréhension qu'il lui inspirait refluaient, ainsi qu'un dégoût instinctif envers ce médecin de l'esprit qui apportait dans sa maison les relents des mardis de la Salpêtrière, ce carnaval scabreux de femmes folles dont les images et les récits avaient régalé l'opinion publique pendant vingt ans, sans que la disparition de Charcot en eût amoindri le halo de fascination et de luxure, et alors même que les leçons du mardi appartenaient désormais au passé.

— Je ne sais que vous dire… Cette jeune fille est ici depuis plusieurs jours, elle est arrivée dans un état épouvantable, on craignait pour sa vie… On ignorait son nom, et elle était inconsciente la plupart du temps. Quand ses parents sont venus ici à sa recherche, nous avons pu l'identifier.

— Mais ses brûlures vont mieux, aujourd'hui ? Le docteur Martignac me dit que ses jours ne sont plus en danger.

— En effet elle est hors de danger, mais ses brûlures sont vilaines et leur guérison doit être suivie de près.

— Bien sûr, la coupa Hyacinthe Brunet avec le ton sec qu'il adoptait sous l'effet de l'impatience. Ce qui m'intrigue, c'est la raison pour laquelle ses parents n'ont pas souhaité la ramener chez eux. Ils auraient dû se précipiter ici dès qu'on leur a dit qu'elle était sauvée, ne croyez-vous pas ?

Ces mots jetèrent le trouble dans l'esprit de son interlocutrice qui ne répondit pas. Sans doute parce qu'elle aurait réagi à l'inverse s'il s'était agi de son enfant, songea le docteur Brunet.

— Pour en venir au fait, car mon temps est malheureusement compté, reprit le docteur Brunet sans s'émouvoir... Quelles sont les relations de cette jeune fille avec ses parents ? Sont-ils des parents aimants ? Et la jeune fille, est-elle rétive et désobéissante ? Est-elle, en un mot, le genre d'enfant dont on préfère se débarrasser alors qu'elle vient d'échapper à une mort terrible ?

— Grand Dieu non ! s'exclama Mme Du Rancy, sincèrement choquée. C'est une jeune fille très attachante et pour ma part je ne...

Elle s'interrompit, fronçant le sourcil sous l'effet d'une pensée dérangeante. Ou d'un souvenir ?

— C'est une jeune fille tourmentée. Mais après ce qu'elle a traversé, on peut comprendre que son cœur et son esprit soient bouleversés.

— Qu'entendez-vous par *tourmentée ?*

Son regard froid ne la lâchait pas, et son esprit aux abois se débattait à la recherche d'une issue. En général, c'était à ce prix qu'il obtenait de quoi commencer, une base sur laquelle appuyer les premiers postulats qu'il lui faudrait ensuite confirmer au fil de l'examen clinique. Les patients mentaient, les témoins mentaient, tout le monde mentait sans cesse, aussi lui fallait-il s'armer de clairvoyance, de patience et de flair, ruser souvent mais aussi les contraindre et les acculer pour arriver à tirer de ce magma de mensonges, d'illusions et de fantasmes l'ébauche d'une vérité.

— Je veux dire par là... qu'elle fait de terribles cauchemars, et que le reste du temps elle dort à peine. Mais encore une fois, quoi de plus naturel après une telle épreuve ?

— Bien sûr..., répondit-il distraitement, tirant un premier fil à partir de cet incendie dont Mme Du Rancy faisait la cause de tout et dans lequel il ne voyait pour sa part qu'un élément déclencheur. Elle fait des cauchemars, dites-vous ? Chaque nuit ?

— Oui, admit son interlocutrice avec réticence.

— Est-elle somnambule ? L'avez-vous vue marcher dans son sommeil, parler, agir de telle sorte que vous avez compris qu'elle était endormie ?

— Je ne sais pas, répondit Mme Du Rancy en réfléchissant. Mlle Constance se lève presque chaque nuit, le plus souvent elle arpente sa chambre, plus rarement elle se promène dans la maison. J'ai toujours pensé qu'elle faisait des insomnies...

— Mais certains signes vous font penser, à rebours, qu'il s'agissait de somnambulisme ?

— Quand on lui parle, elle n'a pas l'air d'entendre. Et l'autre nuit, comme je m'étais réveillée, je l'ai vue disparaître dans le couloir... Je l'ai rattrapée, je voulais la réconforter, mais elle semblait ailleurs. Et ce qu'elle disait n'avait aucun sens.

— Bien, je vous remercie, tout cela m'est très utile, répondit Hyacinthe Brunet d'une voix radoucie. Je vois que vous êtes attachée à cette jeune personne, et que vous désirez l'aider.

— Bien sûr ! renchérit son hôtesse. Je voudrais tant qu'elle retrouve la paix et l'insouciance propres à son âge !

— Et c'est pourquoi je suis là, souligna l'aliéniste. Il n'est ni sain ni naturel qu'une jeune fille de vingt ans cauchemarde sans cesse, soit somnambule, hurle au visage de sa mère ou arrache ses pansements. Pour être franc avec vous, madame, ce sont là les symptômes d'une maladie nerveuse. Un mal que nous pouvons et devons soigner. Et je compte sur vous pour soutenir ma démarche auprès de ses parents. Car je vais examiner tout à l'heure cette jeune fille pour me faire une opinion plus précise de son mal, mais si ce que je pense est avéré, il faudra prendre toutes les mesures nécessaires pour qu'elle recouvre la santé dans les meilleurs délais. Avez-vous la confiance de ses parents ?

De nouveau, Mme Du Rancy marqua une réticence.

— Je ne saurais le dire, répondit-elle. Je les ai très peu vus, à peine croisés, nous nous sommes rarement entretenus ensemble.

— Mais ils vous ont confié leur fille.

— Certes. Je crois que la savoir en d'autres mains les soulageait d'un fardeau…

Le docteur Hyacinthe Brunet ne put réprimer un léger sourire. Cette charitable Mme Du Rancy n'aimait pas les parents d'Estingel. Il décida de la pousser dans ses retranchements.

— Eh bien, il me paraît évident qu'ils la savaient entre les meilleures mains possibles.

— Non, ce n'est pas cela. J'ai eu le sentiment, pour être franche… qu'ils ne voulaient pas s'encombrer d'elle dans ces circonstances.

— Pas s'encombrer d'elle ? Est-elle donc un poids pour eux ? interrogea le docteur.

— Je l'ignore. Je ne fais que vous confier mon sentiment. Je n'ai jamais surpris chez Mme d'Estingel ces élans de tendresse que les mères ont envers leurs filles.

— Tendresse que vous avez, quant à vous, pour cette jeune fille ?

— Oui. Je me suis attachée à elle.

— Aimeriez-vous la savoir protégée par un mariage heureux et par la maternité ?

— Bien sûr.

— Avez-vous peur pour elle ?

Visiblement émue, Mme Du Rancy hocha la tête.

— Elle a pourtant survécu à cet incendie, contrairement à de nombreuses autres jeunes filles. Je dirais qu'elle est protégée du Ciel ! dit le médecin avec un sourire franc cette fois et en frappant le sol de son talon droit pour ponctuer son propos.

— Elle ne serait pas d'accord avec vous sur ce point, sourit-elle à son tour, se laissant gagner par la chaleur de ces confidences extorquées.

— Non ?

— Non. Elle est convaincue que Dieu l'a rejetée, ne l'a pas jugée assez pure pour mourir dans les flammes.

— Intéressant. Elle se destinait donc au martyre ?

— Avant l'incendie ? Oh non, non ! Ce sont ces articles de journaux qu'elle lit en cachette qui lui auront monté la tête !

— Je vous remercie, chère madame, vous m'avez été précieuse, dit-il en se levant et en s'inclinant légèrement vers elle pour lui baiser la main. Vous éprouvez de l'affection pour cette jeune personne, je vais faire de mon mieux pour la soigner. Une dernière petite chose tant que j'y pense... A-t-elle un soupirant, ou plusieurs ?

Son hôtesse, que l'imminence de son départ avait fini de détendre, répondit sans réfléchir :

— Elle avait un fiancé. Mais d'après sa mère, elle a rompu ses fiançailles juste avant l'incendie.

— *Avant* l'incendie ? C'est intéressant. Bonne journée, chère madame, à présent je vais monter voir ma jeune patiente, si vous le permettez.

Hyacinthe Brunet prit congé et se fit conduire à l'étage par un valet de pied qui l'attendait à la porte du petit salon parme. Un sourire de triomphe dansait sous sa moustache. Le meilleur venait toujours à la fin, il suffisait d'une légère estocade après que le témoin avait baissé sa garde. Et surtout, d'afficher une certaine nonchalance vis-à-vis de l'information recherchée, comme si l'on n'y attachait pas d'importance, quand au même instant votre esprit était bandé comme un arc.

*

Le journaliste de *La Bonne Presse* dissimulait mal son excitation devant l'os que la marquise de

Fontenilles venait de lui donner à ronger. Elle le tenait en son pouvoir, et cette fois ce n'était plus l'effet d'une séduction physique, non, c'était un pouvoir plus puissant, une influence souterraine à laquelle elle goûtait pour la première fois et qui l'enivrait déjà.

— Cette information est d'une importance capitale, madame la marquise... Elle risque de faire du bruit... Je ne sais comment vous remercier de la confiance que vous m'accordez.

— Ne me remerciez pas, c'est inutile, répondit-elle froidement. Simplement, restez digne de ma confiance en respectant mes conditions. Son nom ne doit apparaître nulle part.

— Naturellement, acquiesça le pauvre garçon avec empressement. Pas de nom. Mais tout de même... Une telle attitude, venant qui plus est d'un confrère...

Un confrère que vous ne pouvez sentir, songea-t-elle, car sa popularité écorne la vôtre... Et je viens de vous confier de quoi tuer sa carrière dans l'œuf.

— Ne soyez pas si choqué, monsieur, répondit Pauline de Fontenilles. En de telles circonstances, certains d'entre nous deviennent héroïques, et d'autres ne font que se replier sur leurs instincts les plus bas. Que ces mauvais côtés de la nature humaine ne nous détournent pas du sacrifice admirable de tant de femmes et du dévouement de tous ces sauveteurs à qui l'on va, me dit-on, remettre des médailles bien méritées.

— Bien sûr, madame la marquise... Nous n'oublions pas les victimes, et c'est tellement vrai que demain nous faisons notre une sur l'enterrement de la duchesse d'Alençon. Avez-vous lu notre numéro spécial sur ce pauvre duc d'Aumale ? La nouvelle de sa mort a été un coup de tonnerre à la rédaction ! Quand on pense qu'il a eu ce choc fatal en apprenant la mort de la duchesse d'Alençon…

— Il était profondément attaché à la duchesse, répondit la marquise. Elle était sa nièce préférée. Cette terrible nouvelle l'a tué. Nous vivons des temps de grand malheur, monsieur. Le deuil a frappé toutes les familles de la noblesse, et pas un jour ne se passe sans que le drame du Bazar de la Charité en entraîne d'autres. C'est comme un écho sans fin…

Fagoté comme un commis, le cheveu rare et gominé par la sueur, le journaliste plissait ses petits yeux ronds, s'efforçant sans doute de retenir cette dernière réplique qui ajouterait une note de tragique à son article. Elle prit congé, avec la lassitude d'une altesse royale qui, ayant accordé audience à un manant, ressent l'épuisement de cette promiscuité forcée. Il lui tardait de faire atteler sa voiture pour sa promenade au Bois, mais elle ne pouvait s'y montrer avant six heures. Quant à rendre visite aux amies dont c'était le jour, elle n'en avait pas encore la force. Elle sonna son majordome et ordonna qu'on dépose sa carte au domicile de chacune d'entre elles avant la fin de l'après-midi.

Montant s'allonger dans la pénombre fraîche de sa chambre, elle respira dans l'escalier cette odeur de parquet ciré qui, charriant dans son sillage celle du linge qui séchait dans la buanderie toute proche, réveilla en elle le souvenir cruel de ses visites à la nurserie, à l'époque où les cris d'excitation de sa petite fille lui donnaient envie de monter la voir et où tout le reste – couturière, thés mondains, conseils de famille – pâtissait de ces joyeuses parenthèses… mais quelle importance, ces heures étaient si douces, reflétées dans les yeux candides de son enfant, elle aurait pu la dévorer vive à force de l'aimer. La fièvre typhoïde lui avait aussi pris son fils, mais c'était sa petite fille qu'elle pleurait encore, l'enfant avait emporté avec elle tout le chagrin de son cœur de mère.

Rien, désormais, n'avait plus de sens que les coups d'épingle qu'elle infligeait comme par inadvertance, pour se sentir en vie lorsqu'en embrassant d'un même regard son mari encore bel homme, les marbres étincelants de sa maison, la livrée impeccable des domestiques et l'alignement sans reproche de ses jardins, elle ne voyait miroiter qu'un grand vide affamé.

*

Dès le lendemain, la rumeur s'élança dans Paris avec la promptitude d'un poison dans le sang. Repus de descriptions macabres de chairs carbonisées, les Parisiens se jetèrent sur ce nouveau scandale et s'employèrent à lui donner du corps. Et comme souvent, le seul à ne pas percevoir sa vibration dans les conversations et les regards entendus était celui qui en était l'objet.

Ce dernier n'avait pas l'esprit aussi acéré que d'ordinaire. Sa pensée épuisait chaque centimètre de l'impasse sentimentale qui le rendait si malheureux. Il s'était distrait un temps de cette polémique autour du sermon du révérend père Ollivier à Notre-Dame de Paris – qu'il avait fortement contribué à faire naître –, aiguisant sa plume pour pourfendre cet ordre des Frères prêcheurs envers lequel son aversion avait mûri au soleil des terres cathares. L'occasion était belle de rappeler les méfaits de cette engeance dominicaine si orgueilleuse de ses turpitudes qu'elle les déguisait en vertus cardinales. Mais tandis que s'amoncelaient les lettres outragées ou partisanes, il se lassait déjà de cette guerre d'éditos acerbes, et les caractères d'imprimerie pâlissaient à mesure que Constance – ses moindres souvenirs d'elle avivés par la distance et le manque – lui essorait le cœur et l'âme pour le laisser exsangue, dépressif et mélancolique. Son humour le désertait. Il alarmait ses amis qui se relayaient pour l'entraîner au concert, à l'Opéra, aux bals musettes de la rue de Lappe, dans les recoins obscurs des cabarets de Montmartre où des filles charnues et dépravées rivalisaient de zèle pour encanailler ce beau ténébreux. Mais rien n'allumait dans son œil cette flamme de vice qui était leur fonds de commerce. Déçues et vexées, elles le soupçonnaient de mille perversions.

Non, Laszlo de Nérac n'avait pas idée du piège qui se refermait sur sa réputation de satiriste drapé dans une moralité irréprochable. Obnubilé par sa fiancée perdue, il occupait ses nuits à échafauder des stratagèmes pour la délivrer. De qui ? De ses parents, pour commencer. Des gens méprisables qui ne méritaient pas une fille si singulière. Et surtout de ces heures de terreur qu'elle avait traversées seule. Elle l'avait rejeté ? La belle affaire. Il l'aimait et n'était pas encore fatigué de souffrir.

Sois sage, ô ma douleur, et tiens-toi plus tranquille.

Tour à tour Baudelaire et Verlaine lui murmuraient à l'oreille, passés maîtres en ces douleurs exquises de l'amour sans issue.

S'il songeait à ses beaux-parents – fallait-il encore les appeler ainsi ? –, la perplexité le gagnait. Dans la semaine écoulée, il s'était rendu deux fois à l'hôtel d'Estingel pour s'entendre répondre que Monsieur et Madame n'y étaient pas ; il y avait vu le signe d'une rupture définitive. Puis Louis d'Estingel l'avait convié à le rejoindre à son club le lendemain soir, pour une de ces discussions entre hommes dont il était friand. Dieu, il ne pouvait souffrir ces gens ! Il irait cependant au rendez-vous pour être fixé sur le sort qu'ils lui réservaient, si toutefois il était possible de l'être avec un homme aussi fuyant que d'Estingel.

Ce soir-là, comme un vent doux s'était levé qui invitait à la promenade, il décida de pousser jusqu'à la rue du Faubourg-du-Temple, où l'un de ses amis donnait une réception en l'honneur d'un élève de Gustave Moreau qui exposait chez lui ses toiles les plus réputées. Dans l'ancienne salle de bal qui tenait lieu de salon d'honneur, une cinquantaine de personnes déambulaient devant les grands tableaux, admirant entre autres une *Mort d'Ophélie* dans les tons émeraude, un saisissant *Orphée aux Enfers*, le viol de Léda par le cygne ou une décollation de Jean-Baptiste à la lueur crépusculaire de la bougie qui éclairait son cachot suintant.

À son entrée, Laszlo se rendit compte que les gens le dévisageaient avec insistance et fixaient la canne à pommeau d'argent qu'il avait héritée de son père, canne dont il se séparait rarement car elle lui donnait un air élégant. Il n'était pas encore habitué à sa notoriété, malgré le courrier abondant que François Germand lui transmettait chaque semaine et les signes de reconnaissance que des passants lui adressaient en le croisant dans la rue ou attablé à l'une de ses brasseries préférées. Sans doute cette célébrité toute neuve faisait-elle de lui le point de mire des regards, mais ce phénomène le mit mal à l'aise. Il salua le poète José Maria de Heredia, encore auréolé de la gloire littéraire de son recueil paru quatre ans plus tôt. Ils s'étaient retrouvés plusieurs fois chez Mallarmé, à Valvins, et Laszlo appréciait ce quinquagénaire un peu raide, même si sa personne le séduisait moins que sa poésie. Sa femme, vêtue d'une longue robe de crêpe noir aux manches gigot et coiffée d'un turban oriental aux reflets argentés, avait l'allure d'une infante d'Espagne. Laszlo avait entendu dire que l'épouse et la fille de Heredia étaient au Bazar de la Charité au moment de l'incendie et qu'elles avaient réussi par miracle à s'extirper du hangar en flammes. Ceci expliquait le turban oriental. Mais à la stupeur de Laszlo, à peine l'eut-il reconnu que le chef de file des parnassiens détourna le regard comme si le jeune homme avait été transparent. Son épouse, qui marchait à son bras, l'aperçut à son tour et se figea, une expression d'horreur sur le visage. Laszlo se retourna, persuadé que ce regard s'adressait à un autre, mais il n'y avait personne derrière lui. Les époux Heredia échangèrent quelques mots à voix basse avant de quitter la pièce. On ne les revit pas de la soirée.

Cet événement blessa Laszlo d'autant plus vivement qu'il n'y voyait pas d'explication. Au fil de la soirée, d'autres réactions dans l'assistance semèrent le trouble en lui. Il avait résolu de rentrer chez lui quand il vit arriver son ami François Dumay qui lui tendit la main avec un sourire chaleureux.

— Cher ami, quelle surprise de vous voir ici, je pensais que vous déclineriez mon invitation !

Se faisait-il des idées ou le marchand d'art semblait-il embarrassé de sa présence, fixant à son tour la canne qu'il avait gardée à sa main gantée de blanc ? Était-elle donc si laide, cette canne ? Il l'avait toujours trouvée raffinée, avec ses motifs médiévaux sculptés dans le bois et les armoiries de sa famille gravées sur son pommeau. Ils échangèrent quelques mots sur son talentueux protégé. Le Salon des refusés lui avait fait d'alléchantes propositions et François Dumay estimait que, d'ici quelques mois, le jeune peintre éclipserait le renom de Moreau et lui rapporterait bien plus qu'il ne lui avait coûté. Car Dumay aimait jouer les mécènes, hébergeant certains artistes dans sa propre maison quand il ne leur louait pas un atelier dans quelque rue bohème de Paris. Laszlo renchérit, ces tableaux étaient superbes et il devait bien avouer que l'idée d'en acheter un lui trottait dans la tête.

S'il était rarement transporté par la peinture, Laszlo resta un long moment fasciné devant l'Ophélie languissante qui se noyait lentement au milieu des eaux verdâtres, les cheveux dégoulinant sur ses épaules maigres tels des rubans d'algue blonds et ondoyants, les yeux vitreux d'outre-tombe, le corsage

dénudé laissant deviner une chair blême déjà cor-
rompue. De cette créature mourante émanait un
charme trouble auquel il était sensible. Comme si
elle réunissait en son corps suave les perversions des
âges les plus anciens, et que cette mort qui n'en
finissait pas de s'éterniser était un appel à la rejoindre
dans une étreinte vampirique avant que ses membres
ne se pétrifient et que la mort ne lui rende son
innocence originelle. Innocence qu'elle ne pourrait
retrouver, disait le tableau, qu'à travers la mort, le
chemin en étant perdu depuis longtemps. Car
l'Ophélie du disciple de Moreau avait les traits épuisés et la posture alanguie des habituées de la luxure,
le dos cambré et les cuisses entrouvertes sous le tissu
transparent de sa longue robe flottant sur les eaux,
et la mort qu'elle avait choisie semblait une tentative
désespérée de laver son âme impure de la gangue
de péché qui l'enlisait.

Cette nuit-là, tandis que le chat Delescluze faisait
le guet à la fenêtre, le sommeil de son maître fut
agité de dérangeants cauchemars, où la silhouette de
sa chère Constance se fondait dans les traits de
vouivre de l'Ophélie moribonde, lui murmurant des
insanités tandis que le couple Heredia, vêtu de noir,
lui jetait des regards propres à lui glacer la nuque.
En les observant plus attentivement, il se rendit
compte qu'ils n'étaient que des faces peintes dont
les yeux sévères le suivaient où qu'il aille. Se tournant
pour prendre Constance dans ses bras, il réalisa
qu'elle était morte. Sous ses yeux éteints, des larmes
avaient séché sous la forme d'une boue verdâtre
évoquant le limon d'un fleuve. Il se réveilla en sueur

pour croiser les yeux calmes et gris de Delescluze, pleins de désapprobation et de douceur.

*

Le cocher déposa Violaine de Raezal rue des Lions-Saint-Paul alors que trois heures sonnaient au clocher de l'église Saint-Paul-Saint-Louis. La comtesse ne s'était jamais rendue dans cet ancien quartier royal devenu insalubre, où des palais tombaient en ruine tandis qu'une communauté d'artisans et d'ouvriers occupaient d'antiques hôtels particuliers, massacrant joyeusement lambris, marbres et moulures pour installer leurs ateliers dans les salons et les salles de réception, enfantant un nouveau quartier hétéroclite et surpeuplé, turbulent et sale mais non dénué de poésie et où demeuraient – pour l'œil qui savait voir – nombre de vestiges d'une splendeur enfuie. La plupart des familles aristocratiques qui avaient jadis donné son âme au quartier avaient déménagé après la Révolution dans les avenues chics de la rive droite, ou rejoint le faubourg Saint-Germain.

Mais il restait çà et là quelques vieux barons confits dans leurs habitudes comme cerises dans l'eau-de-vie, quelques marquises poudrées et chevrotantes qui allaient à la messe chaque matin et pèlerinaient sur les pas de Charles V et d'Henri IV en assurant avec un brin de snobisme que la place des Vosges restait la plus belle de Paris. Au numéro 11 de la rue des Lions-Saint-Paul vivait Mme de Marsay, descendante lointaine de la marquise de Sévigné qui avait vécu ici longtemps avant elle. Cette grande dame de presque quatre-vingts ans finançait des explorations en Australie ou sur le continent arctique, parrainait nombre de sociétés philanthropiques et sa générosité n'avait de bornes que le veto régulier de ses héritiers qui surveillaient de près cette veuve prodigue dont les largesses érodaient leur patrimoine. On lui avait cent fois suggéré de déménager près des Champs-Élysées, dans un environnement plus convenable ; elle répondait que nulle demeure ne pouvait mieux lui convenir que le logis de sa chère ancêtre de Sévigné, qu'elle sentait flotter à ses côtés tel un lare bienveillant. Elle était née ici, ici elle mourrait. En conséquence, elle ne voyait pas beaucoup ses enfants car ils tenaient le quartier pour infréquentable. C'était sans doute mieux ainsi car les réunions de famille tournaient à l'aigre. Parmi ses six enfants, Mme de Marsay n'avait eu d'affinités qu'avec le quatrième, Léon, qui partageait si bien son appétit pour le monde qu'il était parti s'installer en Amérique, épousant l'héritière d'une riche famille bostonienne. Quand Léon était mort dans un accident de chemin de fer, Mme de Marsay avait noué des liens d'affection durables avec la belle-famille de son fils, et en particulier avec Mary Holgart, la sœur cadette de sa belle-fille Eliza. La vieille dame avait tout de suite aimé cette jeune fille vive, curieuse et spontanée, et Mary, qu'elle considérait comme sa nièce d'adoption et qui l'appelait « ma tante », passait plusieurs mois par an chez elle. L'Américaine ne s'effarouchait pas d'être réveillée au petit matin par les cris montant des ateliers, et trouvait à ce quartier le charme des princesses déguisées en souillons et des palais enfouis sous les ronces.

Violaine tendit sa carte au majordome, qui l'invita à patienter dans un salon aux exquises tapisseries d'inspiration persane. Au bout d'un quart d'heure, Mary Holgart vint l'y retrouver, lui tendant la main avec tant de spontanéité et de naturel que Violaine oublia sa timidité.

— Vous êtes venue, chère Violaine. Je vous espérais, je l'avoue. Ma tante est malheureusement sortie, une de ses réunions secrètes ! ajouta-t-elle avec un rire espiègle. Je la soupçonne parfois de faire partie d'une secte maçonnique… Je plaisante. Ma tante est la personne la plus charmante qui soit, il faut absolument que je vous la présente, accepterez-vous de dîner avec nous un soir de la semaine prochaine ?

Violaine y consentit en souriant tandis qu'un domestique impassible lui servait une tasse de thé noir et parfumé.

— Dieu que j'aime Paris ! s'exclama l'Américaine, les jambes croisées avec désinvolture, ses pieds fins chaussés de jolies bottines dépassant de sa robe légère. S'il ne tenait qu'à moi, j'y passerais la plus grande partie de l'année. Je n'ai guère envie de rentrer chez moi. Et par-dessus tout, j'aime ce quartier. Il est si pittoresque ! J'ai parfois réussi à y attirer Sophie, savez-vous. Elle venait m'y rendre visite en cachette de son mari, et lorsque son beau-père était encore en vie, elle usait de ruse pour semer sa gouvernante car cette femme était une véritable espionne à la solde du duc de Nemours…

Violaine hocha la tête avec incrédulité. Parlait-on bien de la duchesse d'Alençon, cette femme si digne et si profondément mélancolique ?

— Elle me manque tant, vous savez... Je n'arrive pas à accepter la réalité de sa disparition.

— Je ressens la même chose, dit Violaine en s'éclaircissant la gorge. C'est étrange car nous nous connaissions depuis peu de temps...

— Sophie a... avait ce don de rentrer dans votre vie comme si elle en avait toujours fait partie. Voyez ce pauvre duc d'Aumale... La nouvelle de sa mort lui a porté le coup de grâce. Tous ceux qui aimaient Sophie sont inconsolables, n'est-ce pas ?

— Sans doute.

— Pensez-vous qu'elle ait choisi de mourir de cette mort atroce ? interrogea abruptement Mary Holgart.

Violaine de Raezal marqua un bref silence, partagée entre la peur de heurter les sentiments de l'Américaine et l'envie d'être sincère. Son instinct lui souffla qu'elle pouvait lui faire confiance.

— Je le crois, oui.

— Vous êtes la dernière personne à l'avoir vue en vie, n'est-ce pas ?

— Je ne sais pas... Sans doute, admit Violaine à contrecœur.

Le visage grave, Mary Holgart se redressa pour avaler une gorgée de thé.

— Je veux que vous me racontiez ses derniers instants. Tout ce dont vous vous souvenez. Accepterez-vous de m'en faire le récit ?

Violaine rougit, c'était une requête si difficile à honorer !

— Je regrette, commença-t-elle, mais je m'en sens incapable. C'est encore trop douloureux... Nous étions deux avec elle dans les derniers instants.

— Deux ? s'étonna l'Américaine en reposant délicatement sa tasse de thé sur le plateau de bois laqué où d'élégants oiseaux peints étiraient leurs becs pour se délasser d'un long voyage.

— Il y avait une jeune fille avec moi quand l'incendie a éclaté. Constance d'Estingel. Dans la panique générale, nous fûmes séparées l'une de l'autre et j'ignore ce qu'elle est devenue. Dieu merci, je n'ai pas lu son nom sur la liste des victimes... Mais je donnerais si cher pour la revoir !

— J'espère de tout mon cœur que votre amie est en vie, dit Mary avec un regard brillant de compassion.

— Amie est sans doute trop fort, mais les mots *relation* ou *connaissance* paraissent insuffisants quand on a traversé l'enfer ensemble. Je la connais à peine et pourtant c'est comme une petite sœur que le feu m'aurait arrachée...

— Je crois qu'il est des amitiés scellées par la Providence, chère Violaine. Sophie et moi nous sommes rencontrées dans un moment de nos vies où le désespoir cohabitait avec l'urgence de vivre et de croire que certains sentiments pouvaient nous transfigurer, nous sauver... Notre amitié a tout de suite été forte et entière comme le sont les affections de jeunesse. Pourtant nous avions plus de trente ans !

— Où vous êtes-vous rencontrées ? demanda la comtesse de Raezal en buvant quelques gorgées de thé après que sa gorge se fut serrée à la seule évocation de l'incendie.

— À Méran. Vous connaissez ? C'est une jolie station thermale au pied des Dolomites, dans le sud du Tyrol. Des lacs limpides, des montagnes bleues, et une petite ville adorable nichée au pied des montagnes. J'y ai passé des heures merveilleuses. Je n'y suis jamais retournée de peur d'abîmer mes souvenirs…, soupira Mary Holgart, déformant le français avec son accent irrésistible. Ma chère tante m'y envoya une année où ma santé lui inspirait de l'inquiétude… Et où je fus malheureuse au point de vouloir mourir. À Boston, ma mère m'entourait de tant de soins qu'elle m'étouffait ! Ma tante de Marsay eut alors l'idée de m'envoyer à Méran, dans un sanatorium très chic dont elle connaissait le directeur. Je m'y rendis à reculons, je dois dire… Enfin, toujours est-il qu'au bout de quelques jours à broyer du noir, seule au monde sur la grande terrasse donnant sur le lac où la meilleure société prenait les eaux… j'ai rencontré la duchesse d'Alençon. Et voilà que je me suis mise à aimer les montagnes, la vue sur le lac, les longues promenades à pied et même ma chaise longue ! s'écria-t-elle, radieuse à ce souvenir.

— La duchesse était-elle souffrante ? demanda Violaine.

— C'était plus compliqué que cela. Pour être franche… Puis-je être franche avec vous, chère Violaine ? Il me semble que oui.

262

Violaine acquiesça, troublée par la spontanéité désarmante de l'Américaine.

— Sophie était souffrante depuis des années. En réalité, les maux dont elle souffrait – et qui la tenaient éloignée de son mari et de ses enfants la plus grande partie de l'année – découlaient sans doute d'un malaise plus profond. Sophie n'était pas heureuse. Je crois qu'elle n'avait pas le sentiment d'avoir trouvé sa place sur cette terre. Elle était perpétuellement affligée de toux caverneuses et de difficultés respiratoires, et souffrait d'une profonde mélancolie. Une armada de médecins lui prescrivait des séjours dans toutes les villes d'eaux de Bavière et d'Autriche, quand elle ne se réfugiait pas chez l'impératrice d'Autriche ou à Possenhofen, dans la maison de son enfance…

Violaine hocha la tête, désarçonnée. Elle avait du mal à reconnaître dans ce portrait la personne active, sereine et charismatique qu'elle avait connue. Ces années de souffrance étaient-elles à l'origine de sa certitude que le bonheur était impossible ici-bas ?

— Quand j'ai connu Sophie, c'était comme si elle cherchait à échapper à sa vie. Son cœur perdu et insatisfait aspirait à autre chose.

— La foi ? hasarda la comtesse de Raezal, songeant au moment qu'elles avaient passé toutes les deux dans l'église Saint-Merri, le jour où elles étaient montées voir ces pauvres gens atteints de tuberculose.

— Non, pas la foi, répondit Mary Holgart. Ne vous méprenez pas. Sophie a toujours cru en Dieu, elle a toujours été pieuse. Mais la foi dont vous parlez, qui a pu la pousser à sacrifier sa vie, n'est venue qu'après.

L'Américaine s'interrompit sous le coup de l'émotion, et Violaine redouta la confidence qui allait suivre.

— La foi est venue quand on a éteint en elle tout ce qu'il y avait de vie et de flamme. Comme une consolation là où tant de choses précieuses étaient mortes... Et où ne restaient que la charité, la compassion... la religion.

Quand Violaine de Raezal prit congé de Mary Holgart, cet après-midi-là, elles convinrent d'un autre rendez-vous, sans bien s'expliquer de quoi était faite leur connivence instinctive, la confiance qu'elles ressentaient l'une envers l'autre. Comme si la duchesse d'Alençon avait le pouvoir de réunir les êtres qu'elle avait aimés, et de les lier les uns aux autres par un fil invisible.

17

— Bonjour, mademoiselle. Je suis le docteur Brunet. On a dû vous prévenir de ma visite ?

La jeune fille, debout face à la porte, hocha la tête. C'était une jolie patiente, au visage racé, aux traits bien dessinés. Le foulard de soie rouge qui enserrait son front lui donnait l'allure de l'odalisque peinte par Pierre-Auguste Renoir, bien qu'il n'y eût rien d'alangui en elle et que sa mise – une longue robe bleu pâle austère et simple – fût plutôt celle d'une pensionnaire de couvent. Elle avait l'immobilité nerveuse d'un chevreuil aux aguets. Hyacinthe Brunet aimait ces premiers instants où patiente et médecin se jaugeaient respectivement. Le médecin arrivait bardé de ses certitudes, la patiente de ses résistances internes. De cet antagonisme originel naîtraient l'échange et la guérison au terme d'une passionnante bataille, le temps que la patiente rendît les armes et s'abandonnât à l'autorité bienveillante du médecin.

— Asseyez-vous, mademoiselle, je vous en prie, lui enjoignit-il en s'installant en face d'elle sur une chaise. Nous ne nous connaissons pas encore, mais je vais avoir besoin que vous soyez très attentive à mes paroles et que vous me parliez sans détour.

Elle s'assit sur le bord de son lit, toujours silencieuse. Il perçut la réticence que portait ce silence. La jeune fille se concentrait pour donner d'elle une impression solide et impassible, tout ce qu'elle n'était pas.

— Vous avez vingt ans, n'est-ce pas ?

Habitué aux minauderies des jeunes filles de l'aristocratie, il fut surpris par la simplicité abrupte de sa réponse :

— J'aurai vingt et un ans le 4 août.

— Ah, tiens. À quel moment de la journée êtes-vous née ?

— On m'a toujours dit que j'étais née pendant la nuit, dit-elle.

Le docteur Brunet sourit dans sa moustache au hasard moqueur qui l'avait fait naître à la date anniversaire de l'abolition des privilèges.

— Avez-vous grandi avec des frères, des sœurs ?

— J'ai grandi seule, précisa-t-elle de sa voix grave avec un peu de mélancolie, comme si elle éprouvait encore le poids de cette solitude enfantine.

— Avez-vous eu des gouvernantes, des précepteurs ?

— Une nurse française, deux *Fräulein* qui venaient du nord de l'Allemagne et une gouvernante suisse.

— Avaient-elles été choisies par vos parents ?

— Par ma mère.

— Vous entendiez-vous bien avec elles ?

— En général, oui.

— Mais pas toujours ? insista le docteur Brunet avec un sourire d'encouragement.

Constance d'Estingel pinça les lèvres, le regard soudain distant.

— Ma mère vous dirait que je n'ai jamais été une enfant docile.

— J'aurai bientôt un entretien avec votre mère... Mais ce qui m'intéresse aujourd'hui, c'est ce que *vous*, vous ressentiez. Manifestiez-vous de la colère face aux décisions qu'on prenait pour vous ? Vous mettiez-vous à crier, à claquer les portes ?

— Non, rien de tel, répondit la jeune fille avec étonnement. Non, le plus souvent je ne disais rien, je... me butais, c'est tout. On m'envoyait dans ma chambre.

— Donc vous gardiez votre colère au-dedans de vous ?

— Oui.

— Mais l'autre jour, ici même, vous n'avez pas pu retenir cette colère, n'est-ce pas ?

Ces mots la troublèrent. Son expression marmoréenne se fissura et ses lèvres se mirent à trembler.

— Je... je ne sais pas ce qui m'a pris, docteur. J'en suis désolée, je n'étais pas moi-même...

— Comment expliquez-vous cela, mademoiselle ? interrogea-t-il avec douceur.

— Je ne sais pas... Ma mère m'a dit des choses qui m'ont terriblement blessée...

— Mais ce n'était pas la première fois qu'elle vous blessait ?

— Non, admit-elle tandis que ses yeux noirs se voilaient de larmes.

— Pourquoi avez-vous réagi si violemment cette fois-ci ?

— Je crois… Je ne suis plus la même depuis l'incendie.

— Vous vous sentez différente. C'est intéressant, répondit le docteur Brunet. Qu'est-ce qui a changé en vous depuis cet incendie ?

Il lui tendit un mouchoir pour essuyer ses larmes, et elle demanda un verre d'eau.

Il se leva aussitôt pour le remplir lui-même à la carafe, afin de ne pas lui laisser le temps de se recomposer un visage impassible. Il ne fallait pas la lâcher à l'instant où l'émotion la forçait à se découvrir.

— Il y a des choses que je ne supporte plus, confessa-t-elle, rougissante. Je ne les supporte plus du tout, cela m'oppresse, et il arrive que ma colère soit si violente que je n'arrive pas à la contrôler.

— Vous dites « cela m'oppresse ». Sentez-vous un poids sur votre cage thoracique ? Cela vous empêche-t-il de respirer normalement ?

— Oui, tout à coup j'ai du mal à respirer et ma gorge est serrée, comme s'il y avait quelque chose coincé à l'intérieur. C'est très douloureux.

— Et la colère vient ensuite ?

— Oui.

— Avez-vous perdu connaissance à la suite d'une de ces colères ?

— Non.

Hyacinthe Brunet étirait machinalement sa moustache entre deux doigts. Cela l'aidait à réfléchir.

— L'autre jour, vous avez, durant ce que nous appellerons votre crise, arraché vos pansements. En avez-vous ressenti la douleur ? Avez-vous senti que vos brûlures étaient à vif ?

Elle se troubla grandement à ce souvenir.

— Non… Sur le moment je n'ai rien senti. En fait je ne m'en suis pas rendu compte… Ce n'est qu'après, quand le docteur Martignac est venu appliquer le liniment et refaire les pansements, que j'ai senti la douleur et compris ce que j'avais fait.

— Bien… Je pense que nous en avons fini pour aujourd'hui. Je ne vais pas vous fatiguer plus longtemps, mademoiselle.

Il se leva, prenant congé de celle qui serait désormais sa patiente. La jeune fille se leva à son tour, dans une attitude gauche et fragile qui tranchait avec son assurance du début de l'entretien.

— Docteur… Pensez-vous que je suis malade ? l'interrogea-t-elle avec une timidité teintée d'effroi.

Il la dévisagea avec la calme autorité de son expérience.

— Je ne vais pas vous mentir, mademoiselle. Je pense que vous souffrez d'une maladie qui dort en vous depuis l'enfance, mais qui s'est en quelque sorte réveillée avec le choc de l'incendie. Mais nous pouvons vous en guérir. Et c'est ce que j'ai l'intention de faire avec votre concours, car sans vous je n'arriverai à rien. Puis-je compter sur vous, Constance ?

Elle articula un oui minuscule, debout dans sa robe de couventine, frissonnant dans la tiédeur de la chambre comme à travers les bourrasques d'une tempête. Et c'en était bien une qui bouillonnait à l'intérieur de cette jeune fille sage et butée, une tempête qui avait longtemps couvé avant de laisser éclater sa rage. Mais Hyacinthe Brunet, qui aimait à se voir en capitaine bravant les océans démontés, n'était pas homme à s'en effaroucher.

*

Sa chevelure dorée déployée sur ses épaules, Violaine de Raezal parcourait le journal dans son lit quand sa femme de chambre lui remit une lettre qui venait d'être portée à l'hôtel de Raezal. Elle tressaillit en déchiffrant la signature de son auteur, repoussa son journal sur le bord du lit et, malgré la lumière qui filtrait à travers les rideaux, ralluma sa lampe pour la lire.

Paris, avenue de Friedland, le 19 mai 1897,

Chère Madame de Raezal,

Nous n'avons pas l'heur de nous connaître, et je crains d'être importun en vous adressant cette lettre. Sans doute savez-vous que mon épouse a disparu dans le terrible incendie du Bazar de la Charité. Ayant appris que vous vous trouviez auprès d'elle durant ses derniers instants sur cette terre, je souhaiterais vivement m'entretenir avec vous à ce sujet. Me pardonnerez-vous cette requête ? J'imagine que ce sont là, pour vous, de bien douloureux souvenirs à remuer. Si cette perspective vous est insupportable, ayez surtout la franchise de me le dire, je ne vous en tiendrai nullement rigueur. Si toutefois vous aviez la force d'honorer la requête un peu folle d'un époux endeuillé, je vous recevrais chez moi après-demain, à quatre heures si cela vous convient.

Veuillez recevoir, Madame, l'expression de mon pro-fond respect.

Ferdinand d'Orléans, duc d'Alençon

Une élégante écriture, agitée des tremblements d'une peine profonde, se dit-elle. Elle relut plusieurs fois la lettre, le cœur battant fort à l'idée que ce prince du sang lui écrivait à elle, Violaine de Raezal, qu'il eût à peine saluée si le hasard les avait mis en présence. Du reste, n'était-il pas passé plusieurs fois près d'elle sans la remarquer au Bazar de la Charité ? Et voilà qu'il la priait humblement d'accepter son invitation, envisageant un refus. Il était piquant que le cocher eût justement inventé l'autre jour que son maître l'attendait pour dîner, et que cette lettre arri-vât aujourd'hui. Aussitôt elle pensa à Gabriel. Voyez, mon bien-aimé, regardez qui m'écrit, un prince d'Orléans qui serait peut-être assis sur le trône de France si nous n'étions pas en république !

Elle répondit sur-le-champ qu'elle serait honorée de se rendre à l'heure dite à l'hôtel d'Alençon, mais au fil de la journée, son excitation se dilua pour laisser place à de l'appréhension. Heureusement, un second message vint bientôt distraire sa pensée, signé de Mary Holgart :

Chère Violaine,

Je suis heureuse que nous ayons pu faire plus ample connaissance ! N'oubliez pas que je vous attends jeudi pour le thé, ma tante sera là et se réjouit de vous rencontrer à son tour. Nous comptons sur votre présence !

Depuis notre entrevue, j'ai mené ma petite enquête au sujet de la jeune Constance d'Estingel dont vous m'aviez parlé. Je peux d'ores et déjà vous rassurer, elle est en vie et a été confiée aux bons soins de Mme Du Rancy, avenue Montaigne. Une dame exquise que je connais bien. Votre jeune amie y poursuit sa convalescence, et il semble que le médecin lui ait interdit les visites... Toutefois, si vous souhaitez l'assurer de votre affection, je vous propose que nous y allions ensemble vendredi matin. Je ne pense pas que Mme Du Rancy me refusera cette faveur.

Avec mes sentiments distingués,

M. Holgart

À la pensée de revoir Constance, son cœur se remplit de gratitude envers l'Américaine. Depuis l'incendie, ses pensées revenaient sans cesse à la jeune fille, elle la revoyait emportée par la foule à l'autre bout du Bazar en flammes. Elle avait épluché chaque jour les macabres listes de victimes dans la terreur d'y trouver son nom. Grâce au Ciel, elle était en vie et elle allait la revoir.

La comtesse de Raezal décida d'aller marcher pour diluer son trop-plein d'excitation nerveuse dans le tumulte de la ville. De Mary Holgart à Constance en passant par le duc d'Alençon, il lui semblait que la duchesse n'avait jamais été plus présente que depuis sa disparition, silhouette flottant dans le crépitement de la fournaise qui avait scellé leurs destinées à toutes les trois.

*

Un crépuscule orangé descendait sur Paris quand Laszlo de Nérac poussa la porte du cercle de l'Union artistique, sis dans un hôtel particulier luxueux au 5 de la rue Boissy-d'Anglas. À son entrée, un valet de pied en livrée vint le débarrasser de son manteau, s'enquérir de son nom et de l'objet de sa visite. Il lui remit sa carte et l'informa que Louis d'Estingel lui avait donné rendez-vous ici. Après avoir consulté son registre, le valet lui confirma qu'il était attendu au premier étage dans le salon des invités, à droite en haut de l'escalier.

En traversant le grand hall où quelques hommes d'affaires et une poignée de mondains devisaient avant d'aller dîner en ville ou de gagner les tables de jeu, il se rappela l'entêtement de son père à vouloir le faire entrer au Jockey-Club. Le comte de Nérac avait fait partie de ses tout premiers membres. Le Jockey restait l'un des clubs les plus fermés de Paris, où la naissance faisait presque tout, même si quelques barons de la haute finance arrivaient aujourd'hui à s'y faire élire au prix d'efforts coûteux et de beaucoup de patience et de ronds de jambe. Mais quelques semaines après s'être installé dans la capitale, Laszlo avait pris un malin plaisir à publier son article de défense des communards, dans un Paris encore traumatisé par les incendies de la Commune, par sa répression sanglante et ses combats de rue.

L'opinion parisienne s'était rangée de longue date du côté des Versaillais, et son article, signé d'un nom d'ancienne noblesse qui attirait l'attention, sonna aux oreilles des membres du Jockey-Club comme la plaisanterie douteuse d'un héritier ingrat. On plaignit le père de ce malappris et il ne fut plus, dès lors, question de l'introniser. Quelques jours plus tard, comme un lien de cause à effet, son père fut victime d'une attaque d'influenza qui lui valut de garder le lit un mois entier. Il en réchappa de justesse.

Laszlo n'était pas mû par le désir de régler ses comptes avec son père, les brimades de son enfance étaient loin maintenant qu'il avait quitté le donjon austère de Nérac. Pour autant, il n'entendait plus se faire dicter sa conduite par cet homme si différent de lui. Il s'entoura d'artistes et d'écrivains décadents quand son père eût voulu le voir évoluer au sein d'un réseau d'amis puissants et sûrs, capables de le guider dans le monde et de l'aguerrir à ses pièges.

S'il avait accepté la main tendue de certains membres du Jockey-Club, il serait aujourd'hui au chaud, à l'abri des meilleurs réseaux sociaux de Paris, et des gens haut placés se seraient arrangés pour fermer d'un mot la bouche de Pauline de Fontenilles avant qu'elle ne mît en péril sa carrière et sa réputation. Au lieu de quoi ceux qui infléchissaient les courants de l'opinion française, qui faisaient naître certaines rumeurs pour en étouffer d'autres, qui créaient chez les Parisiens le besoin irrépressible de faire du vélocipède ou de miser toutes leurs économies sur le canal de Panama, avaient haussé les épaules devant la marée d'équinoxe qui emportait le nom de Laszlo de Nérac dans ses déferlantes pour le pulvériser sur les rochers.

Il restait néanmoins au jeune homme quelques amis sincères et, dès le lendemain du vernissage, Maurice Dampierre avait débarqué chez lui à une heure très matinale, le tirant du lit pour l'informer de la rumeur qui courait à son sujet.

— C'est très sérieux, mon ami, ne commettez pas l'erreur de prendre tout cela à la légère..., l'avait averti Dampierre. Vous risquez votre carrière.

— Ma carrière ! s'était exclamé Laszlo, incrédule et amusé. Mais enfin, qu'ils prouvent ce qu'ils avancent ! Je n'étais même pas au Bazar au moment de l'incendie ! Je suis arrivé sur les lieux avec un employé du journal, au moment où la structure du hangar s'effondrait.

Ayant exhumé sa pipe d'une poche de son veston trop large, Maurice Dampierre secoua la tête, l'air sombre.

— C'est bien ça le pire ! Ils n'ont pas à prouver quoi que ce soit. Il leur suffit d'insinuer que vous étiez là, qu'on vous y a vu, qu'on vous a vu « vous tailler un chemin au milieu de ces pauvres victimes avec votre canne » – canne dont je vous conseille d'ailleurs de vous débarrasser au plus vite, je me fiche que ce soit un cadeau de je ne sais qui ou un héritage... Ils n'ont qu'à l'insinuer, et cela suffit à vous nuire gravement.

— Mais enfin c'est absurde ! J'ai oublié ma canne dans le fiacre qui m'a déposé au Bazar, ce jour-là. Quant au reste, je n'ai qu'à publier demain un démenti assez cinglant pour tuer cette rumeur dans l'œuf !

Tandis qu'il faisait les cent pas dans son bureau, silhouette longiligne en peignoir de soie pourpre, Maurice le menaça de sa pipe d'où dépassaient quelques brins de tabac.

— À votre place, je me garderais de tout optimisme à ce sujet. Je me suis renseigné, figurez-vous. Ça n'a pas été simple, mais un de mes amis connaît l'auteur de l'article qui vous accuse sans citer votre nom.

— Quel article ? Pourquoi ne me l'a-t-on pas donné au *Matin* ? J'y suis passé hier, on ne m'en a rien dit, répondit le jeune homme dont l'indignation croissait à chaque minute.

— Justement. Si j'étais vous, je me méfierais des bonnes gens qui vous emploient. Ils vous aiment tant que vous faites vendre du papier. Mais si vous devenez trop embarrassant... Ne comptez pas sur leur solidarité. En effet, ils auraient dû vous prévenir... Mais ils ne l'ont pas fait.

— Et je ne vois pas pourquoi ! murmura Laszlo.

— C'est sans doute qu'ils attendent de voir de quel côté tournera le vent. Ensuite ils se détermineront... En fonction de leur intérêt, pas du vôtre.

Pendant que Maurice Dampierre entreprenait d'allumer sa pipe, Laszlo se tut, assommé par l'évidence.

— Mais alors que puis-je faire ? Quelle est ma marge de manœuvre ?

— Elle est faible, j'en ai peur. Il faut réfléchir à une stratégie de défense, mon cher, avait ajouté son ami en tirant quelques bouffées sur sa pipe. Mais avant cela, sachez que par cet ami dont je vous parlais, j'ai fini par apprendre qui est à l'origine de cette rumeur.

— C'est cette engeance de dominicain ! lâcha Laszlo avec une grimace dont le comique arracha un sourire à Maurice, lequel semblait pourtant avoir perdu tout sens de l'humour. C'est lui à coup sûr, le père Ollivier !

— Voilà qui eût été diablement ingénieux de sa part ! approuva-t-il en exhalant un peu de fumée à l'arôme de tabac blond. Mais… non, votre mauvaise fée est la marquise de Fontenilles.

— La marquise de Fontenilles ? Mais pourquoi m'en voudrait-elle à ce point ? Je ne la connais même pas !

— Êtes-vous bien sûr de ne l'avoir jamais rencontrée ?

Il prit le temps d'y réfléchir. Ce nom ne lui disait rien. Ou plutôt, il résonnait comme la note lointaine d'un concert qui, sans être triste ni tragique, le renvoyait à une époque heureuse.

— J'ai dû la croiser tantôt, à certains bals… Il me semble que c'est une amie des parents de Constance.

— Ah ! vous voyez. Décidément, avait soupiré Maurice, rien de bon ne vous viendra de ce côté-là. Êtes-vous sûr que votre attachement à cette jeune fille mérite tant de sacrifices ? Votre réputation, votre carrière ? Allons !

— Enfin, Maurice, le coupa Laszlo, je ne vois pas quel serait l'intérêt des parents de Constance dans cette affaire... Me discréditer en tant que fiancé ?

— Mais peut-être ! Peut-être ont-ils un meilleur parti pour leur fille, que sais-je ! s'emporta Maurice Dampierre. Ces gens sont infréquentables et votre stupide amour vous garde sous leur coupe !

— Admettons, répondit-il pour calmer l'indignation de Maurice. Mais si les parents de Constance veulent se débarrasser de moi, pourquoi rejettent-ils la décision de leur fille ? protesta Laszlo avec entêtement. Son père m'a d'ailleurs donné rendez-vous à l'Union artistique...

— Eh bien, profitez-en pour tirer ça au clair, mon cher. Et si d'Estingel est derrière tout ça, coupez les ponts au plus tôt. Ne laissez pas cette engeance ruiner votre carrière.

Quittant le hall d'entrée du cercle, Laszlo s'engagea dans l'escalier de marbre recouvert d'un tapis rouge qui menait au premier étage. Au demi-palier, il croisa deux mondains habillés en queue-de-pie qui se turent brusquement à sa vue, lui donnant la désagréable sensation d'être toisé et jugé sans procès. Un sentiment de honte l'envahit, mêlé de rage. Maintenant qu'il réalisait la gravité de ce qu'on lui reprochait, toute l'infamie de cette rumeur, il eût voulu confronter la ville entière, faire éclater son innocence et laver son honneur. Il frémit soudain à la pensée que Constance avait pu accorder quelque crédit aux bruits qui couraient sur son compte. Pouvait-elle l'imaginer piétinant les victimes en s'aidant de sa canne ? Laszlo eût aimé se rassurer, se dire qu'elle le connaissait assez pour savoir qu'il en était incapable, mais au fond de lui une petite voix lui soufflait que la jeune fille ignorait qui il était vraiment et redoutait en lui cette part d'ombre et de sauvagerie que les jeunes personnes mêlent souvent à l'idée de virilité.

Aux yeux de Constance il était homme, donc capable de violence. Il l'était, du reste, bien sûr qu'il l'était. Capable d'envoyer son poing dans la figure de quelqu'un ou de laisser parler sa rage. Mais il n'aurait jamais porté la main sur une femme, fût-elle la marquise de Fontenilles. Il fondait toutes les femmes dans l'image de sa mère. Il ne les avait jamais considérées comme des proies, ni comme d'éternelles petites filles qu'il fallait protéger de la vie car sa mère n'avait rien été de tout cela. Au contraire, c'est elle qui lui avait appris à éprouver son courage, à affronter ses peurs, à ne pas redouter ses désirs ni la force de ses chagrins, et surtout à préserver sa sensibilité car cette dernière ferait la qualité de l'homme qu'il deviendrait.

Par une étrange ironie, c'était précisément sur cet homme-là que cette accusation terrible était venue s'abattre. Lui qui n'avait jamais extorqué de faveurs à une femme, jamais sali la réputation d'une ancienne amante. Lui qui se tenait au bord de la forêt où Constance s'était enfuie, le cœur arrêté, là où tant d'autres auraient brûlé la forêt et puni cette enfant rétive en la dévastant.

En pénétrant dans le salon des invités, il fut soulagé de constater que seuls quelques habitués y bavardaient sans passion en sirotant un apéritif. L'endroit était presque désert. Cependant les regards convergèrent vers lui et Louis d'Estingel, qui lisait son journal avachi dans un fauteuil, un verre de whisky à portée de main, se leva d'un geste brouillon qui transpirait la gêne. Il y eut quelques secondes de flottement chez ce terrien d'ordinaire lesté par son embonpoint, puis il marcha vers son invité avec un sourire fabriqué qui évoquait à Laszlo les réclames des colonnes Morris, ces hommes aux anges d'avoir siroté une Suze ou un verre de Byrrh au quinquina. Autour d'eux, les conversations s'étaient tues. Louis d'Estingel salua son gendre en puissance et lui prit le bras d'autorité pour l'entraîner vers sa table, tandis que les bavardages reprenaient en sourdine. Une chose que Laszlo avait apprise petit en se bagarrant avec les garçons d'écurie ou les fils du maître de chai, c'était qu'on ne marchandait pas son honneur. Mais il lui fallait éviter toute réaction impulsive devant le couperet de ces regards en coin. L'heure n'était pas encore venue de régler ses comptes.

— Que buvez-vous, Laszlo ? l'interrogea Louis d'Estingel en se rasseyant dans le fauteuil dont le cuir gardait l'empreinte de son postérieur. Un verre de bourgogne ? Une absinthe ? Il fait une chaleur épouvantable.

Il transpirait comme un bœuf, ce qui surprit Laszlo car la température de la pièce était agréable. Du côté de la cour, les persiennes entrouvertes derrière les fenêtres laissaient passer l'air frais du soir, et de larges ventilateurs d'inspiration coloniale tournaient au plafond dans un vrombissement léger et apaisant. Le salon des invités était un refuge feutré qui donnait sur une petite cour, et seul le brouhaha des tables de jeu leur parvenait par instants, atténué par l'épaisseur des murs.

— Je prendrai un chardonnay, lâcha Laszlo en s'asseyant à son tour.

Louis d'Estingel fit signe à l'un des valets de pied.

— Vous n'étiez jamais venu ici ? demanda-t-il. C'est l'endroit où je me réfugie quand je veux échapper à ma femme ! ajouta-t-il avec un petit rire. Je pensais d'abord vous inviter à la maison mais… nous serons plus tranquilles ici. Pour être franc, je m'y sens davantage chez moi ! Ah… Êtes-vous bien sûr de vouloir vous marier ?

Nous y voilà, songea Laszlo. Au fait.

— Je suis sûr d'aimer votre fille, monsieur, répondit-il. Et vous m'accorderez qu'il serait malséant de l'aimer hors mariage…

Celui qui avait été son beau-père accueillit ces mots avec ce qui s'efforçait de ressembler à un sourire mais tenait plus de la grimace crispée. Il semblait mal en point, et son front luisait de sueur. Voyant qu'il l'observait avec perplexité, Louis d'Estingel cessa brutalement de sourire et se pencha vers lui au-dessus de la table.

— Si je vous ai fait venir ici ce soir, c'est pour que nous puissions parler sans détour. J'attends de vous la plus entière franchise. Vous étiez mon gendre, après tout.

Étiez ?

— Avez-vous renoncé à ce projet ? le coupa abruptement Laszlo qui sentit son sang bouillir comme si des chevaux emballés lui piétinaient la cervelle.

Louis d'Estingel se racla la gorge, tandis que le valet de pied déposait sur la table basse un whisky bien tassé et un chardonnay.

— Allons…, dit l'homme replet, se ruant sur son verre comme s'il était tenaillé par la soif, ne me faites pas dire ce que je n'ai pas dit !

— Ne l'avez-vous pas dit ? insista le jeune homme qui n'était pas d'humeur diplomatique.

D'Estingel jeta un bref coup d'œil alentour, vérifiant qu'ils étaient hors d'atteinte des oreilles indiscrètes.

— Mais enfin, Nérac ! protesta-t-il en se brûlant le gosier avec une lampée de whisky. Êtes-vous sérieux ? Allons… J'admets que ma femme et moi avons pu vous sembler indécis ces dernières semaines, que certaines de nos réactions ont pu prêter à confusion… Mais peut-être pourrez-vous comprendre que nous soyons quelque peu bouleversés par ce qu'endure notre fille ?

— J'imagine…, concéda Laszlo, brûlant de l'interroger sur Constance, son état, ses blessures dont son esprit échafaudait sans cesse des versions plus alarmantes.

— Seulement cette affaire est bien fâcheuse, mon ami, murmura Louis d'Estingel, et ces paroles firent à Laszlo l'effet d'un stylet jailli d'un rideau. Savez-vous que tout Paris ne parle plus que de ça ?

Laszlo s'empourpra. S'était-il imaginé que la question ne viendrait pas sur le tapis ? Voilà que sa simple mention le mortifiait au-delà des mots. Il saisit néanmoins l'opportunité de se disculper.

— Je n'ai pas piétiné ces femmes, murmura-t-il.

— Je ne demande qu'à le croire. Mais...

— Je n'étais pas dans le Bazar au moment de l'incendie. *Je n'y étais pas*, vous comprenez ? le coupa le jeune homme. C'est un coup monté pour me perdre de réputation.

Louis d'Estingel avala d'une traite un tiers de son whisky. Il semblait profondément dubitatif.

— Pourquoi voudrait-on vous perdre ? Ça n'a pas de sens.

— Parce que je dérange certains. Mes articles...

— Le témoignage qui vous accable, le coupa sèchement le père de Constance, est au-dessus de tout soupçon.

— C'est un faux témoignage, répondit Laszlo. Je le prouverai.

Louis d'Estingel soupira, et ses traits accusés lui donnèrent tout à coup l'air vieux et fatigué.

— Imaginez-vous quelle vie ce serait pour Constance ? Porter ce fardeau ? Même si elle vous aime toujours, ce que j'ignore, ce serait un prix exorbitant à payer pour un mariage d'amour.

Le coup avait porté.

— Vous avez renoncé à ce mariage, dit-il d'une voix sourde. Ayez au moins le cran de me le dire en face.

— Je n'y ai pas renoncé, répondit d'Estingel.

À son regard épuisé, aux abois, le jeune homme sut qu'il était sincère.

— Non, répéta-t-il avec étonnement, je n'y ai pas renoncé. Vous nous rendez la tâche difficile..., ajouta-t-il. Je n'ai qu'un conseil à vous donner : prouvez votre innocence. Faites la lumière sur cette affaire, revenez me voir quand vous serez lavé de cette accusation. Et surtout, ne cherchez pas à approcher Constance. Elle va très mal.

Laszlo répondit d'une voix sans timbre :

— C'est la première fois que vous êtes honnête avec moi, monsieur. Je refuse que Constance partage mon infamie. Je ferai ce que vous dites, et ne chercherai pas à la revoir avant que tout ceci soit effacé. Mais dites-moi ce qu'elle a. J'ai besoin de savoir.

Louis d'Estingel s'était levé pour le raccompagner. Il se tourna vers lui, et le tourment qui ravageait son visage poupin porta à Laszlo le coup de grâce de cette soirée.

— Elle ne se remet pas de ce qu'elle a vécu, souffla le père de son amour. Elle doit être conduite demain dans une maison de repos où nous n'aurons pas le droit de lui rendre visite. Et pour tout dire… j'ignore si elle en sortira un jour.

*

Quelques heures plus tard, le cercle s'était vidé de sa société, partie explorer la nuit parisienne ou remplir ses obligations mondaines avant que sonne l'heure de rentrer chez soi. Les joueurs invétérés hantaient encore les tables de poker ou misaient la dot de leur femme à la roulette. C'était l'heure exquise, celle où Louis d'Estingel rejoignait ses petites danseuses de l'Opéra, lutinant leurs hanches gracieuses, leurs jambes satinées dans la pénombre ouatée des coulisses. Après le ballet, des perles de sueur scintillaient au creux de leur gorge et de leurs aisselles, et leurs petits visages fourbus disaient l'espérance du réconfort, le désir d'être câlinées, portées comme des reines, leurs pieds menus pansés par des mains compatissantes, leurs peines d'un soir consolées par des baisers et des bulles de champagne.

Mais ce soir cet homme prompt à se dérider, ce viveur infatigable et prodigue dont l'enthousiasme renaissait chaque nuit, se tenait seul dans un salon éclairé de veilleuses, courbé comme un vieillard, l'esprit obscurci de nuées sombres et d'angoisses. Il revoyait ce médecin leur expliquer qu'il allait leur enlever Constance pour un délai dont lui seul fixerait le terme, s'il daignait un jour la leur rendre. Leur annoncer tout cela avec une autorité désinvolte, parce que l'hystérie venait de se trahir et que son devoir était de retrancher sa victime de la société pour la placer en quarantaine, comme une pestiférée. Amélie avait manqué s'évanouir quand il avait parlé d'explorer toutes les pistes en commençant par la plus évidente : l'hérédité. Mais Louis n'avait songé qu'à sa fille, sa fille qu'il n'arrivait pas à imaginer entre quatre murs, en la compagnie des folles alors qu'il la voulait heureuse et mariée. Il était prêt à la donner à ce Nérac s'il le fallait. Du reste, il ne le croyait pas coupable, et peu importait ce que racontait la Fontenilles, il savait reconnaître un innocent quand il en avait un devant lui. Non, ce garçon était surtout doué pour s'attirer des ennuis et il n'était pas sûr qu'il pût se tirer du guêpier où il s'était fourré.

Tandis que les heures d'une nuit bleutée s'écoulaient avec la lenteur des dernières gouttes de liqueur glissant au fond d'un verre, il comprit qu'il n'arriverait pas à se résigner à perdre son enfant. Non qu'il en eût été proche ; depuis son enfance elle lui apparaissait comme un petit animal insolite et mystérieux. Mais il ne supportait pas de l'imaginer encagée, internée, murée dans la solitude. Aussi espérait-il que Laszlo de Nérac trouverait un moyen de ne pas se faire tuer.

18

— Savez-vous, chère madame, qu'il y a deux ans, j'ai eu le privilège de rencontrer votre mari lors d'une soirée philanthropique que je présidais en faveur de la recherche médicale ? déclara la tante de Mary Holgart quand elles eurent pris place toutes les trois dans le grand salon où le portrait de la marquise de Sévigné en robe bleue décolletée, de longues anglaises encadrant son visage serein, trônait en bonne place.

— C'était un homme absolument charmant, et très généreux, ajouta Mme de Marsay en tendant à Violaine une assiette de scones avant que le valet de pied ait eu la moindre chance de s'en emparer pour faire le service, ce qui le mortifia.

C'était le premier jour de ce jeune valet, et il était désarçonné par l'aplomb de sa nouvelle maîtresse. La vieille dame, qui avait atteint l'âge où ses congénères s'essoufflaient d'aller de leur chambre au salon, l'impressionnait par son maintien irréprochable et par le dynamisme qui se dégageait d'elle.

Violaine de Raezal accepta un scone pour se donner une contenance, car entendre mentionner son époux par surprise lui causait toujours une forte émotion.

— J'ai été désolée d'apprendre qu'il était malade, ajouta Mme de Marsay. Comme cela a dû être difficile à vivre pour vous...

Violaine acquiesça sous le regard attentif de Mary Holgart.

— A-t-il beaucoup souffert ?

— Oui, répondit Violaine de Raezal. J'en venais à souhaiter que tout cela finisse.

Mme de Marsay hocha la tête.

— Il n'y a rien de plus douloureux que de voir souffrir quelqu'un qu'on aime... C'est pourquoi je m'efforce sans relâche de récolter des fonds pour que ces maladies soient un jour éradiquées de la surface de la terre. Nous y arriverons, vous verrez. En attendant, vous êtes vivante, mon enfant. Ne l'oubliez pas, ne laissez pas votre chagrin prendre trop de place. Vous êtes jeune, ravissante... Votre vie est devant vous !

Violaine sourit à cette grande dame capable d'aborder des sujets graves avec naturel, là où tant de femmes s'appliquaient à ne jamais s'élever au-dessus des platitudes mondaines. Sa réponse fut un aveu qu'elle n'aurait jamais pensé faire, mais auquel la poussa la franchise de Mme de Marsay.

— Quand mon mari était sur la fin, je pensais ne pouvoir lui survivre. Je voulais me jeter sous les roues d'un fiacre. J'avais cent fois retourné ce projet dans ma tête et m'y étais préparée. Une nuit, quelques jours après son enterrement, je marchais près du Luxembourg. J'ai entendu le bruit d'un fiacre qui arrivait à vive allure. La rue faisait un coude, il ne pouvait pas me voir. Je n'avais qu'à descendre sur la chaussée pour qu'il me renverse. Chaque semaine, des gens perdent ainsi la vie, personne n'aurait su... J'entendais le trot rapide du cheval, le fracas des roues sur les pavés... Et puis non, je n'ai pas pu. Je suis restée là, au bord du trottoir. Je n'ai pas eu ce courage.

— Je trouve que le courage, c'est plutôt de survivre quand on voudrait mourir..., intervint Mary Holgart, invitant d'un signe de tête le valet de pied à leur servir le thé.

Ce n'était pas un début facile pour ce valet de pied que la conversation en cours, tranchant par trop avec les causeries de salon auxquelles il avait été habitué dans son ancienne place, mettait terriblement mal à l'aise. De gêne, il rattrapa *in extremis* une assiette de canapés au saumon relevés de grains de caviar qui allait basculer, mais renversa aussitôt une rasade de thé noir et brûlant sur le tapis persan, ce qui le plongea dans l'angoisse. Se faire renvoyer le premier jour, pouvait-on se figurer pareille malchance ? Constatant que personne ne semblait avoir prêté attention à sa maladresse, il se hâta de remplir les tasses en tremblant légèrement, avant de disparaître à l'office.

Mme de Marsay n'avait pas perdu une miette de la confession de la comtesse de Raezal. Son œil vif allait de sa nièce préférée à leur invitée. Dieu qu'elle aimait la compagnie des jeunes femmes ! Tout en déplorant chez elles cette tentation du désespoir qui les poussait à de telles extrémités. Comment leur faire comprendre le caractère sacré de leur vie sur terre ? Sa nièce elle-même, cette délicieuse enfant, avait cédé tantôt à l'envie de mourir, ce poison de l'âme qui vous abîmait en vous-même quand il eût fallu ouvrir grandes les fenêtres, aérer ces boudoirs poussiéreux, ces alcôves mornes où se déroulait le plus clair d'une vie de femme, et chasser la tristesse par de longues promenades dans la campagne baptisée de rosée.

— Dites-moi, chère madame, ces pensées funèbres sont-elles derrière vous maintenant ? interrogea-t-elle.

— Quand je me suis retrouvée prisonnière du Bazar en flammes, répondit Violaine avec simplicité, j'ai senti que je voulais vivre. Que je ne le voulais pas pour Gabriel, comme j'avais voulu beaucoup de choses depuis sa mort, mais pour moi seule.

— Eh bien, je m'en réjouis pour vous, et pour tous ces hommes à qui vous allez briser le cœur ! s'écria la vieille dame, une lueur espiègle dans ses yeux gris. Vous êtes trop jolie pour une veuve. Et là, je vous confie ce que tout le monde pense tout bas !

Violaine ne put s'empêcher de rire. C'était étrange de rire de nouveau, de secouer la monotonie du chagrin.

— Et si nous persuadions notre invitée de nous accompagner ce soir au théâtre ? lança la vieille dame que cette idée réjouissait. Le théâtre de la Porte-Saint-Martin rouvre ce soir avec *Don César de Bazan*, une pièce que j'aime beaucoup. Avant, il faut que je me montre à la réception que donne ma fille chez elle, faubourg Saint-Honoré. Chaque trimestre, comme ma fille refuse de venir me voir dans ce quartier mal famé, j'accepte une de ses invitations. Ses soirées sont si ennuyeuses... La dernière fois, je parlais des correspondances que l'on peut découvrir entre la pensée de Malebranche et celle de saint Augustin, et une vicomtesse douairière très distinguée m'a répondu qu'elle était fière de n'avoir lu qu'un seul livre dans sa vie : *L'Imitation de Jésus-Christ* ! Imaginez-vous cela ?

— Ma tante lui a aussitôt promis de lui envoyer un exemplaire de *L'Origine des espèces*, ajouta Mary Holgart, en précisant que c'était une version de *L'Imitation* corrigée de ses erreurs... La vicomtesse l'a chaudement remerciée.

Elles partirent d'un fou rire contagieux, jusqu'aux larmes. Pour Violaine, ce fut comme de mordre dans une pomme d'amour dégoulinant de sucre et de nostalgie.

— Lui avez-vous fait porter le livre ? articula Violaine en s'essuyant les yeux du coin de son mouchoir.

— Oui, sur-le-champ, répondit la vieille dame. Depuis, quand je la croise, elle me regarde comme si j'étais le diable.

Elles repartirent à rire. Derrière la porte, le valet de pied n'osait plus rentrer et regrettait amèrement de s'être fait embaucher dans cette maison de fous.

— Après ce que je viens de vous confier, vous ne pouvez pas refuser de nous accompagner ce soir, conclut Mme de Marsay. N'est-ce pas, Mary ?

— Je suis d'accord, dit Mary. Vous n'avez pas le choix, chère Violaine.

Violaine de Raezal n'était pas retournée à l'Opéra ni au théâtre depuis la maladie de Gabriel. Durant de nombreuses années, son mari et elle s'y étaient rendus au moins une fois par semaine, et elle eut peur, soudain, de réveiller trop de souvenirs. Mais elle trouvait son hôtesse irrésistible, et ne se rappelait pas avoir passé un aussi bon moment depuis longtemps.

— Je ne vais plus au spectacle depuis mon veuvage, répondit la comtesse de Raezal.

— Nous sommes tous en deuil depuis le 4 mai, répondit Mme de Marsay avec gravité. Nous avons tous perdu des amies, des sœurs, des cousines dans cet horrible incendie. Et pour autant, il faut bien que la vie reprenne ses droits... Regardez, depuis quinze jours tous les théâtres faisaient relâche par respect pour les victimes et pour leurs proches, et voilà qu'ils rouvrent car les gens ont besoin de se distraire de leur chagrin. Et vous aussi, ma chère, vous en avez besoin.

— Sans doute..., admit Violaine après un silence. Mais la loge de mon mari est désormais réservée à ses enfants et à leurs amis, et...

— J'ai une loge très confortable et bien placée, la coupa Mme de Marsay d'un ton enjoué. Nous y serons comme des reines. Pouvons-nous considérer que l'affaire est conclue ?

Violaine capitula en souriant, à bout d'arguments.

— Je vais donc prendre congé de vous, chère madame, et monter me préparer pour cet assommant dîner. Nous passerons vous prendre chez vous vers dix heures. Cela vous convient-il ?

— C'est parfait, répondit la comtesse avec ce sourire plein de grâce qui s'épanouissait telle une fleur de lotus enfermée trop longtemps dans le noir.

*

Constance d'Estingel fut conduite le matin du même jour dans une clinique privée sur les hauteurs de Passy, non loin de celle du docteur Blanche que Hyacinthe Brunet avait souvent fréquentée. Dans le salon de Mme Du Rancy, ses parents furent autorisés à l'embrasser une dernière fois avant que deux religieuses l'escortent jusqu'à la voiture qui attendait avenue Montaigne. La jeune fille essuya une larme en embrassant Mme Du Rancy, qui ne pouvait contenir les siennes.

Devant son expression éteinte où ne brûlait aucune révolte, sa bienfaitrice fut saisie d'un pressentiment qui lui serra le cœur tandis que Constance s'éloignait encadrée par les sœurs dans sa robe noire. L'intuition fulgurante qu'elle ne la reverrait pas. Mme Du Rancy n'avait pas le pouvoir de s'opposer à la décision du docteur Brunet, mais la laisser partir dans cet état de fragilité fut pour elle presque aussi douloureux que d'enterrer sa fille. Elle se retira dans sa chambre, ordonnant qu'on ne la dérangeât sous aucun prétexte, et passa le reste du jour à trier sa correspondance, ses mains grêlées de taches tremblant doucement sur le bois ciré de son secrétaire.

Une heure avant qu'on emportât sa fille, Louis d'Estingel s'isola dans le bureau de feu M. Du Rancy avec le docteur Brunet. Ce dernier tira d'une sacoche en cuir noir les documents qui scellaient le destin de Constance.

— Cher monsieur, pouvez-vous apposer votre signature au bas de ces formulaires de placement volontaire ?

Louis d'Estingel semblait avoir vieilli de dix ans en quelques jours. Il regarda ce jeune médecin calme et sûr de lui sans déchiffrer aucune émotion sur son visage.

— Je refuse de la laisser partir. Si elle a vraiment besoin de soins, alors qu'elle soit soignée chez elle, dans sa maison. Nous paierons ce qu'il faut.

Le docteur Brunet lui jeta un regard calme qui n'était pas dénué de bienveillance.

— Ce que vous me demandez est malheureusement impossible. Votre fille est atteinte d'hystérie. Elle a besoin d'être soignée à l'écart de toute sollicitation extérieure. Je dois l'éloigner de ses parents, de ses proches, de tous les gens qui lui causent des émotions susceptibles d'aggraver son mal. Si vous l'aimez, et vous l'aimez, de toute évidence, il faut accepter cette épreuve nécessaire.

— Il y a sûrement un autre moyen que de l'interner dans un asile psychiatrique ! explosa Louis d'Estingel.

— Nous ne l'envoyons pas à la Salpêtrière, cher monsieur, répondit patiemment le docteur. Je dirige une clinique privée qui soigne les personnes de sa condition. Elle y sera bien traitée. Dans ce lieu propice à leur guérison, nous traitons les maladies nerveuses des femmes de la meilleure société. Ces soins sont d'ailleurs coûteux, mais ce prix garantit leur qualité. J'ai besoin de votre confiance absolue. Je ne puis vous expliquer ce que de longues années d'études et vingt ans d'expérience clinique m'ont appris sur l'hystérie et les moyens de la guérir. Je peux juste vous assurer que c'est un sujet que je maîtrise parfaitement. Que votre fille ne pouvait tomber entre de meilleures mains. J'ajoute que mon confrère Martignac s'est prononcé lui aussi en faveur de son internement.

Louis d'Estingel fixait ce jeune médecin d'un air peu amène. Il le trouvait arrogant. Il s'insurgeait intérieurement qu'un si grand pouvoir lui fût donné. Qui était-il, ce petit médecin qui se haussait du col, pour user avec lui de condescendance ? Son père avait peut-être sarclé les champs de pommes de terre de son grand-père à lui, là-bas, dans la seigneurie pluvieuse de Basse-Bretagne où était née sa famille et où lui-même n'avait jamais mis les pieds. Et sa mère lessivait sûrement vingt ans plus tôt les planchers du baron Louis-Georges d'Estingel, ignorant qu'elle enfanterait un jour ce gamin prétentieux !

— Y a-t-il, cher monsieur, des troubles mentaux chez certains membres de votre famille ? interrogea le médecin en posant sur lui son regard tranchant. Ou y en a-t-il eu chez vos ascendants ? Chez ceux de votre épouse ?

Cette question du docteur Brunet n'avait pour but que de déstabiliser son interlocuteur ; l'enquête généalogique viendrait en son temps et s'appuierait sur des éléments plus fiables que les réponses des intéressés, qui ne fournissaient en général que de pieux mensonges. Elle visait à fragiliser le père de sa jeune patiente, et y réussit parfaitement. Déjà il perdait de son aplomb physique, et chercha le secours d'une chaise tandis qu'il semblait intensément perdu en lui-même, s'appliquant à fuir l'image de tous ces aïeux aux manies effrayantes, de cette galerie de toqués – personnalités consanguines et décadentes – qu'abritait son caveau de famille. Ils étaient tous pareils, ces aristocrates. Imbus de leur lignée malade et sclérosée, ils s'imaginaient n'avoir aucun compte à rendre à personne. Mais le règne de la médecine était advenu ; et cette dernière avait aujourd'hui le pouvoir de faire trembler cette caste nobiliaire dont les ancêtres avaient marché impavides à l'échafaud, de la faire tomber de son piédestal en dévoilant que son sang était aussi rouge que celui du peuple et que ses membres étaient surtout les héritiers de la syphilis, de la neurasthénie et de la psychose.

— Je n'ai jamais rien entendu de tel..., bredouilla Louis d'Estingel.

— Naturellement, dit Hyacinthe Brunet avec un léger sourire. Mais l'hystérie a toujours une histoire. On trouve en général un terrain, un terrain familial. Enfin, nous aurons le temps d'en reparler. En revanche, si vous aimez votre fille et voulez la voir heureuse et établie dans un mariage plutôt que vomissant sa haine sur ceux qui l'aiment comme une possédée... Si vous ne voulez pas devoir la cacher toute sa vie, et voir naître toutes sortes de rumeurs infamantes sur le mal qui la ronge... il faut nous hâter de la guérir. Ai-je votre accord ?

Les résistances de l'homme avaient été vaincues par le soupçon généalogique. Il acquiesça sans mot dire, sonné, se laissa guider vers la table, referma sa main sur la plume qu'on lui tendait, signa où on le lui demandait. Et Hyacinthe Brunet lui serra la main et le laissa à ses atermoiements ; ses journées à lui étaient bien remplies et il n'avait pas une minute à perdre.

Louis d'Estingel fut autorisé à embrasser sa fille au bas de l'escalier.

Elle semblait distraite, absente à cette scène d'adieux. Il s'étonna de découvrir une petite cicatrice au coin de son arcade sourcilière gauche, sous le turban en soie grise, avant de se rappeler la chute qu'elle avait faite contre un angle de table basse, à l'âge où elle apprenait à marcher. Hypnotisé par cette cicatrice, il l'embrassa sur le front et sur la joue, en Judas maladroit, et se précipita dans sa voiture avec Amélie qui sanglotait dans son mouchoir. Il passa la nuit suivante à s'étourdir dans tous les mauvais lieux de Paris. Mais il eut beau faire, rien ne dissipa le sentiment obsédant d'avoir abandonné sa fille à de profondes ténèbres.

*

Le lendemain du soir où il était rentré à l'hôtel d'Alençon, le cocher Joseph avait eu la visite du préfet de police en personne. Plein d'effroi à l'idée qu'on venait le chercher pour le conduire à l'hôpital des fous, Joseph avait d'abord songé à s'enfuir, mais le duc d'Alençon, qu'on venait d'avertir de la visite du préfet, était arrivé sur ces entrefaites. Le cocher s'était donc préparé au pire, tentant de maîtriser de son mieux la crainte que cet homme lui inspirait.

Louis Jean-Baptiste Lépine, préfet de la Seine depuis quatre ans, était intimidant malgré sa petite taille. La barbe taillée en pointe, le front dégarni et les oreilles pointues, il avait de ces yeux sévères et pénétrants qui vous fouillaient la conscience à la recherche d'un grief. Armé d'un tel regard, ce petit homme transpirait l'autorité. Joseph, quant à lui, avait toujours redouté la police. Une peur ancestrale lui serrait l'estomac dès qu'il croisait un sergent de ville, le poussant à freiner son cheval comme un cocher modèle à qui l'on ne pourrait reprocher le moindre excès de vitesse. La duchesse l'avait souvent taquiné à ce sujet. Qu'eût-elle pensé de lui si elle l'avait vu à cet instant ! Il se liquéfiait tandis que le préfet Lépine saluait le duc et lui présentait ses profondes condoléances. Ils avaient échangé quelques mots polis, mettant Joseph sur des charbons ardents, avant que le duc ne s'enquît de l'objet de sa visite.

— Je suis venu voir votre cocher, monsieur le duc, avait répondu Louis Lépine en jetant un regard vif en direction de Joseph. Pour être franc, nous le cherchons depuis plusieurs jours.

— Vous le cherchez ? s'était étonné le duc d'Alençon.

— Oui, monsieur le duc, répondit le préfet dont les yeux perçants lançaient des éclairs. Et nous commencions à désespérer de le retrouver. Il avait été conduit à l'hôpital Beaujon avec d'autres victimes, apparemment dans un état préoccupant, mais le temps que nous arrivions… Pffffuuut ! l'oiseau s'était envolé en pleine nuit par la fenêtre…

Tandis que le duc lui adressait un regard doux et interrogateur, Joseph avait blêmi. Il s'était gardé de raconter à son maître la manière dont il avait quitté l'hôpital. Ce n'était pas la première fois qu'il gardait pour lui certains détails, mais celui-ci risquait de lui coûter cher.

— Eh bien, comme vous voyez, il est rentré chez lui, répondit le duc. Joseph est très précieux dans cette maison. Il savait qu'on s'inquiétait pour lui et a voulu nous rassurer au plus vite.

— Bien sûr, approuva le préfet qui ne quittait pas le cocher des yeux, une lueur d'amusement au coin de ses prunelles autoritaires. C'est un homme d'exception. Monsieur Joseph, avez-vous fait soigner ces brûlures ? Les médecins de l'hôpital Beaujon nous ont alertés, ils étaient fort marris de vous perdre avant d'avoir eu la moindre chance de vous soigner…

— M. le duc fait venir un médecin tous les jours, et m'oblige à me reposer tous les après-midi, répondit Joseph en s'efforçant de ne pas trahir sa nervosité, même si l'attention inquisitrice du préfet Lépine lui donnait envie de rentrer sous terre.

— Joseph n'est pas habitué à se reposer, repartit le duc d'Alençon avec un sourire. Il ne s'y résigne que si on le lui ordonne. Depuis trente ans qu'il est à mon service, il n'a pas dû prendre plus de trois jours de maladie. Mais puis-je vous demander la raison de votre visite ? Êtes-vous seulement venu gronder Joseph d'avoir quitté si précipitamment l'hôpital ?

— Le gronder ? répéta Louis Jean-Baptiste Lépine avec une pointe de jubilation. Mais pas du tout, monsieur le duc ! Je venais au contraire lui témoigner toute mon admiration.

Savourant son effet, le préfet continua, s'adressant au duc :

— Monsieur le duc, votre cocher s'est conduit en héros le jour de cette terrible catastrophe. Il a, d'après les témoignages, arraché de nombreuses victimes aux flammes.

Le petit homme avait alors ajouté, visiblement ému, s'adressant cette fois à un Joseph abasourdi :

— Joseph Delmas, le président de la République souhaite vous exprimer toute sa reconnaissance en vous décorant de l'ordre de la Légion d'honneur.

Une quinzaine de jours avaient passé depuis, mais Joseph n'avait toujours pas réalisé ce qui venait de lui arriver. Le nom du duc l'avait protégé de la curiosité dévorante des journalistes qui se précipitaient sur les sauveteurs comme les orpailleurs sur la poussière d'or. Cependant, le cocher sentait qu'une aura de bravoure l'escortait désormais, qui l'embarrassait beaucoup et le grisait un peu. Les commerçants du quartier le saluaient avec une sorte de timidité nouvelle, comme s'il était devenu quelqu'un d'autre, un grand personnage grimé en cocher.

Les femmes lui souriaient en rosissant, réveillant en lui l'étincelle de la conquête amoureuse que le toucher de tant de peaux brûlées avait failli éteindre pour toujours. Ce qui le gênait, à la manière de grains de sable oubliés dans les plis d'un vêtement, c'était qu'on le traitât en héros pour avoir répondu à l'appel d'une pulsion souterraine qui le terrassait encore au milieu de la nuit, s'emparait soudain de lui comme une fièvre, une faim inassouvie. L'envie de sauver un être humain, de saisir l'appel brisé au coin de ses lèvres livides, de lui rendre le souffle, la couleur, de ramener la vie dans un corps sans forces. Il n'avait pas suivi les ordres mécaniques de sa volonté, ne s'était pas conformé à des principes moraux et religieux. Il avait nourri un désir fou soudain surgi, un désir si impérieux qu'il vous donnait tous les courages. Un désir devenu ce jour-là une part si essentielle de lui qu'il n'envisageait pas de continuer à vivre en le rangeant dans un tiroir avec la médaille qu'on allait lui remettre.

Et comme il avait désormais ses après-midi libres – le duc s'était montré inflexible sur ce point –, de longs après-midi de vacuité ensoleillée à meubler, il arpentait Paris à pied, espérant secrètement que le hasard lui ferait croiser un accident de chemin de fer ou de tramway, un début d'incendie, une rixe qui tournait mal, enfin des gens à secourir. Il avait bien conscience qu'avouer ces pensées au duc ou à quiconque l'eût conduit à Bicêtre, mais c'était un fait qu'il se sentait inutile, terriblement inutile. Son avant-bras gauche lui faisait toujours mal et son épaule droite, profondément brûlée, n'avait pas retrouvé sa sensibilité. Toutes ses douleurs grinçaient ensemble comme un trois-mâts hors d'âge secoué par la tempête, mais son désir était intact et son corps recelait des forces suffisantes pour sauver encore. Les jours qui avaient suivi son retour, il avait aidé le duc à vivre une heure après l'autre, se substituant au majordome qui lui en gardait une rancune tenace, écartant les importuns et veillant sur son maître telle une sentinelle discrète. Il avait recueilli des nuits entières les confidences de cet époux terrifié par l'ampleur du vide, témoin de cette curiosité obsessionnelle qui le poussait à collecter le moindre entrefilet évoquant les derniers moments de sa femme. Il lui avait parlé de la comtesse de Raezal, avait provoqué une rencontre qui aurait lieu le lendemain. Il nourrissait l'obsession du duc pour calmer la sienne, et peut-être cette manie de chercher des victimes à secourir n'était-elle qu'une manière de continuer à vivre après avoir échoué à sauver la plus précieuse d'entre elles.

Quatre jours plus tôt, il avait eu du flair en poussant sa promenade jusqu'à l'avenue des Champs-Élysées, où l'on inaugurait la ligne de tramway Montrouge-Saint-Philippe-du-Roule, cette fameuse ligne qui avait fait scandale dès le départ du projet car le progrès vient toujours tisonner l'angoisse de se réveiller dans un nouveau monde inhospitalier. En réalité, si l'incendie n'avait pas monopolisé l'attention de toute la ville ces deux dernières semaines, une ultime bataille eût été menée contre ce tramway qui avait plus d'adversaires que de partisans. Mais la presse ne parlant plus que du Bazar de la Charité, l'équipe municipale en avait profité pour faire passer en douce cette mesure sensible. Une foule énorme se pressait ce jour-là sur les Champs-Élysées, et Joseph observa un long moment ces Parisiens gouailleurs, ces groupes d'hommes en bras de chemise, la mine rouge et débraillée, qui montraient le poing aux voitures du tramway tandis que les femmes juchaient les enfants sur les épaules de leurs maris pour qu'ils voient mieux. Autour de lui, les exclamations fusaient, l'excitation de voir arriver la modernité, la colère devant cette invention du diable… Du diable non, mais assassine néanmoins, puisque le gardien de la paix en charge de la circulation des voitures fut écrasé par une rame alors qu'il gesticulait debout sur les rails, tentant d'organiser au mieux le passage du tramway. Il y eut des cris horrifiés tout autour, un cercle se créa dans la foule tandis que retentissaient les coups de sifflet stridents des agents postés à distance. Dans le laps de temps où l'on courut prévenir les secours, Joseph se précipita vers le gardien à terre, mais quand il s'en approcha, ce fut pour constater que la rame de tramway lui avait écrasé la tête, et que sa cervelle en bouillie s'échappait par la plaie béante de son crâne. Déjà la police dispersait la foule et un gardien de la paix lui demanda de s'éloigner. En repartant, il manqua trébucher sur le corps d'une jeune fille évanouie sur l'asphalte. Il s'accroupit, vérifia qu'elle respirait encore. C'était l'une de ces petites cousettes des faubourgs qui n'ont jamais assez d'yeux, assez d'oreilles pour toutes les curiosités de Paris, et qui se précipitent à la moindre inauguration comme si leur vie en dépendait. Elle était rose et tendre, dans sa robe de saison, et il la ramassa comme rien, tant elle était légère. En la portant jusqu'aux infirmiers qui venaient d'arriver au bout de l'avenue, il revit la jeune fille au corsage bleu qu'il avait déposée dans la cour des écuries Rothschild. Qu'était-elle devenue ? Avait-elle survécu ?

Après avoir confié la cousette aux infirmiers, il s'en fut à larges enjambées en direction de la Seine, dépassant l'ombre gigantesque du palais de l'Industrie en ruine tandis qu'une robe bleue dansait dans son cerveau, dévorée par les flammes.

*

Laszlo de Nérac avait reçu le matin même sa convocation chez le juge Bertulus, chargé de l'instruction dans l'incendie du Bazar de la Charité. Le journaliste savait que le juge avait déjà entendu un certain nombre de membres du comité du Bazar de la Charité, parmi lesquels l'abbé Desforges et Amédée Dufaure avaient déclaré qu'il y avait sur les lieux, au départ du feu, une quarantaine d'hommes tout au plus. M. Bertulus ne pouvait ignorer les accusations lancées ici et là contre les hommes du monde. On attendait de lui qu'il fît la lumière sur ce sujet nébuleux, de même que sur les responsabilités des officiels. Avait-on manqué de prudence en installant un cinématographe au Bazar ? Avait-on négligé certaines consignes de sécurité ? Qui, enfin, était responsable de ce drame qui endeuillait Paris ? Et quels gentlemen avaient failli au code moral de leur éducation ? Laszlo n'aurait pas aimé être à la place de ce juge, contraint de trancher dans une affaire où les témoignages étaient aussi nombreux qu'inexacts et contradictoires. Ceux qui avaient vu n'avaient rien vu, ou si peu, prisonniers de la barrière des flammes, de la fumée qui fermait l'horizon de toutes parts. Ils n'avaient vu que ce qui était immédiatement devant eux, aveuglés par une fumée âcre et épaisse, leur jugement obscurci par la terreur panique qui les avait précipités les uns sur les autres dans ces quelques minutes où s'était décidée leur survie. Ce qu'ils avaient vu, ou croyaient avoir vu, prenait valeur de vérité infrangible parce que c'était les récits de revenants des Enfers. Remettre ces témoignages en question les blessait grièvement, il fallait y employer un tact infini. Ainsi, certains n'avaient vu que des héros se portant au secours de pauvres femmes paralysées par la peur. D'autres décrivaient des malotrus piétinant la chair féminine avec cette énergie qu'infuse l'égoïsme aux êtres à qui tout est facile. Quatre jours plus tôt, *Le Figaro* avait brocardé les « gardénias », comme on appelait ces jeunes gens du grand monde qui portaient une fleur immaculée à la boutonnière. Sans pitié et dans un style choisi dont Laszlo de Nérac avait savouré l'ironie :

« ... *Car c'est un rude métier que celui de gardénia ; le matin au Bois, l'après-midi aux courses, le soir au bal, il faut aller partout où l'on s'amuse, partout où sont les femmes, et papillonner autour d'elles, faire office de chevaliers servants, leur tenir l'étrier pour monter à cheval, leur donner le bras pour aller au buffet, les aider, en sortant du théâtre, à mettre leurs pelisses, et surtout – ah ! c'est là le vrai triomphe ! – être des valseurs impeccables, savoir faire, à deux ou trois temps, le tour d'un salon, le bras souple, la jambe cambrée, dans les règles de l'art. Il n'est pas un de ces jeunes gens qui ne se croirait déshonoré s'il lui arrivait, dans le tourbillon de la danse, de marcher sur le pied de sa valseuse ; cela vaudrait pourtant mieux, jeune homme, que de lui marcher sur la tête, comme il paraît que vous avez fait, les uns et les autres, à ce Bazar. »*

Le journaliste déplorait ensuite qu'en ce champ d'honneur, il ne se soit pas trouvé un gardénia pour sauver la réputation de sa corporation, et permettre ainsi aux autres de « *se montrer plus fièrement sur les hippodromes, aux* five o'clock, *dans les salons, partout où il faudra bien continuer d'aller, puisqu'il reste encore des jolies femmes, et que toutes les riches héritières n'ont pas été brûlées* ».

Laszlo n'avait jamais eu de tendresse pour ces jeunes aristocrates gâtés par l'oisiveté qui échelonnaient les femmes en fonction de leur dot et refusaient sans scrupule une fiancée belle et tendre pour sa voisine à la fortune supérieure. Bien sûr, on pouvait conjecturer qu'à l'instant de choisir entre leur survie et le secours périlleux des dames, ils n'eussent pas hésité longtemps. Oui, mais c'était sans compter l'imprévisibilité de la nature humaine, oublier ces moments de vérité qui donnaient soudain à un lâche l'opportunité de se conduire en héros. Et Laszlo, sans doute parce qu'il voyait les choses sous l'angle de l'injustice qui le frappait, instruisait instinctivement à décharge. Pour commencer, il ne se souvenait pas avoir croisé beaucoup de gardénias roussis à son arrivée au Bazar de la Charité. Il n'était d'ailleurs pas sûr qu'ils eussent afflué à un événement aussi ennuyeux que la bénédiction du nonce apostolique dans une vente de charité, fût-elle brillante et distinguée. À quatre heures de l'après-midi, ils préféraient en général être le centre des attentions féminines dans un salon avant la rituelle promenade au Bois.

Par-dessus tout, Laszlo de Nérac souffrait d'être mis dans le même panier que tous ces poseurs méprisables. Certes il n'avait pas choisi de faire carrière dans l'armée, conformément à la tradition de sa famille – Vital de Nérac, son arrière-grand-père, avait été le dernier maillon d'une chaîne de guerriers dont les exploits éclaboussaient encore de gloire le blason familial –, mais au moins s'efforçait-il de faire quelque chose de sa vie et d'échapper à toute cette futilité mondaine.

En écrivant sur eux..., lui répondit la tranquille ironie tapie à l'intérieur de lui. *En pointant leurs travers, pour bien montrer à quel point tu es différent.*

Il repoussa cette voix maligne ; écrire sur eux n'était qu'un début. L'incendie avait débridé son esprit et sa plume ; son cerveau en ébullition l'entraînait désormais dans des réflexions si vertigineuses qu'il peinait à l'apaiser la nuit venue. Il enchaînait les insomnies, se levant vingt fois pour griffonner à la hâte quelques lignes sur un bout de papier, sous l'œil inquiet du chat Delescluze qui venait se frotter à ses jambes dans l'espoir de le ramener à la raison.

Il se rendrait le lundi suivant à la convocation du juge, et tâcherait de le convaincre que parmi tous les témoins qui défilaient devant lui, il s'en trouvait un qui avait fabriqué son témoignage de toutes pièces pour le détruire. Ce ne serait pas facile, c'était sa parole contre celle d'une victime, sa parole contre celle d'une marquise. Il n'avait pour lui que la force de conviction que confère l'innocence, et il faudrait bien que cela suffît.

Vers trois heures, il s'engouffra dans les locaux du *Matin* et exigea de parler au directeur éditorial. On lui répondit que François Germand n'était pas disponible pour le moment. Quand il força la porte de son bureau, le directeur éditorial était occupé à relire le dernier télégramme de sa maîtresse. Ennuyé de découvrir Laszlo de Nérac dressé devant lui, il soupira avant de le prier de s'asseoir.

— Je n'aurai jamais la paix avec vous, Nérac.

— Pourquoi me fermez-vous votre porte ? Pourquoi mes derniers articles m'ont-ils été renvoyés par coursier ?

François Germand songea intensément à Léonie Grandval, sa maîtresse mariée qui arrivait ce soir à Paris pour un mois, grâce à la complicité d'une de ses amies. De quoi oublier cette confrontation désagréable. Plus que quelques heures à patienter avant d'atteindre ces félicités dont il avait tant besoin.

— Je pense que vous le savez très bien, répondit-il en saisissant son presse-papiers de sa main droite. Certains bruits n'ont pu vous échapper.

Il se mit à jouer distraitement avec le presse-papiers, s'interrogeant sur le laps de temps dont il disposait avant que toute la colère ramassée dans ce jeune homme ne lui explose à la figure. Léonie, Léonie et ses courbes enchanteresses.

— Je suis innocent de ce dont on m'accuse ! Vous êtes bien placé pour savoir que je n'étais pas au Bazar au moment où l'incendie a éclaté ! s'emporta Laszlo de Nérac en se redressant sur son siège.

— Je suis bien placé pour savoir que vous vous êtes rendu au Bazar le jour de l'incendie. Ce que vous avez fait une fois sur place, je n'en sais rien.

— Mais enfin, je suis arrivé là-bas au moment où la structure s'écroulait ! Comment aurais-je pu me trouver à l'intérieur, et piétiner ces femmes ?

Le directeur éditorial leva des yeux éteints vers son journaliste vedette.

— Cela, Nérac, c'est vous qui le dites. Pour ce que j'en sais, peut-être êtes-vous arrivé quelques minutes avant l'écroulement du Bazar. Peut-être avez-vous réussi à entrer à l'intérieur, pour vous y retrouver coincé. Peut-être, alors, avez-vous paniqué au point de bousculer tout le monde pour sauver votre peau. Comment le saurais-je ?

— C'est faux ! cria Laszlo. Je n'aurais jamais eu le temps d'y entrer, d'ailleurs c'était impossible, les issues étaient bloquées par les cadavres !

Le jeune homme s'était levé, le visage empourpré, les yeux étincelants. Germand vit le moment où il allait lui sauter à la gorge, mais Nérac reprit le contrôle de lui-même *in extremis* et se rassit au prix d'un effort visible.

— J'y suis arrivé en même temps que Louvain, il peut témoigner, continua-t-il.

— Louvain vous a perdu de vue dès l'arrivée du fiacre, en haut de la rue François-Ier. Vous êtes parti comme si une guêpe vous avait piqué, à ce qu'il m'a dit. Le temps qu'il soit en vue du Bazar, vous aviez disparu.

— Je vous jure que je n'ai pas mis un pied dans l'édifice. Tout s'est écroulé à mon arrivée. J'ai rejoint les sapeurs-pompiers, avec la permission de la police. Vous devez me croire !

— Je ne demande pas mieux, Nérac, répondit François Germand d'une voix calme, le presse-papiers immobilisé dans sa main. Et si vous dites vrai, il y aura sûrement moyen de prouver votre innocence. Je ne saurais trop vous conseiller d'aller voir les sapeurs-pompiers, la police… Vous aurez besoin de leur témoignage. Mais en attendant… En attendant, vous comprenez bien que je dois me passer de vos services…

— Je vois… Mais comme pour Dreyfus, si les preuves plaident massivement en ma faveur, vous n'excluez pas de me défendre à rebours. Vous brillez par votre courage, Germand.

Il se leva, hautain et échevelé, et François Germand l'imagina un instant galopant à travers les plaines sèches de sa Hongrie ancestrale.

— Je ne peux pas me permettre de publier les articles d'un homme que tout Paris accuse d'avoir piétiné des femmes. J'en suis navré, ajouta-t-il.

Et il l'était en effet, parce qu'il n'avait jamais fait d'aussi gros tirages que depuis que cet insolent écrivait dans ses pages.

Laszlo de Nérac n'entendit pas ces derniers mots. Il avait déjà claqué la porte. Mais Léonie Grandval poserait son pied menu sur le bitume parisien dans deux heures à peine, ses épaules potelées frissonnant dans la brise vespérale.

— Ne vous l'avais-je pas dit ?

Bien que désolé pour son ami, Maurice Dampierre jubilait de pouvoir démontrer qu'il se trompait rarement sur la nature humaine. Il aurait bien continué en parlant de Constance, mais Laszlo était d'humeur trop sombre pour supporter tant de clairvoyance.

Le jeune homme l'avait rejoint devant le palais de la Bourse, où il suivait l'évolution des marchés pour les besoins d'un quotidien. C'était l'heure de la clôture et une foule d'hommes en noir éparpillés sur son parvis en commentaient passionnément le dernier cours avant de s'égailler dans les rues voisines. Les deux amis gagnèrent la rue Vivienne à pied en direction des Grands Boulevards.

— Ah, ces vautours sont bien contents de vous utiliser pour gonfler les tirages de leur canard, mais quand il s'agit de vous défendre, c'est une autre affaire, hein ! Pas question de se mouiller les plumes !

— J'avais une trop haute opinion de Germand, dit Laszlo en remontant le col de son manteau car une brise glacée lui glaçait la nuque. Je pensais qu'il me soutiendrait. Qu'il me le ferait payer d'une manière ou d'une autre... Mais je n'imaginais pas qu'il me lâcherait à la première bourrasque.

— En parlant de bourrasque... Il fait frisquet ce soir ! Allons nous réchauffer dans un troquet.

— Entendu, dit Laszlo. Il me faut quelque chose de corsé, je vous préviens.

— Corsé si vous voulez, mais je ne vous laisserai pas rouler sous la table ! répondit Maurice Dampierre. Vous n'avez pas oublié que nous allons au théâtre ?

— Ce soir ? demanda Laszlo, l'air ahuri.

— Mais oui ! C'est la réouverture du théâtre de la Porte-Saint-Martin, on ne va pas rater ça sous prétexte qu'un directeur éditorial s'est montré conforme à sa réputation ! Ah non, pas question de vous défiler ! ajouta-t-il, surprenant la moue désabusée de son ami.

— Hum… Je me demande si je ne préférerais pas me pendre… Et que joue-t-on ? demanda Laszlo de mauvaise grâce, tandis qu'ils poussaient la porte du bistrot des Alsaciens, sur le boulevard Poissonnière.

— On joue *Don César de Bazan*, cela devrait vous plaire, dit Maurice en hélant le serveur. Une soirée distrayante et paisible, voilà qui va vous requinquer !

19

Aux abords du théâtre de la Porte-Saint-Martin, une file ininterrompue de fiacres, de victorias et de landaus déposaient gentilshommes en habits et élégantes vêtues de noir. Paris vivait un étrange printemps. L'incendie avait brisé l'élan des fêtes endiablées du mois de mai et endeuillé tout le Paris des cercles, des bals et des réceptions brillantes. Au lieu de rivaliser comme chaque année de robes étourdissantes, de raffinement et de couleurs, ces dames avaient dû se faire confectionner à la hâte des vêtements de deuil et les maisons de couture suspendre toutes leurs commandes en cours. Le noir était partout, enténébrant la dentelle et la soie, sinistre comme une volée de notes discordantes dans la douceur de l'air, un mauvais sort qui soufflait l'âme de la ville. Les théâtres avaient d'abord fait relâche, puis rouvert, mais la terreur de l'incendie régnait désormais dans ces lieux inflammables, et pas une représentation ne s'achevait sans que l'on criât au feu ; des mouvements de panique épidermiques se créaient qui forçaient à faire évacuer la salle, tronçonnant les tragédies au fil aléatoire d'entractes forcés. Paris avait peur, obnubilé soudain par ces incendies, ces départs de feu qui avaient toujours fait partie des péripéties de la ville, plus ou moins tragiquement. Les corps carbonisés du Bazar de la Charité hantaient les esprits, alimentaient les cauchemars des enfants et de leurs parents et attisaient en chacun une paranoïa si puissante qu'on pouvait la flairer dans l'air qu'on respirait, la surprendre glissant sur sa peau, hérissant les poils.

Et le préfet Lépine, qui entendait faire respecter les normes de sécurité fraîchement édictées, était prêt à faire fermer autant de théâtres qu'il le faudrait pour que leurs directeurs saisissent le message.

— Alors, monsieur le préfet, la guerre au théâtre continue ? lui lança un journaliste alors qu'il gagnait à pas pressés l'entrée des artistes, impatient de vérifier si les issues de secours étaient aux normes.

Le préfet de la Seine se retourna pour lui répondre :

— Ce n'est pas la guerre, puisqu'il ne dépend que d'eux d'avoir la paix : ils n'ont qu'à se mettre en règle !

— Ne craignez-vous pas d'indisposer le public ?

— Le public ? sourit le petit homme. Depuis la catastrophe, il ne peut y avoir un dîner en ville sans qu'on me demande les pompiers… Je n'ai plus assez de personnel pour faire face aux alertes !

— Mais les théâtres, que disent-ils de cela ? insista le journaliste.

— Que voulez-vous qu'ils disent ? Ils finissent par comprendre que c'est leur intérêt. Quand on les rouvre après les avoir fermés, c'est déjà une garantie. C'est comme s'ils avaient été vaccinés.

Sur ces mots d'une clarté impériale, le préfet Lépine s'engouffra dans les profondeurs du théâtre. Le journaliste était satisfait. On pouvait compter sur Lépine pour offrir en un rien de temps les formules concises et percutantes qui faisaient le sel des bons articles. Il rejoignit son collègue Henri Fouquier, critique théâtral au *Figaro*, sur le trottoir du boulevard Saint-Martin.

— Lépine vient de faire fermer le Théâtre-Mondain !

— Encore un !..., s'écria le critique avec une grimace. Eh bien... Que nous restera-t-il quand tous les théâtres seront fermés ? Cette guerre au théâtre est une hérésie ! Il y a dix ans, l'Opéra-Comique brûlait. En a-t-on profité pour fermer toutes les salles de spectacle ? Non. Mais voilà, le préfet Lépine mène sa petite croisade personnelle, il entend inscrire son nom dans l'histoire...

Son collègue hocha la tête.

— Je vais faire un papier bien senti. Si ça pouvait réveiller les gens... Personne ne proteste ! Cet incendie a fait d'eux des moutons dociles aux ordres de la Sûreté !

— Et pourtant on a bien besoin de rire et de pleurer au théâtre, répondit Henri Fouquier. Plus que jamais. Enfin, au moins ce soir, nous pourrons nous divertir d'un petit opéra comique tout à fait honorable... Je m'en réjouis. *Carpe diem*, mon ami.

Le journaliste acquiesça, allumant difficilement une cigarette dans le vent glacé qui s'était levé avec le soir.

— J'ai vu *Don César de Bazan* quand ils l'ont ressortie, l'an dernier, ajouta Fouquier. C'est une pièce bien faite, plutôt amusante et réussie, mais je n'y serais pas retourné s'il n'y avait l'intérêt de cette nouvelle distribution.

Son collègue tira fort sur sa cigarette.

— Krauss dans le rôle de don César ? On en dit beaucoup de bien depuis son séjour à Bruxelles. Qu'en pensez-vous ?

— C'est une excellente idée de l'avoir rappelé en France, répondit Henri Fouquier. Il a fait fureur en Belgique. Bien sûr il est encore jeune, et les esprits bougons diront qu'il n'est pas Frédérick Lemaître... Mais qui se souvient encore de Lemaître dans le rôle ? Ça remonte à plus de trente ans ! Il est grand temps de tourner la page...

Un peu plus loin, le landau de Mme de Marsay s'arrêta au bord du trottoir pour laisser descendre ses passagères qui frissonnèrent en quittant la voiture, malgré les charmants mantelets de fourrure qu'elles avaient pris la précaution de revêtir. Violaine de Raezal, découvrant le théâtre illuminé, la foule des spectateurs déployée sur les marches et les trottoirs voisins, fut submergée par une excitation oubliée. Devant elle, c'était toute cette vie nocturne de Paris dont elle s'était régalée des années durant avec Gabriel, et dont la maladie de son mari l'avait privée. L'affluence, les spectacles, les jeux de lumière... Son pas se fit léger et dansant, comme celui des fillettes qui ont la permission de veiller.

— Chère Mary... Quelle bonne idée a eue votre tante ! murmura-t-elle à Mary Holgart.

— Ma tante suit toujours ses inspirations, et ça lui réussit, souffla Mary tandis qu'elles montaient les marches derrière Mme de Marsay.

À leur entrée, un employé du théâtre aux tempes grisonnantes et à la mise impeccable, reconnaissant Mme de Marsay, les accueillit avec déférence et insista pour les escorter lui-même jusqu'à leur loge. Laquelle était bien placée, sur le côté gauche de la scène, en amont des premiers balcons.

— Mesdames accepteront-elles une coupe de champagne avant le lever du rideau ? leur demanda-t-il avant de les quitter.

— Volontiers, Pierre. Et même plusieurs ! s'exclama Mme de Marsay avec un sourire espiègle.

Tandis que retentissait la deuxième sonnerie, Violaine observait les gradins en train de se remplir, le ballet discret des ouvreuses précédant les spectateurs jusqu'à leurs sièges ou leurs loges. En face d'elle, sur l'aile droite du théâtre, elle vit sans plaisir arriver Armand et Léonce, ses beaux-enfants, accompagnés de leurs amis. Elle avait oublié que la loge de Gabriel faisait face à celle où elle se tenait. Elle fut contrainte d'échanger avec eux un léger signe de la tête. Dans les yeux de Léonce, elle décela la surprise de la trouver en si brillante compagnie. Quant à Armand, son expression demeura indéchiffrable, à l'exception d'une pointe d'ironie attardée comme par inadvertance sur sa lippe sensuelle.

— Vous semblez troublée par les occupants de la loge d'en face…, lui glissa Mary à voix basse.

— Ce sont mes beaux-enfants, répondit Violaine. Armand de Raezal, le fils aîné de Gabriel, sournois et hypocrite... et Léonce d'Ambronay, une petite fille égoïste et gâtée.

— Voilà qui donne envie de les connaître ! pouffa l'Américaine.

— De qui parlez-vous ? les coupa Mme de Marsay. Si l'on médit, je veux en être !

— La loge d'en face est celle de feu mon mari, répondit Violaine. Mes beaux-enfants l'occupent.

— Merveilleux, vous me les présenterez à l'entracte !

— Bien sûr, dit Violaine avec une moue involontaire qui égaya Mary Holgart.

La vieille dame braqua son face-à-main en direction de la loge de Gabriel de Raezal.

— Ah oui, cette jeune femme qui ressemble à une poupée de porcelaine... je l'ai déjà croisée chez ma fille.

— C'est ma belle-fille, dit Violaine. Léonce d'Ambronay.

— Et le jeune homme à sa droite, c'est son époux ?

— Son frère. Armand de Raezal.

— Ah oui, j'aperçois près de lui la petite baronne de Monsillier, la filleule de la marquise de Fontenilles, accompagnée de son époux... Et ce jeune homme tout au fond ?

— Je ne le connais pas, répondit Violaine. Sans doute un ami d'Armand.

— Il n'est pas mal de sa personne..., commenta Mme de Marsay. Mais je pense que comme moi, vous préférez les hommes à la virilité plus affirmée, Violaine...

Violaine acquiesça distraitement, son attention aimantée par les trois hommes qui venaient de gagner la loge jouxtant celle de Gabriel. L'un d'eux, en particulier, avait une de ces beautés saisissantes qui se gravent dans la mémoire de ceux qui les croisent. Fin et racé, il avait ce je-ne-sais-quoi d'étranger dans la physionomie, cette touche de sauvagerie ombrageuse qu'on ne rencontrait pas chez le gentleman parisien. Ses cheveux aile de corbeau s'égaillaient en mèches rebelles malgré la brillantine. Quand il s'assit, ses yeux noirs balayèrent la salle et Violaine lui trouva l'air sombre.

— Bel homme, n'est-ce pas ? murmura Mary Holgart à son oreille. Je ne le connais pas, mais je vais me renseigner tout à l'heure…

Comme elle prononçait ces mots, les lumières faiblirent dans la salle. Le spectacle allait commencer. Buvant une gorgée du délicieux champagne qu'on leur avait servi, Violaine regarda encore le mystérieux jeune homme, décelant en lui une certaine réserve. Il ne se mêlait pas à la conversation de ses deux amis, et semblait retiré dans ses pensées comme en une forteresse hérissée de créneaux. Comme son regard s'attardait sur lui un peu plus longuement que les convenances ne le permettaient, il leva la tête vers elle et la dévisagea. Rougissant dans la pénombre, elle sentit palpiter en elle une émotion souterraine dont elle avait oublié l'existence. Elle se détourna et reflua dans l'ombre, savourant cette douce morsure du désir qui s'accrochait à l'instant et ne cherchait nulle absolution.

*

Laszlo de Nérac regrettait de s'être laissé convaincre. Il n'aurait jamais dû venir au théâtre quand son esprit dérivait sans cesse, telles les glaces printanières dans le courant, tantôt vers Constance dans sa « maison de repos » – quelle que fût la réalité nébuleuse que recouvrait ce mot –, tantôt vers sa propre situation, bien mal engagée. Bien sûr, il voulait croire que le garde républicain qui l'avait arrêté dans la rue Jean-Goujon se souviendrait qu'ils avaient vu ensemble le Bazar de la Charité s'écrouler dans les flammes. Ou que les pompiers et les gens de la Sûreté témoigneraient en sa faveur devant le juge Bertulus. Mais les éléments à sa décharge semblaient bien fragiles et le nom de la marquise ouvrait des réseaux de complicité influents. Même s'il se voulait optimiste, sa réputation risquait de ne pas y survivre. Une aura d'infamie l'escorterait sans doute le restant de sa vie. Il n'aurait qu'un nom déchu à offrir à Constance, si elle se remettait un jour de ce qu'elle avait traversé. Une honte à partager serait son cadeau de mariage. Il ne pourrait rester à Paris dans ces conditions et devrait regagner Nérac, accordant à son père sa plus triste victoire.

— Laszlo, mon cher, ne montrez pas à ces gens que le coup qu'on vous a porté vous atteint, lui intima Guillaume de Termes, un de ses meilleurs amis, que Maurice avait convié à les rejoindre.

Il n'avait pas revu Guillaume depuis des semaines, accaparé par son nouvel emploi et par l'orage grondant au-dessus de sa tête. Il n'avait pas eu besoin de se faire pardonner car sa loyauté lui était acquise. Guillaume de Termes, rejeton d'une des plus vieilles familles de la noblesse cathare, était un « pays », un ami d'enfance qu'il avait eu le bonheur de retrouver à Paris.

— Ne leur accordez pas ce plaisir.

Ils se turent tandis que le rideau se levait sur le décor charmant d'une petite place de Madrid où des villageois écoutaient une chanteuse des rues, une de ces beautés brunes tannées au soleil d'Espagne. Belle au point de séduire le roi d'Espagne, le glacial Charles II, dont le cœur de pierre s'emballait soudain pour cette fille de rien, le laissant se débattre dans les rets d'un amour qu'il ne pouvait assouvir :

Un amour implacable
De mon âme s'est emparé ;
Sa fièvre ardente, inexorable,
Consume mon cœur égaré !
Partout, sans relâche et sans trêve,
Dans mon palais, au fond des bois,
Dans mes veilles et dans mon rêve,
C'est elle que je vois !

Laszlo se laissa distraire par le chant de cet homme captif de la même malédiction que lui : un amour brûlant son être en pure perte, éternellement suspendu.

Enfin, Acanthe, il faut se rendre.
Votre esprit a charmé le mien,
Je vous fais citoyen de Tendre,
Mais de grâce n'en dites rien,

avait écrit un jour cette mijaurée de Madeleine de Scudéry à Pellisson qui se consumait en vain pour elle. Constance quant à elle l'avait fait citoyen de la terre des fiançailles rompues, des liaisons platoniques, des aveux rétractés.

Il devinait, plus qu'il ne les voyait, toutes ces femmes décolletées, poudrées, parfumées aux essences les plus subtiles. Ne s'en trouverait-il pas vingt pour consoler le vide creusé par Constance ? Celle-ci, par exemple, aux cheveux enroulés en un chignon savant d'où s'échappaient quelques mèches blondes... Il ne la connaissait pas mais – était-ce la mélancolie profonde qu'il avait lue dans ses yeux quand leurs regards s'étaient croisés avant le lever du rideau ? – il aurait pu, il pourrait presque l'aimer. Ne suffisait-il pas d'en décider ? Goûter cette chair tendre, chasser la mélancolie...

Et retirer à Constance le pouvoir qu'il lui avait donné sur lui.

*

Violaine de Raezal avait oublié Léonce et Armand, plus rien n'existait que la magie du décor et des personnages. Elle écoutait la Maritana, cette chanteuse des rues qui rêvait d'un autre destin pour avoir trop sucé le lait des contes de fées. Il est un temps dans notre vie, se dit-elle, où tout nous semble possible.

Les rêveuses étaient proies faciles pour un séducteur. Il lui suffisait de donner corps à leur chimère pour obtenir d'elles ce qu'une jeune fille pragmatique n'eût pas accordé sans garanties.

Ô fillettes, d'un doux regard,
Accueillez toujours avec grâce
Celui qu'amène le hasard...

chantait sur scène la Maritana, que le perfide don José de Santarem conduisait droit dans le lit du roi, la mariant à ce don César orgueilleux et roublard qui allait mourir dans quelques heures, l'anoblissant pour mieux la dévoyer.

Les fruits du hasard pouvaient être empoisonnés. Violaine de Raezal avait été cette jeune fille croyant aux signes. Croire que chacun de vos pas était guidé par la Providence vous perdait d'autant plus sûrement que votre confiance en la vie s'accompagnait d'un scepticisme quant à l'existence du mal. Ayant dérobé Rousseau dans la bibliothèque de votre père, vous étiez toute prête à croire que l'état de nature n'était qu'innocence et bonté, que c'était la société qui abîmait l'homme, le rendant poreux à des vices jusque-là ignorés. Le mal absolu était une légende forgée par la religion pour conforter son pouvoir.

Et insouciante, certaine que les fées veillaient sur votre destin, vous acceptiez la cour discrète mais enflammée de cet ami de votre père, ce comte de M. qui bientôt échafaudait cent prétextes pour vous croiser seule, vous comparant à un Botticelli ou à une Vierge de Mino da Fiesole, et vous trouvait si cultivée et spirituelle pour tant de jeunesse, étaient-ce tous ces livres que vous aviez lus en cachette ?

Les salons mondains pâlissaient d'être comparés à votre conversation, vous n'étiez qu'une enfant et pourtant vos yeux, assurait-il, concentraient toute la sagesse du monde. Il se disait troublé, renversé, vacillant, lui dont l'âge était le double du vôtre. Vous n'aviez que dix-sept ans, dans un an vous feriez votre entrée dans le monde. Votre mère ne serait pas là pour vous accompagner au bal. Elle était morte l'année de vos six ans, laissant votre père bien démuni devant vous. Votre mère eût-elle surpris ce vague dans vos yeux qui trahit l'amoureuse ? Eût-elle trouvé dans votre secrétaire le journal intime où vous narriez, jour après jour, la progression d'une idylle si romanesque ? Vous eût-elle confrontée le soir même, mortellement inquiète de ce que vous aviez pu accorder à l'homme qui vous confessa un soir qu'il y avait un seul obstacle entre vous, une épouse démente gardée nuit et jour à laquelle il restait marié par charité ? Vous eût-elle sauvée à temps du piège vers lequel vous marchiez souriante, sans que votre père eût songé à s'interroger sur cette lumière nouvelle qui irisait votre personne tel un cristal ?

Un matin de janvier, le comte de M. avait proposé à votre père de vous emmener à une exposition de peinture avec une baronne de ses amies. Votre père avait accepté, se réjouissant de vous savoir sous sa garde tandis qu'il se plongeait dans l'étude d'un missel enluminé au XIe siècle par les moines de l'abbaye Saint-Wandrille.

Quand le coupé du comte de M. vous avait ramenée chez vous, quelques heures plus tard, votre père ne s'était pas aperçu que vos yeux n'abritaient plus cette lueur d'enfance qui s'attarde jusqu'au soir des noces. Vous vous étiez précipitée sur le prie-Dieu de votre mère, implorant Son pardon pour avoir eu foi en cet homme qui venait de vous arracher brutalement ce que nul amour ne pouvait excuser. L'instant d'*après* vous hantait toujours, quand il avait essuyé quelques larmes hypocrites en jurant qu'il n'avait fait que voler un acompte sur une félicité promise. Il vous épouserait, la chose était entendue, et personne ne devinerait en vous voyant marcher vers l'autel qu'on vous avait dérobé cette part précieuse qui fait la valeur marchande d'une fiancée. Il ajouta qu'il n'avait pas été bien difficile de vous l'extorquer, qu'il avait connu des victoires plus escarpées et incertaines. Ces mots s'étaient fichés en vous tel un trait d'arbalète qui continue d'écorcher sous la chair refermée.

Les semaines suivantes vous avaient laissée sans nouvelles, le sang se retirant de vos lèvres et de vos joues, vos traits marqués par un manque d'appétit mêlé d'écœurement, des cernes se creusant sous vos yeux. Le comte de M. était toujours absent, toujours en voyage, sitôt rentré déjà reparti. Quelques phrases lâchées dans la conversation vous apprenaient qu'on l'avait vu chez la princesse de R., ou à un lunch au Pré Catelan.

Vous dépérissiez si vite que votre père s'en alarma, fit venir son médecin, celui-là même qui avait fermé les yeux de votre mère.

Le médecin avait des mains douces et s'autorisait à vous taquiner parce qu'il vous avait mise au monde. Après vous avoir examinée, ce jour pluvieux de mars, dans votre chambre de jeune fille, il ne vous regarda plus jamais en face. Quant à votre père, vous le vîtes s'effondrer pour la deuxième fois de votre vie. Il ne vous demanda pas d'explication car devant les preuves du forfait, il devina qui en était l'auteur. À la lueur de l'insupportable vérité qui se faisait jour, les signes minuscules qui eussent dû éveiller sa méfiance lui revinrent en plein cœur. Se détournant de vous comme si le lien qui vous unissait s'était glacé irrémédiablement, il s'en voulait surtout à lui-même. Il s'enferma des jours durant, pleurant de rage et de peine. Quand il ouvrit sa porte, ce fut pour convoquer le comte de M. à un entretien privé. Vous ne sauriez jamais ce qu'ils se dirent ce jour-là, mais il vous suffit d'entendre leurs éclats de voix pour comprendre que le mariage n'avait jamais été qu'un leurre, que la femme du comte était en excellente santé et que son esprit n'avait jamais divagué. Votre père voulait se battre en duel, mais il était trop vieux pour que ce fût envisageable. D'autant que le comte de M. était une des plus fines lames de Paris, ce qui le mettait à l'abri de la vindicte des maris trompés et du déshonneur des pères.

Votre père ne put laver votre honte dans le sang. Le comte de M. reprit le cours de sa vie mondaine, et pour désagréable que cela fût de perdre un ami, ce n'était qu'une épine plantée dans son âme de braconnier. Ce n'était rien, ou si peu de chose. Votre père, lui, ne se remit jamais du tort qu'on vous avait causé, ni de la défaillance de son amour paternel qui n'avait pu empêcher ce drame et vous protéger, vous sa précieuse, son bien le plus cher. Il domina son chagrin car votre état, se précisant chaque jour, exigeait de trouver une issue à ce cauchemar. Et vous-même, dans tout cela ? Vous ne fûtes jamais plus seule que durant ces mois où quelqu'un d'autre vivait en vous. Jamais vous ne vous sentiriez plus abandonnée, plus impuissante. Votre vie avait à peine commencé qu'elle était finie. Vous viviez cloîtrée dans la maison, y cachant votre ventre comme une marque écarlate qui vous eût valu d'être foudroyée si vous aviez franchi le seuil et respiré le printemps. La nuit, vous rêviez qu'on détachait de vous cette excroissance qui enflait, se dilatait comme une maison de chair abritant cette réalité que vous refusiez de regarder en face.

Il y avait près de cinq mois que cela avait commencé quand votre père organisa votre départ. La femme de chambre avait élargi toutes vos robes à la taille, si bien qu'on eût dit que vous aviez hérité la garde-robe Empire de votre arrière-grand-mère. Mais si elles vous donnaient l'air démodé, elles protégeaient votre secret.

Le trajet en landau fermé avait duré quatre jours. Les cahots de la route vous cassaient les reins et vous donnaient mal au cœur, mais désormais vous sentiez l'enfant bouger, et cette révélation vous bouleversait.

L'enfant.

L'aimer n'était déjà plus un choix, il était vôtre, minuscule partie de vous qui réclamait tout le reste.

À peine était-il né qu'on vous l'arracha. De ces heures-là vous n'avez jamais voulu vous souvenir.

Vous eussiez préféré replonger dans les flammes du Bazar de la Charité.

Le rideau tomba à la fin du premier acte, arrachant Violaine de Raezal à sa mémoire la plus cruelle.

— Cette Mlle Depoix est excellente ! s'écria Mary Holgart. Quelle grâce ! Elle rend Maritana profondément attachante. Et quelle voix !

— C'est vrai, elle est parfaite, répondit Violaine, et l'accent de tristesse qui vibrait dans sa voix fut noyé sous les applaudissements de la salle.

*

— *Ce n'est jamais en vain, Monsieur, que l'on me fâche,*

Et vous allez vous battre, ou vous n'êtes qu'un lâche !

Don César de Bazan s'était battu malgré l'interdiction royale. Il avait provoqué en duel l'arrogant capitaine qui avait osé le traiter de mendiant, lui le comte de Garofa, le grand d'Espagne qui gardait son chapeau en présence du roi. Don César avait tiré son épée, et le corps de son offenseur gisait à présent à ses pieds, tandis que déjà les alguazils se saisissaient de lui.

Certains affronts se lavaient dans le sang. Et don César, mis aux fers et condamné à mort, était prêt à payer le prix exorbitant d'une affaire d'honneur.

Laszlo de Nérac fit la liste de ceux que don César, à sa place, eût fait disparaître de la surface de la terre : Louis d'Estingel d'abord, pour prix de sa désinvolture et de ses volte-face. François Germand, pour ses insinuations infamantes. Ne pouvant se battre avec une femme, il eût enfin demandé réparation au marquis de Fontenilles, et l'eût envoyé *ad patres* pour complicité de faux témoignage.

— Venez, Laszlo, allons nous dégourdir un peu les jambes, lui proposa son ami Guillaume de Termes tandis que retentissait la sonnerie de l'entracte.

*

Léonce d'Ambronay passait une excellente soirée, bien qu'elle eût du mal à comprendre par quel mystère sa belle-mère avait pu se faire inviter dans la loge de Mme de Marsay. En y réfléchissant, elle se souvenait d'avoir entendu parler de cette dernière comme d'une excentrique. Cela expliquait tout. Mais aujourd'hui, même sa belle-mère ne pourrait troubler sa joie triomphale. Car après des mois d'approches patientes et de stratégies subtiles, la baronne de Monsillier, nouvelle coqueluche du faubourg Saint-Honoré, avait enfin accepté ce soir de partager sa loge. La marquise, qui n'était à Paris que depuis un an, ayant longuement séjourné à l'étranger avant de revenir épouser à Paris l'un de ses cousins germains, était à la pointe de toutes les modes. Plus encore, c'était elle qui les lançait. La vogue des dîners russes était partie de sa salle à manger, comme celle des équipées à bicyclette se terminant par un grand lunch sur les bords de Seine. Elle pouvait danser toute la nuit et se précipiter le matin à une exécution capitale pour éprouver le frisson de la guillotine. Le

Tout-Paris mondain se pressait à ses réceptions. En un mot, si l'on voulait se lancer, fréquenter Éléonore de Monsillier – qui accordait à ses favoris le privilège de l'appeler Léo – était primordial.

À l'entracte, ces dames désertèrent la loge pour gagner le salon du premier étage, où une collation était servie. Dans le salon fastueux aux murs décorés de fresques inspirées des grandes tragédies antiques, une longue table recouverte d'une nappe blanche était dressée, derrière laquelle s'activait une armée de valets en livrée, remplissant les coupes de champagne et disposant les petits-fours sur des assiettes avant de les proposer aux spectateurs affamés qui affluaient en nombre. Munis de leurs coupes, Léonce d'Ambronay, son frère Armand et leurs invités gagnèrent une alcôve à l'écart, assez proche néanmoins pour que ceux qui arrivaient puissent se délecter du charmant tableau de gaieté, de chic et de jeunesse qu'ils composaient ensemble.

— Ce Krauss est une trouvaille ! s'écria la baronne. Il a tant de présence qu'il rendrait presque moderne cette histoire bête à pleurer. Mais entre nous, ne pouvait-on dénicher un texte à sa hauteur, au lieu de nous infliger une sempiternelle version de cet opéra poussiéreux ?

Son mari, personnage éteint qui semblait avoir été choisi pour la mettre en valeur, saisit là l'occasion de placer quelques mots :

— Poussiéreux, le mot est un peu fort, ma chère... N'oublions pas que Dumanoir et d'Ennery, ses auteurs, eurent l'audace d'aller trouver un jour Victor Hugo pour lui emprunter l'un des personnages de *Ruy Blas* ! Il faut avouer que don César de Bazan méritait qu'on lui consacre une pièce. C'est un beau personnage, qui permet de jouer sur tous les registres l'espace de cinq actes... Pour un acteur, c'est un cadeau, et pour ma part...

— Mon ami, ne soyez pas ennuyeux ! le coupa son épouse. On s'amusait bien jusqu'ici, n'est-ce pas ?

Léonce d'Ambronay couva la marquise d'un sourire courtisan, avec quelle drôlerie venait-elle de moucher son époux !

— Ah non ! Nous ne voulons rien d'ennuyeux ce soir ! s'exclama-t-elle de sa voix flûtée.

La baronne de Monsillier la gratifia d'un sourire.

— Vous voyez ? dit-elle à son mari. La vérité sort de la bouche des dames !

— Oh ! non..., soupira Léonce, les yeux rivés vers le buffet.

— Que vous arrive-t-il, ma chère ? l'interrogea la baronne en tournant la tête.

— Ma belle-mère est là... Elle se dirige vers nous, je vais être forcée de vous la présenter, quel ennui !

— Oui, d'autant que Mme de Marsay l'accompagne, qui est une cousine par alliance de ma chère marraine..., murmura la baronne de Monsillier. Pas d'inquiétude, nous allons nous en débarrasser. S'il le faut, je peux feindre de m'évanouir, mes talents de comédienne m'ont sauvée de plus d'un traquenard !

— Tiens, c'est amusant, répondit Léonce à voix basse. Mon frère Armand joue aussi très bien la comédie...

Elle chercha son frère des yeux pour appuyer son propos, mais il s'était éloigné avec son ami. Elle fronça les sourcils, agacée du peu de grâce qu'Armand mettait à divertir la baronne. Il ne faisait aucun effort, à peine lui avait-il adressé trois mots depuis le début de la soirée. Du reste, son ami n'était guère plus galant. Assez joli garçon mais bien jeune, et qui ne s'embarrassait pas de faire la conversation ! Elle se reprocha de n'avoir pas insisté pour que Pierre-Marie les accompagnât. Lui savait à merveille flatter les dames, se montrant spirituel sans en faire trop pour ne pas les éclipser.

Comme sa belle-mère les rejoignait, Léonce admira avec quelle virtuosité la baronne mimait l'empressement à faire leur connaissance, tout en s'éventant vigoureusement avec son programme pour souligner combien elle avait chaud dans cette affluence, au point que la tête lui tournait. Le seul qui trouva du plaisir à cette rencontre fut le baron de Monsillier, qui put échanger, l'espace d'un instant, de vrais avis sur l'opéra avec Mme de Marsay. Quand elles repartirent, Armand avait fini son conciliabule, et revenait vers elles tandis que son ami s'éloignait sur la terrasse.

— Vous voilà enfin ! lâcha Léonce. Figurez-vous que cette chère Violaine vient de fondre sur la baronne... Nous ne savions plus comment nous en dégager !

— Vous vous en êtes bien tirées, il me semble..., répondit son frère avec cet air irritant qu'il avait toujours, à la fois détaché et insolent.

— Votre ami n'est guère loquace... Je n'ai pas souvenir d'avoir entendu le son de sa voix, dit Léonce.

— Il est souffrant, répondit Armand de Raezal d'un ton sec. D'ailleurs il m'a prié de l'excuser auprès de vous, il s'en va.

— Vraiment ? s'étonna Léonce. Son absence ne saurait être plus discrète que sa présence...

Elle se tourna vers la baronne de Monsillier pour goûter l'effet de cette réplique, mais cette dernière ne l'avait pas entendue. Blême, elle fixait les spectateurs massés devant le buffet.

— Quelque chose vous trouble, ma chère ? s'alarma Léonce d'Ambronay, plissant ses yeux de poupée pour distinguer ce qui causait tant d'émoi à son invitée.

La marquise se pencha vers elle, la voix tendue.

— Voyez-vous cet homme, là-bas, à droite du buffet, très brun et très mince ? Il parle à deux hommes. Il vient de finir sa coupe.

— Ah oui, ça y est, je le vois, chuchota Léonce. Eh bien, qu'a-t-il ?

— Vous ne le reconnaissez pas ?

— Eh bien... non..., avoua Léonce, consternée de ne pouvoir donner la réponse attendue.

— C'est ce journaliste...

— Ce journaliste ?

— ... qui a piétiné les femmes au Bazar de la Charité. Celui que ma marraine a eu le courage de dénoncer dans la presse. Son nom est Laszlo de Nérac.

— Ah, mon Dieu ! s'écria Léonce d'Ambronay tandis que la mémoire lui revenait. C'est lui ? J'ignorais... à quoi il ressemblait.

— Vous figurez-vous le toupet de cet homme ? gronda la baronne de Monsillier entre ses lèvres. Oser se montrer ici, quand tout Paris sait ce qu'il a fait ? Je rends grâce au Ciel que ma marraine soit trop grièvement brûlée pour paraître en société !

Léonce, qui savait penser vite lorsque son intérêt l'exigeait, y vit l'occasion rêvée de se concilier les bonnes grâces de la marquise.

— Je vais de ce pas le remettre à sa place, dit-elle.

Ivre d'audace, elle traversa la pièce pour gagner le côté droit du buffet où ce Laszlo de Nérac buvait impunément du champagne. Deux de ses amis se tenaient à ses côtés quand elle l'aborda, et lui-même venait d'avaler un petit-four.

— Quelle sorte d'homme faut-il être pour oser se montrer au spectacle après avoir piétiné de pauvres femmes ? lança-t-elle à la cantonade, d'une voix un peu trop aiguë.

Les trois hommes se retournèrent vers elle d'un même mouvement, lui ouvrant le cercle étroit qu'ils avaient formé. Autour d'eux, les conversations s'étaient tues.

— Nous n'avons pas l'honneur de vous connaître, madame, répondit l'homme qui était à la droite du journaliste, un grand jeune homme au visage fier et aux favoris soignés. Ayez l'obligeance de vous présenter avant d'insulter un de mes amis.

Léonce, qui perdait contenance sous le regard glacial de son interlocuteur, se rappela le but de sa démarche et se ressaisit.

— Je suis Mme d'Ambronay, et je parle au nom de toutes les victimes du Bazar de la Charité. Au nom de vos victimes, monsieur, continua-t-elle en s'adressant au journaliste. Il est étonnant que les piétiner ne vous ait pas coupé l'appétit.

— Je n'ai rien fait de tel, madame, répondit Laszlo de Nérac.

— Ne prenez pas la peine de répondre à qui vous accuse sans preuves, le pressa son ami, toisant l'intruse.

— Oh mais si…, siffla Léonce d'Ambronay, vous l'avez fait. Votre bassesse est inscrite sur votre visage. Ayez au moins la décence de ne pas vous pavaner au théâtre à l'heure où nous pleurons nos martyres.

En ayant terminé, elle se hâta de retourner auprès de la baronne, qui avait observé toute la scène de loin avec Armand.

— Que lui avez-vous dit ? la pressa Éléonore de Monsillier avec impatience.

— Je lui ai dit son fait, répondit la jolie Léonce, dont les yeux de porcelaine brillaient d'excitation. Je pense qu'on ne le reverra pas ici de sitôt.

Emplie de fierté légitime, elle croisa le regard perplexe de son frère.

— Mais oui, Armand. Parfois, seules les faibles femmes ont le pouvoir de rétablir la justice, ajouta-t-elle à son intention. C'est ainsi, et il faut…

Elle n'acheva pas sa phrase. Le jeune homme brun, dont les yeux lançaient des éclairs, avait traversé la pièce à son tour et venait vers elle avec un air si menaçant qu'elle recula, effrayée.

— Vos paroles, madame, constituent à mon égard la plus grave des injures. Je ne puis vous en demander réparation, aussi enverrai-je deux de mes amis à votre époux, demain à la première heure.

— Armand…, gémit Léonce en implorant son frère du regard.

Le journaliste se tourna alors vers lui.

— Êtes-vous l'époux de Mme d'Ambronay ?

— Son frère, répondit Armand, dont la carnation avait pâli.

— Vous êtes donc l'un de ses plus proches parents, répondit le jeune homme brun en lui tendant sa carte. Votre sœur m'a gravement injurié, et je pense, monsieur, que vous voudrez bien m'en rendre raison. Quand et comme il vous plaira.

Armand n'eut pas le temps de répondre que déjà le journaliste tournait les talons et quittait la pièce, suivi par ses deux amis.

La sonnerie retentit en vain, annonçant la reprise du spectacle. Dans le salon, l'assemblée sous le choc commentait la scène qui venait de se jouer sous ses yeux.

— C'est encore mieux qu'une alerte à l'incendie ! s'exclama Henri Fouquier, le critique du *Figaro*. Prenons garde que le préfet Lépine ne fasse fermer ce théâtre pour incitation au duel !

*

— Ma chère, dit Mme de Marsay à Violaine de Raezal. Je suis désolée que cette soirée ait si mal fini…

Ébranlée, Violaine n'avait pas eu le cœur de regagner la loge à la reprise de la représentation, et ses hôtesses avaient insisté pour la raccompagner.

Quand elles quittèrent le théâtre, une myriade d'étoiles illuminaient le ciel noir.

— Avez-vous idée de ce qui a pu pousser votre belle-fille à insulter cet homme ? interrogea Mary Holgart tandis qu'elles regagnaient le landau de Mme de Marsay.

— Je ne comprends pas quelle mouche l'a piquée, répondit Violaine. C'est une petite fille craintive et pusillanime. Que cherchait-elle en provoquant cet inconnu ?

— Mais cet homme, dit Mary Holgart... Nous l'observions tout à l'heure dans sa loge... Connaissez-vous son nom ?

— D'après ce que j'ai entendu tout à l'heure, il s'appelle Laszlo de Nérac. Il est journaliste au *Matin*, et on l'accuse d'avoir piétiné les victimes pour sortir du Bazar en flammes.

— Seigneur ! s'écria Mme de Marsay. C'est une accusation terrible ! La pensez-vous fondée ? Avez-vous assisté à de telles conduites ?

Violaine prit le temps de la réflexion.

— Non, je n'ai rien vu de tel, répondit-elle. Tous les hommes que j'ai vus portaient secours aux victimes...

Elle se rappela l'inconnu qui avait éteint les flammes sur l'épaule de Constance d'Estingel.

— S'il est coupable de ce dont on l'accuse, dit Mary Holgart, c'est impardonnable. S'il est innocent, c'est encore plus grave. Et votre beau-fils, qui va se battre avec lui...

— Je n'aurais pas imaginé qu'Armand se batte un jour en duel, répondit Violaine, pensive.

20

La comtesse de Raezal et Mary Holgart étaient
convenues de se retrouver le lendemain matin avenue
Montaigne pour se rendre chez Mme Du Rancy.
Violaine se réveilla plusieurs fois en sursaut cette
nuit-là, tentant de traverser la fumée brûlante qui
l'enserrait de toutes parts, emplissant ses poumons
d'une brûlure âcre et noirâtre qui lui donnait la sensation d'avaler de la cendre. C'était comme si l'incident de la veille avait redonné vigueur à ses terreurs
nocturnes. Ou bien son cerveau l'alertait-il de l'imminence d'une nouvelle tragédie ? Au matin, pâle et
fatiguée, elle endura le supplice habituel des soins
du médecin. Le docteur venait la voir deux fois par
jour, observait attentivement l'évolution de ses brûlures, nettoyait le pourtour des plaies et assouplissait
à l'aide de massages et d'attelles de posture les brides
qui se créaient à l'intérieur des plaies à mesure que
leur cicatrisation progressait. Tous ces soins étaient
infiniment douloureux, suppliciants, d'autant qu'ils
la forçaient à regarder ces parties à vif de son corps,
ces pans de chair granuleuse et cartonneuse, toute
cette monstruosité à laquelle elle n'arrivait pas à se

résoudre, espérant toujours qu'elle se serait volatilisée dans la nuit.

— Madame la comtesse se sent-elle mieux ce matin ? interrogea le docteur tandis qu'il massait vigoureusement son épaule brûlée – lutte quotidienne pour en préserver la souplesse.

— Mieux ? sourit-elle avec effort, assaillie par la douleur. Mieux, je ne sais pas. Quand vous me soignez, c'est comme si une ruche d'abeilles m'attaquaient ensemble.

— Je le sais, et croyez que j'en suis désolé, dit le médecin avec un gentil sourire. Un jour viendra où la douleur s'atténuera, finira par disparaître.

— Mais l'aspect des brûlures, lui… ne s'améliorera pas, n'est-ce pas ? demanda-t-elle, regrettant aussitôt d'avoir posé cette question avec l'espoir fou qu'on la détromperait, que la science du médecin dissiperait l'effroi qui la prenait devant cette peau de serpent, cette chair martyrisée qui se réparait sous la forme d'une horrible cire du musée Dupuytren, évoquant les monstres de foire, les siamois unijambistes et les bébés hydrocéphales.

— Votre peau… ne retrouvera pas l'aspect qu'elle avait avant le feu, madame, répondit le médecin en pesant ses mots. Il faut l'accepter, et je sais combien c'est douloureux, qui plus est pour une femme… Mais vous êtes vivante et il faut en remercier le Ciel, n'est-ce pas ?

— Bien sûr.

— L'autre jour, continua le médecin en lui martyrisant l'omoplate, un confrère m'a confié avoir vu mourir entre ses mains plusieurs survivantes de l'incendie. Au-delà d'un certain degré, la brûlure crée un empoisonnement du sang qui entraîne la mort à très brève échéance. C'est pour la médecine une défaite terrible, un combat acharné que nous perdons sans bien comprendre pourquoi.

— Mais… pensez-vous que je risque de mourir moi aussi ? articula Violaine, crispée par la douleur.

— Non, je ne le crois pas. Vos brûlures se résorbent de manière tout à fait satisfaisante. Votre organisme réagit bien, vos fonctions vitales ne semblent pas altérées par la fumée que vous avez inhalée. Sans doute parce que la poussée de la foule vous a entraînée en quelques minutes à l'air libre, sur le terrain vague. Vous ne mourrez pas, chère madame. Croyezen l'expérience d'un vieux médecin.

*

Ce matin du 21 mai, une religieuse conduisit Constance d'Estingel dans le bureau du docteur Hyacinthe Brunet. La première nuit de la jeune fille à la clinique avait été très agitée, ponctuée de sanglots, de crises de panique et d'épisodes somnambuliques. On avait dû la calmer sous une douche glacée, l'attacher à son lit, lui administrer un puissant tranquillisant.

Au matin elle était calme, renfermée en elle-même, absente à tout ce qui se déroulait alentour. Quand on défit ses bandages pour soigner ses brûlures, elle ne se débattit pas, mais des larmes silencieuses roulèrent sur ses joues le temps que durèrent les soins.

— Bonjour, mademoiselle, dit Hyacinthe Brunet. On me dit que vous avez passé une nuit difficile. Vous sentez-vous mieux ce matin ?

Elle hocha la tête.

— Bien. Installez-vous dans ce fauteuil, là-bas, lui dit le médecin en désignant un élégant fauteuil en noyer recouvert de cuir dans un coin de la pièce.

Elle alla s'y asseoir, lui tournant le dos dans la pièce longue et nue. Sur les murs blancs, des gravures d'écorchés la mirent mal à l'aise. Le médecin approcha un siège haut face à sa jeune patiente et s'y assit. Elle recula instinctivement ses jambes car les genoux de l'homme touchaient les siens.

— Non, ne bougez pas, lui intima-t-il, attrapant doucement ses genoux pour les caler entre les siens. N'ayez pas peur, je ne vous ferai aucun mal. Je vais maintenant vous hypnotiser, mademoiselle.

À ces mots, une lueur panique éclaira ses yeux noirs et elle leva la main comme pour se protéger de lui, en même temps qu'elle murmurait :

— Non, non !

— N'ayez pas peur, vous ne risquez rien. Je vais simplement vous demander de ne plus parler, de ne pas me répondre, sauf si je vous l'ordonne.

Le docteur, dont la silhouette lui apparaissait soudain démesurément haute et puissante au regard de la sienne repliée et apeurée dans le fauteuil, saisit ses mains entre les siennes et lui ordonna de le regarder fixement dans les yeux. Elle essaya de lui obéir, mais ses yeux, ayant à peine touché les siens, échappèrent à ce contact qui la brûlait.

— Regardez-moi, Constance. À présent, regardez-moi. Vous n'avez pas peur, rien ici ne peut vous inquiéter. Vous ne ressentez aucune gêne, aucune crainte.

Sa voix était calme et ferme, et son timbre se gravait en elle à mesure qu'il parlait en détachant soigneusement les mots. Elle était conduite malgré elle vers cette voix, le regard comme aimanté par celui du docteur, et il lui sembla qu'au-dedans d'elle-même quelque chose lâchait prise, se laissait emmener, envelopper. Elle plongea son regard dans le sien, remarqua encore l'étrange fixité de ses paupières qui ne clignaient pas. Une torpeur agréable envahit son corps tandis que les minutes, rythmées par le métronome qu'il avait installé près d'eux, sautillaient sur l'arc du temps.

— Vous êtes à présent tranquille et paisible. Vous respirez profondément, les tourments qui vous agitaient ont disparu, vous ne ressentez plus aucune crainte. Vous vous abandonnez à la détente qui gagne votre corps.

Ses pensées allaient et venaient librement, telles des fillettes courant derrière leurs cerceaux. Plus rien ne l'atteignait, ne la blessait. Certains mots menaçants – Laszlo, mère, Bazar – s'étaient vidés de leur substance et flottaient maintenant tels des cerfs-volants pâles sur la toile de son cerveau. Sous l'effet de la torpeur grandissante, ses yeux se mouillèrent de larmes, papillotèrent un long moment avant de se fermer.

— *Dormez*, intima la voix.

La main du médecin s'était posée sur son front, elle en sentait l'empreinte de chaleur, mais tout le reste s'était effacé. Ne restait qu'une tache de lumière qui s'éloignait à la vitesse d'une étoile mourante, et bientôt tout s'obscurcit.

*

Mme Du Rancy n'hébergeant plus aucune blessée dans sa demeure, elle reçut ses invitées dans le salon d'apparat où Constance d'Estingel avait passé les premières heures de sa convalescence. On avait écarté les rideaux doublés de percale après de longs jours d'obscurité et le jour entrait à flots dans le salon, qui s'ouvrait sur le vestibule par deux portes-fenêtres serties de vitraux.

— Quelle bonne surprise, Mary ! dit Mme Du Rancy en les invitant à s'asseoir. J'ignorais que vous étiez de retour à Paris. Il faut dire que je ne suis guère sortie de chez moi ces dernières semaines… Chère madame, ajouta-t-elle à l'intention de Violaine, je suis heureuse que ma chère Mary nous permette de nous rencontrer. Vous êtes donc l'une de ces malheureuses rescapées ?

Violaine acquiesça en souriant.

— La comtesse de Raezal se trouvait au comptoir de la duchesse d'Alençon le jour de l'incendie, se hâta de répondre Mary. Auprès de cette jeune personne que vous avez recueillie chez vous, Constance d'Estingel.

— Vous étiez avec Mlle d'Estingel ? s'exclama Mme Du Rancy.

— Oui, dit Violaine. Et je ne l'ai pas revue depuis que la foule nous a séparées l'une de l'autre. Constance a été emportée à un bout du Bazar de la

Charité et la poussée de la foule m'a entraînée à l'autre extrémité, où j'ai fini par reprendre connaissance sur le terrain vague. J'ai eu la vie sauve grâce au personnel de l'hôtel du Palais, et aux fameux barreaux descellés qui ont, paraît-il, déjà été vendus à des Anglais...

— Ah mais non, répondit Mme Du Rancy avec un sourire, c'est une rumeur colportée par la presse, et que Mme Roche-Sautier – qui se trouve être une de mes amies – dément ce matin même dans *Le Figaro*. Elle dit avoir donné – et non vendu – un de ces barreaux à la première victime qu'on a hissée par là dans son hôtel. Cette malheureuse voulait l'acquérir à tout prix...

Violaine revit la femme hagarde cramponnée aux barreaux malgré les cris des sauveteurs qui lui ordonnaient de lâcher, les coups de marteau qui s'abattaient sur ses phalanges blanchies, il avait fallu les briser pour qu'elle les desserre...

— Mais puisque vous devez vous aussi votre salut à ce jour de souffrance, peut-être voudriez-vous garder un de ces barreaux ?

— Certainement pas, répondit la comtesse de Raezal. Pour être franche, je trouverais cela bien macabre...

— Je vous comprends, dit Mme Du Rancy. Ainsi, vous étiez avec ma petite Constance ? Pauvre enfant, elle était dans un tel état quand on me l'a amenée... Nous ne savions pas si nous pourrions la sauver. Les premiers jours, je n'osais la quitter. J'avais peur qu'elle nous claque entre les doigts, comme dit le docteur Martignac ! Ses brûlures étaient vilaines... Elle souffrait tant qu'elle s'évanouissait sans cesse.

— Mais... elle va mieux ? interrogea Violaine.

Mme Du Rancy se troubla.

— Ses jours ne sont plus en danger, heureusement...

— Quel soulagement ! s'écria Mary Holgart. Je dois vous confesser que nous sommes venues dans l'espoir de la voir. Ces dernières semaines, Mme de Raezal s'est fait un sang d'encre pour cette jeune fille, et je pense que Mlle d'Estingel serait heureuse de la revoir elle aussi.

— Bien sûr, je comprends..., murmura Mme Du Rancy avec embarras, mais c'est impossible, je le crains... Constance n'est plus ici !

Les deux femmes la fixèrent, interdites.

— Mais... ne me disiez-vous pas dans votre lettre... ?

— Quand je vous ai répondu, elle était encore chez moi. Et puis tout s'est précipité et je n'ai pas pensé à vous prévenir..., la coupa Mme Du Rancy, tendue.

— Mais où est-elle, dans ce cas ? demanda l'Américaine.

L'expression anxieuse de Mme Du Rancy ne fut pas pour les rassurer.

— Je ne suis pas autorisée à vous le dire.

— Mais voyons, quel est ce mystère ?

— Je suis navrée, Mary, mais je ne puis vous répondre, dit Mme Du Rancy en se levant. Pardonnez-moi.

Les deux femmes s'étaient levées à leur tour, lui barrant toute retraite.

— Madame, intervint Violaine, depuis le 4 mai, j'ai parcouru la liste des victimes, terrifiée à l'idée d'y lire son nom. J'ai envoyé mes gens faire le tour des hôpitaux à sa recherche, en vain. Pour tout dire, j'avais perdu espoir de la retrouver quand Mary m'a écrit qu'elle était sous votre toit. Vous n'imaginez pas le soulagement qui a été le mien de la savoir en vie, de me dire que j'allais enfin la revoir. Je n'oublierai jamais l'instant où sa main a lâché la mienne, sous la poussée gigantesque de la foule…

— Chère Élisabeth, ajouta Mary Holgart, en témoignage de notre vieille affection, je vous conjure de nous répondre. Je vois bien que vous êtes inquiète pour cette jeune fille. Vous savez que vous pouvez avoir en moi la plus entière confiance. Quant à Mme de Raezal, j'en réponds comme de moi-même. Elle ne répétera pas un mot prononcé dans cette pièce.

*

Hyacinthe Brunet observait la jeune fille qu'il venait de plonger dans le sommeil hypnotique. La facilité avec laquelle les hystériques se laissaient suggestionner l'émerveillait toujours. Quelle aubaine pour les aliénistes ! Cette voie royale vers l'expérimentation leur avait permis de recréer chaque symptôme de l'hystérie, d'en définir les nuances, de constater la variété des attitudes passionnelles, l'éventail des névroses prenant vie sous leurs yeux comme un théâtre de marionnettes. Hystérie religieuse, pulsions nymphomanes ou criminelles, paralysies disparaissant sur commande, convulsions domptées par un simple murmure… Ils s'étaient tenus impassibles et ironiques devant la scène qu'ils dirigeaient de leurs mots, de leurs gestes, provoquant des hémorragies, des stigmates, des sanglots et des poussées de fièvre. Tels des enfants ouvrant le ventre des poupées, pour chercher le cœur à travers la cire, ils avaient pu ausculter la psyché des femmes, les observer à leur insu, effaçant ensuite les traces de ces effractions de leur mémoire latente. Ils avaient créé ce grand théâtre où les hommes venaient en voyeurs – disculpés par la recherche médicale – se repaître de cette folie des femmes à travers laquelle éclatait toute l'imperfection de leur nature, les vices et les faiblesses inhérents à leur sexe. Bien entendu, il s'agissait de les guérir, de les rendre dociles au rôle que leur assignait la société, et de discipliner les secousses sismiques de leur corps par la maternité et une sexualité rigoureusement contrôlée.

Devant eux se dressait ce continent féminin abritant des cyclones, cette nature rétive qui s'emmurait dans la maladie, la pulsion morbide, cet abîme de désir effréné qui perdait tant d'hommes dans la forêt de leurs épouvantes. Mais grâce aux aliénistes, par le pouvoir grisant de la suggestion hypnotique, les rouages dénudés de ces mécanismes détraqués perdaient leur caractère magique et terrifiant, et la femme se pliait à l'ordre de la civilisation.

Il n'était plus au goût du jour d'organiser ces grandes représentations de l'hystérie. Désormais, l'aliéniste ne les donnait que pour lui-même, dans le secret de son cabinet.

Il se pencha vers sa patiente. Elle avait l'air profondément endormie, seules ses paupières étaient agitées de frémissements. Lors de la première séance, on atteignait rarement ce degré de sommeil hypnotique où la personnalité de la patiente cédait la place à une personnalité seconde, radicalement différente de la première. Mais c'était un début encourageant, et pour de plus amples explorations, il avait tout son temps.

— À présent, ouvrez les yeux, ordonna-t-il.

Elle ouvrit les yeux comme si elle était parfaitement réveillée.

— Constance, dit-il, votre mère est ici. La voyez-vous ?

La jeune fille tourna la tête vers l'angle droit de la pièce, et une violente émotion se peignit sur son visage altier.

— La voyez-vous ?

— Oui, je la vois, murmura-t-elle d'une voix sourde, les yeux fixés sur l'endroit précis où était supposée se tenir sa mère.

— Elle vous parle. L'entendez-vous ?

— Oui.

— Que vous dit-elle ?

— Elle me dit… que je ne lui ai pas écrit depuis longtemps. Qu'elle s'est vivement inquiétée à mon sujet.

— Que dit-elle encore ?

— Elle me demande… si j'ai fait ce que je devais faire.

— Répondez-lui, à présent.

Les traits de la jeune patiente se contractèrent davantage tandis qu'elle répondait à la visiteuse invisible.

— Je l'ai fait, ma mère… J'ai rompu tout lien avec lui, je n'ai pas cherché à le revoir. Mais je… je pense toujours à lui… Cela me torture…

Le docteur Brunet observait la jeune fille, la tristesse intense qu'il déchiffrait sur son visage pur. Quelque chose clochait.

Ma mère.

La personne qu'il avait évoquée par suggestion n'était pas la mère de sa patiente.

La jeune fille s'était tue, attentive. L'évocation s'adressait à elle. Cela dura de longues minutes, puis des larmes se mirent à couler le long de ses joues.

— C'est que… je n'arrive plus à prier, ma mère… Le Seigneur S'est détourné de moi. Il n'a pas voulu de moi…

— Vous ne voyez plus personne dans le bureau, à part moi, l'interrompit Hyacinthe Brunet. Regardez-moi.

La jeune fille se tourna vers lui, les joues ravinées de larmes.

— Comment savez-vous que Dieu n'a pas voulu de vous ? interrogea-t-il.

— Il n'a pas permis que je meure avec les autres, articula-t-elle entre ses larmes.

— Pour quelle raison Dieu n'a-t-Il pas permis que vous mouriez ?

La jeune fille s'affaissa sur elle-même, les traits convulsés par la souffrance et la honte.

— Parce que mon âme est noire… et qu'Il le sait. Il n'a pas voulu de moi pour Son sacrifice. Il m'a abandonnée à toutes ces choses qui me torturent !

Elle porta les mains à son front, siège de toutes les tortures qu'elle endurait. Ses yeux hagards semblaient à l'affût, et elle tremblait.

— Bien, dit Hyacinthe Brunet en se penchant vers elle. À partir de cette minute, vous ne ressentirez plus aucune tristesse. Vos larmes sont taries, vous n'éprouvez plus aucune envie de pleurer. Je vais passer plusieurs fois ma main devant votre front. Vous êtes calme et tranquille. Vous n'avez pas peur. À mon signal, vous ouvrirez les yeux, vous vous réveillerez comme d'un profond sommeil et vous ne vous souviendrez de rien.

*

Très alarmées par ce que Mme Du Rancy leur avait confié, Mary Holgart et Violaine de Raezal se firent reconduire en fin de matinée à l'hôtel de Marsay. La tante de Mary était absente, ce qui les arrangeait car il n'était pas question qu'elles discutent de cette affaire en présence d'un tiers.

Mary Holgart leur fit servir une collation légère dans le boudoir attenant à sa chambre. C'était une pièce feutrée et douillette, avec une large fenêtre donnant sur les toits en ardoise et les clochetons des immeubles voisins. Un papier peint délicatement fleuri et quelques images d'Épinal encadrées avec soin ajoutaient à son charme.

— Ma tante a fait décorer cette pièce à mon intention alors que j'étais encore une enfant, précisa Mary en souriant. Je l'aime beaucoup. Voyez-vous ces gravures ? Elles ont été inspirées par les contes d'Andersen. Là, vous voyez, c'est la princesse au petit pois sur sa pile de matelas ! Ici, la bergère et le ramoneur. Et juste là, la petite fille aux allumettes. Ce que j'ai pu pleurer sur cette histoire…

Deux femmes de chambre entrèrent dans la pièce, déposant devant elles des assiettes chargées de viande froide, d'œufs en gelée et de thé à la fleur d'oranger.

— Ici, nous serons tranquilles, dit Mary Holgart à Violaine de Raezal une fois qu'elles furent seules.

— Je n'arrive pas à croire qu'on ait envoyé Constance dans cette clinique !

— Cette maison de fous, corrigea Mary Holgart avec une grimace.

— Une maison de fous ? Est-ce vraiment ce que vous pensez ? s'écria Violaine que ce mot effrayait et qui espérait que l'Américaine le traduisait imparfaitement de sa langue maternelle.

— C'est la réalité, j'en ai peur, répondit l'Américaine. Je connais cette « clinique » de nom. Le docteur Brunet est une sommité dans le domaine de l'aliénisme. Ses travaux l'ont rendu célèbre.

— Mais si Constance souffre d'une maladie nerveuse… Peut-être a-t-elle besoin d'y être soignée ? hasarda Violaine.

— Soignée peut-être… Mais pas claquemurée dans un lieu où personne n'est autorisé à lui rendre visite. Avez-vous noté l'inquiétude de Mme Du Rancy ?

— En effet, elle semblait très inquiète…, admit la comtesse de Raezal.

— Et le secret qui entoure cette affaire ? D'après Mme Du Rancy, le docteur Brunet pense que cette jeune fille est hystérique. Ce qui lui donne le droit de la garder aussi longtemps que bon lui semblera.

Et durant ce temps indéfini, il n'est soumis à aucun contrôle. Son autorité est souveraine.

— Cette idée me glace, lui répondit Violaine. Mais que pouvons-nous y faire ?

Mary Holgart, que Violaine n'avait jamais vue si grave, resta de longues minutes silencieuse. Puis elle lui dit avec une hésitation manifeste :

— Je vais vous confier un secret qui vous fera comprendre le danger que court votre amie. Seulement je dois m'assurer que vous n'en parlerez jamais à quiconque. Nous sommes bien peu à le connaître, et les protagonistes de cette histoire ont tout fait pour en effacer les traces. Ils ne doivent jamais apprendre que je sais, et encore moins que j'ai partagé ce secret avec vous.

— Je comprends, murmura Violaine.

— Comprenez aussi que si des bribes de cette conversation filtraient un jour jusqu'à eux, ils s'emploieraient à me faire taire et à ruiner ma réputation pour que mon témoignage ne puisse leur nuire.

Mary Holgart continua, se radoucissant :

— Nous nous connaissons à peine, mais quelque chose me pousse à vous faire confiance. C'est un peu comme si ma chère Sophie nous avait conduites l'une vers l'autre, de même qu'elle a noué votre destinée à celle de Mlle d'Estingel. Seulement ici, j'ai besoin de plus que cela. Il me faut une garantie de votre part.

— Et si je vous confiais en retour un secret qui me perdrait de réputation s'il devenait public ? souffla Violaine de Raezal.

— Je pense que nous aurions là un accord équitable, répondit Mary. Un pacte de confiance, en quelque sorte.

Violaine but quelques gorgées de thé pour se donner du courage.

— Ma mère est morte quand j'avais six ans, dit-elle. Mon père m'a élevée seul, avec beaucoup d'amour et d'inconséquence. À dix-sept ans, je fus séduite par un de ses amis, le comte de M. Il me laissa croire qu'il allait m'épouser. Un matin, il m'attira chez lui par ruse et abusa de moi. Le malheur voulut que je tombe enceinte. Mon père était fou de douleur, il m'envoya en Suisse, dans une institution tenue par des religieuses. J'y mis au monde cet enfant...

Violaine battit des paupières, chassant les larmes qui montaient.

— C'était un petit garçon. Un beau petit garçon, qui hurlait de toutes ses forces. On ne m'autorisa pas à l'embrasser, on me l'arracha à peine né... Je le revois s'éloigner dans les bras de cette religieuse, j'entends ses hurlements de rage...

Mary Holgart se pencha vers elle, émue. Violaine eut un geste de recul, se dérobant par réflexe aux marques de sympathie de l'Américaine.

— Pardonnez-moi, Mary... Je ne supporte pas d'y repenser, et jusqu'ici j'avais fait de mon mari l'unique dépositaire de ce secret...

— Ne vous excusez pas, je n'aurais jamais dû vous forcer à cette confidence..., se troubla Mary Holgart. Savez-vous ce qu'est devenu cet enfant ?

— Non. J'ignore même s'il est vivant... Cela me hante depuis seize ans.

— Pauvre Violaine… Comme je vous plains, lui répondit Mary. Je n'ai pas pu avoir d'enfant et c'est pour moi une grande tristesse, mais elle n'est rien à côté de la douleur que vous portez.

— La duchesse d'Alençon avait deviné, pour l'enfant. Je ne sais à quels signes, mais elle l'avait compris.

— Sophie savait débusquer les blessures cachées, dit Mary. Sans doute parce qu'elle dissimulait les siennes comme personne… Étrange, vous me dites qu'elle avait percé votre secret, et je m'apprête à vous confier le sien. Accordez-moi un instant, voulez-vous ?

Elle se leva, légère et gracile, et disparut dans sa chambre. Quelle femme déconcertante, songea Violaine. En la voyant si menue, son accent exquis écorchant les mots, on ne s'en méfiait pas, l'imaginant frivole et insouciante quand elle était tout le contraire. Quand elle revint, l'Américaine portait un coffret enveloppé d'un tissu noir, qu'elle déposa près d'elle sur la table basse, écartant les assiettes auxquelles elles n'avaient pas touché.

— Je vous ai dit que Sophie et moi nous étions connues à Méran, dans un sanatorium, commença-t-elle. Sophie, à cette époque, n'était vraiment heureuse qu'en la compagnie de ses sœurs, l'impératrice d'Autriche, la comtesse de Trani et la reine des Deux-Siciles. Elle passait le plus clair de son temps en Autriche ou en Bavière, et des soucis de santé continuels l'obligeaient à des cures en sanatorium. Ses enfants étaient en pension à Paris ou en Angleterre, et le duc pouvait rarement la rejoindre. À Méran, il lui écrivait chaque jour et attendait ses réponses, et c'était une épreuve pour Sophie qui n'avait rien d'une épistolière... C'est pourquoi je fus flattée, au terme de notre premier séjour à Méran, de voir qu'elle m'écrivait souvent. J'ai compris plus tard que Sophie était profondément seule, et ressentait le besoin d'une amitié sincère. Elle était entourée de gouvernantes choisies par son beau-père, le duc de Nemours, qui tenaient ce dernier informé de ses moindres mouvements... Et les relations mondaines étaient pour Sophie une obligation dont elle s'acquittait sans plaisir. Elle se mit donc à me confier les menus détails de sa vie, et ses lettres devinrent au fil des mois de plus en plus intimes. Deux ans plus tard, elle m'invita à la rejoindre à Ischl, où elle séjournait dans la résidence d'été de l'empereur d'Autriche. Nous passâmes là trois semaines merveilleuses, à arpenter les sentiers de montagne et à monter à cheval. Ses enfants étaient là, je fis leur connaissance ainsi que celle du duc, qui vint passer quelques jours avec nous à la fin de l'été.

L'Américaine s'interrompit un instant pour sourire à Violaine.

— Je ne vous ennuie pas, j'espère, avec tous ces détails ?

— Au contraire, dit Violaine, qui l'eût écoutée sans fin.

À travers le récit de Mary Holgart s'incarnait une autre Sophie d'Alençon, plus jeune, moins parfaite et d'une certaine manière plus vivante. Une Sophie qu'elle eût aimé connaître.

— Voyez-vous, ce qui me frappa, cet été-là à Ischl, c'était le contraste entre la joie de vivre qu'elle manifestait quand nous étions seules et sa réserve en présence de son époux. Avec lui, elle était à la fois tendre et lointaine, un peu éteinte, captive d'une forme de mélancolie. Lui était très prévenant, l'entourant de soins et de conseils. Il la traitait comme une enfant à la santé fragile et elle se coulait dans ce rôle. Quand le duc n'était pas là, elle se montrait très différente, spirituelle et fantasque, donnant libre cours à cette passion pour la nature et pour les animaux qu'elle partageait avec ses sœurs. Très peu de gens l'ont vue sous ce jour, et certainement aucun de ceux qui prétendent ces jours-ci l'avoir connue mieux que personne...

— Aimait-elle son époux ? interrogea Violaine.

— Elle l'aimait sans doute, à sa manière... Il la protégeait d'elle-même. Elle aurait tellement voulu être la femme douce et vulnérable qu'il voyait en elle ! Mais elle n'y arrivait pas. Au bout de quelques jours, quelques semaines, ses migraines reprenaient, une toux incessante la torturait, et ces tourments physiques la forçaient à repartir et à quitter le duc. La part la plus indomptée de sa nature reprenait le dessus et la poussait à fuir. L'été suivant, deux drames la bouleversèrent coup sur coup : le suicide de son beau-frère, le comte de Trani, et la mort de son cousin Louis de Bavière, qu'on retrouva noyé dans le lac de Starnberg. Ils avaient été fiancés un temps, le saviez-vous ?

— Je l'ai appris l'autre jour dans la presse, répondit Violaine. Est-il vrai que le roi de Bavière avait rompu leurs fiançailles ?

— C'est vrai, et Sophie en avait été très affectée. Son cousin était atteint d'une forme de folie. Il venait d'être interné dans son château de Berg quand on retrouva son corps dans le lac. Un mois plus tard, Sophie contracta une scarlatine tardive compliquée de diphtérie et d'un abcès sur la gorge... et elle passa encore l'automne et l'hiver loin de son mari. Au début de l'hiver, après des mois sans nouvelles, je reçus une lettre. Elle séjournait à Munich avec sa fille Louise, et semblait enfin remise des séquelles de sa maladie. J'y répondis avec empressement, m'inquiétant d'elle et espérant qu'elle ne languissait pas trop loin de son époux.

Mary Holgart ouvrit le coffret qu'elle avait déposé sur la table, et en sortit un mince paquet de lettres jaunies réunies par un ruban noir. Elle défit le ruban, détacha la première lettre et la tendit à Violaine :

— Tenez, voici ce qu'elle me répondit. Lisez, je vous en prie.

Intimidée, Violaine de Raezal effleura le papier à lettres dont l'encre avait pâli. Sous ses yeux, une page d'une écriture fine et serrée, aux jambages un peu maladroits ou trop impatiemment tracés :

Munich, le 12 janvier 1887

Ma chère, si chère amie,

Quel bonheur de trouver votre lettre hier en rentrant dans la maison que j'occupe, et de lire toutes vos bonnes nouvelles, de vous savoir enfin heureuse à Boston, entourée de la tendresse de votre mari et de votre sœur, que vous me présenterez un jour prochain, j'espère.

Je suis navrée que mon silence vous ait causé de l'inquiétude, mais la scarlatine m'avait laissé de profondes et incessantes migraines qui m'interdisaient la lecture et l'écriture. J'ai gardé le lit des semaines entières, et ce n'est qu'en arrivant à Bad Reichenhall, où j'ai séjourné un mois entier avant de gagner Tegernsee avec Louise, que j'ai pu recouvrer assez de santé pour reprendre mes promenades et les allonger progressivement. Les migraines ont commencé à s'espacer à mon arrivée à Munich, et depuis deux semaines je n'en souffre plus du tout. Je vais beaucoup mieux et je voudrais que vous soyez près de moi pour le constater par vous-même.

Vous me demandez si je languis loin de Ferdinand... Et je ne sais comment vous répondre. Si vous vous teniez devant moi, m'observant de votre œil espiègle, je n'aurais pas besoin de vous parler pour que vous lisiez en moi à livre ouvert. Mon cœur, depuis quelques semaines, ressemble à un navire secoué par les tempêtes. Il cogne dans ma poitrine comme si elle était trop étroite pour lui.

Ô mon amie, ma précieuse confidente, je ne sais ce que vous penserez de moi quand vous découvrirez ces mots, si vous me condamnerez sans appel ou m'accorderez votre indulgence, vous qui me connaissez mieux que personne. J'ai rencontré dans cette ville le docteur Wilhelm Glaser, un éminent médecin auquel le docteur Schiller, de Tegernsee, m'avait confiée. Nos relations sont longtemps demeurées froides et cordiales, comme il sied entre un médecin et sa patiente. Mais au fil des mois, nous avons dû nous avouer que nous étions épris l'un de l'autre.

J'imagine le choc que ces mots doivent vous causer, chère Mary, mais vous savez de quoi je parle si j'écris que les raisons du cœur l'emportent parfois sur tous nos devoirs, et qu'il est des sentiments contre lesquels il est vain de prétendre lutter. Depuis que j'ai rencontré le docteur Glaser, les tourments qui m'épuisaient et me rendaient cette vie si âpre ont disparu. Il me semble être née à moi-même. Je ris en écrivant ces mots, eussé-je imaginé les formuler un jour ? Ils disent pourtant ce que je sens en moi, cette calme évidence qui me donne tous les courages.

Vous mon amie si chère, vous qui m'avez connue si craintive et pusillanime, si angoissée par le lendemain, pouvez-vous vous figurer que je me tienne aujourd'hui au bord de mon ancienne vie, prête à en refermer la porte et à marcher vers l'inconnu ? C'est pourtant ce que je m'apprête à faire, le cœur serré des souffrances que ma décision causera autour de moi, mais résolue à en payer le prix.

Je vous écrirai bientôt, mais si vous avez encore un peu d'amitié pour moi après avoir lu ces mots, priez pour moi, chère Mary, priez pour votre amie dans la tempête qui s'annonce.

Votre amie,
Sophie

— Alors, qu'en pensez-vous ? interrogea Mary Holgart quand Violaine lui eut rendu la lettre.

— J'en reste sans voix, murmura Violaine.

— Ce fut ma réaction.

— Envisageait-elle... de quitter le duc ?

— Oui, répondit Mary Holgart. Au mois de mars, elle devait rejoindre la famille d'Orléans à Nice, dans une villa luxueuse que le duc de Nemours avait louée en vue de ce rassemblement familial. Durant des mois, Sophie différa son départ, prétextant que son état de santé l'empêchait de voyager. Elle m'écrivit encore à cette période, elle était déchirée mais résolue à quitter son mari. Finalement, le duc se rendit à Munich pour s'entretenir avec ses médecins. Je ne sais à quelles confrontations sa visite donna lieu, mais Sophie et le docteur Glaser tentèrent de fuir ensemble. J'ai là une dernière lettre qui en témoigne, postée le jour de leur départ. Ils furent rattrapés à la frontière autrichienne, grâce à l'intervention du frère aîné de Sophie, le duc Charles-Théodore.

— Vraiment ? s'exclama Violaine.

— Ce récit ressemble à un mauvais roman-feuilleton, sourit Mary Holgart. Pourtant tout est vrai.

— C'est tellement... incroyable..., souffla la comtesse de Raezal. Fallait-il qu'elle aimât cet homme pour s'enfuir avec lui !

— Elle l'aimait au point de risquer sa réputation, de mettre en péril ce qu'elle avait construit. La conclusion de cette histoire n'en fut que plus tragique... Le duc d'Alençon et le duc Charles-Théodore la firent interner dans la clinique du docteur Krafft-Ebing, près de Graz.

— Internée ? Pour quel motif ?

— Officiellement ? répondit l'Américaine avec un sourire ironique. Pour un « ébranlement nerveux consécutif à sa scarlatine ». Officieusement, pour la guérir de sa « perversion adultère ».

— Je ne peux pas croire que le duc ait permis cela…, murmura Violaine.

— Pourtant, ce mari aimant prit toutes les dispositions pour faire interner sa femme. On rassura l'opinion publique en parlant d'une fragilité des nerfs de la duchesse, ce qui n'étonna pas grand monde, eu égard à son hérédité.

— Son hérédité ?

— Les troubles mentaux qui frappaient certains membres de la branche bavaroise… La folie du roi Louis était présente dans les esprits.

— Combien de temps Sophie resta-t-elle enfermée dans cette clinique ? interrogea Violaine, le cœur serré.

— Elle y resta tout l'été. Pendant ce temps, privée de nouvelles, j'avais appris son internement par voie de presse. Imaginez l'angoisse qui était la mienne. Je finis par me résoudre à écrire au duc pour m'enquérir de l'état de Sophie. Il me répondit très cordialement qu'elle avait dû passer quelque temps en « maison de repos », mais en sortirait très prochainement car son état était encourageant. En effet, Sophie revint en France à la fin du mois de septembre. Je partis passer l'automne chez ma tante dans le but de la revoir. Mais quand j'y parvins – non sans mal car le duc veillait étroitement sur sa convalescente –, elle ressemblait à un pur-sang à qui on a brisé l'échine. On ne décelait pas forcément le changement au premier abord. Elle était à peine plus timide et réservée qu'auparavant. Mais la flamme dans ses yeux s'était éteinte… Et elle n'avait plus que Dieu à la bouche.

— Vous a-t-elle reparlé de cet homme ?

— Jamais. Et son silence me défendait de prononcer son nom ou de l'évoquer d'une quelconque manière. Nous n'en avons jamais reparlé, mais je pense qu'elle l'aimait profondément. Et je crois, non, je suis *sûre* que si elle a choisi de mourir de cette manière, il faut en chercher la raison dans cet internement qui l'a brisée, ajouta Mary Holgart, ses doigts fins tremblants de rage.

Elles demeurèrent un long moment silencieuses, pesant les conséquences de ce qui venait de se dire, liées par le poids de ces secrets échangés et par la complicité qui en découlait. Pour finir, ce fut Violaine qui rompit le silence :

— Il faut sortir Constance de cette clinique, dit-elle.

Mary lui sourit, les yeux brillants.

21

À cette heure matinale, les allées du Bois étaient encore paisibles, à peine troublées par le frottement des roues d'une bicyclette ou le pas des promeneurs solitaires. Laszlo de Nérac avait donné rendez-vous à ses témoins au carrefour des Cascades, non loin de la porte de Passy. Le jeune homme était venu à cheval, désireux de monter le yearling arabe qu'il avait acheté quelques mois plus tôt et qu'il négligeait depuis des semaines. Quand il arriva en vue du lac supérieur, la voiture de ses amis l'attendait au carrefour. Il arrêta son cheval et lui flatta l'encolure avant de mettre pied à terre. C'était un animal superbe, dont la robe noire et brillante s'enflammait de nuances fauves dans le soleil matinal. L'ayant pratiquement vu naître, du moins choisi quand il tétait encore sa mère, il l'avait baptisé Tüzes, « fougueux » en hongrois, tant sa nature impétueuse éclatait dès l'origine.

— Bien, Tüzes, dit-il au cheval qui le fixait de son œil noir profond, les naseaux agités de frémissements. Tiens, dit-il en lui tendant un morceau de sucre, tu l'as mérité.

Il confia le yearling au cocher de son ami Guillaume de Termes, et salua ses amis qui venaient à sa rencontre. Ils s'éloignèrent à pied sur le chemin qui longeait le lac.

— Alors ? Des nouvelles des témoins de mon adversaire ? s'enquit Laszlo.

— Oui, mais pas les meilleures qui soient ! s'exclama Maurice Dampierre qui, depuis qu'ils avaient pris contact avec Pierre Du Ronsier et le comte Roland de Montgival, les deux témoins d'Armand de Raezal, ne décolérait pas.

— Ils refusent la rétractation totale ? le coupa Laszlo.

— Ils la refusent, confirma Maurice. Sous le prétexte que votre version des propos de Mme d'Ambronay serait fallacieuse. Le culot de ces gens ! Une salle pleine a été témoin de l'incident mais ils trouvent le moyen de nier. Ah ! la peste soit des aristocrates. Excepté vous deux… Et Barbey d'Aurevilly, ajouta-t-il après réflexion.

— Je n'en attendais pas moins de vous, sourit Laszlo. Et que nous a dit Mme d'Ambronay, selon eux ?

— Rien qui puisse être pris comme une injure, maugréa Maurice. Rien que le « sentiment trop spontané d'une âme généreuse, violemment émue par le sort des victimes du Bazar de la Charité ». Une âme généreuse… on aura tout entendu !

— Il va falloir vous battre, j'en ai peur, conclut Guillaume de Termes de sa belle voix grave. On ne pourra pas s'entendre avec eux.

— Eh bien, dans ce cas je me battrai, dit Laszlo.

Un silence ponctua son propos, perturbé par les appels nasillards des canards qui barbotaient sur le lac. Ils continuèrent leur promenade sur le chemin de ceinture, croisant un groupe de cavaliers qui les saluèrent en arrivant à leur hauteur.

— En tant qu'offensé, vous avez le choix des armes, lui rappela Guillaume de Termes.

— À votre place, j'opterais pour la strangulation, ajouta Maurice. Quant à moi, j'envisage de fesser ce comte de Montgival, qui s'autorise à nous faire la leçon sous prétexte que sa femme s'est brûlé la jambe au Bazar de la Charité !

— Fesser un comte ? N'oubliez pas de m'inviter, ce sera plaisant à voir…, commenta rêveusement Laszlo.

— L'épée est l'arme qu'on choisit en général, poursuivit Guillaume de Termes imperturbable, mais je crois que vous n'avez pas pratiqué depuis longtemps… Peut-être serait-il plus judicieux d'opter pour le pistolet.

— Ma mère aurait aimé que je me batte à l'épée, répondit Laszlo.

— Ce qui importe ici, ce n'est pas ce que votre mère eût souhaité, mais de choisir l'arme qui vous est la plus favorable, le coupa son ami d'un ton sévère.

Laszlo de Nérac s'arrêta pour observer la nage majestueuse de deux grands cygnes qui traversaient le lac.

— Avez-vous vu la manière dont ils avancent de concert ? Jamais l'un ne prend le pas sur l'autre sans freiner aussitôt son allure, de sorte que son compagnon rattrape son retard.

365

— Oui, c'est merveilleux, gronda Maurice Dampierre. Belle allégorie du mariage bourgeois. Non mais vraiment, Laszlo, est-ce le moment de parler volailles ? Vous allez jouer votre vie peut-être, ou du moins une blessure, c'est important, bon sang !

— Je n'ai jamais été bon au pistolet, avoua Laszlo, et je ne me suis pas entraîné à l'épée depuis plus de quinze ans. Je pense que puisque aucune arme ne m'est favorable… je vais choisir d'honorer le souvenir de ma mère. Pour elle, l'épée était l'arme chevaleresque par excellence.

Dampierre et Guillaume de Termes échangèrent un regard consterné.

— Si vous vous obstinez à choisir l'épée, il faudra vous entraîner tous les jours avec moi, lui dit son ami d'enfance d'un ton pressant.

— D'accord…, concéda Laszlo, levant les mains en signe d'apaisement. Je ferai ce que vous dites, Guillaume, mais quittez cet air sombre…

— Rien ne me plaît dans cette affaire, rétorqua Guillaume de Termes. L'idée que vous vous battiez avec si peu d'entraînement… Nous ne connaissons pas l'habileté de votre adversaire. Et si c'est une fine lame ? Comment tiendrez-vous face à lui ?

— C'est la fortune des duels, mon ami, répondit Laszlo. Nous serons vite fixés, n'est-ce pas ?

— Nous sommes d'accord pour assister à un duel, pas à un assassinat, lâcha Guillaume de Termes.

— Quant à moi, explosa Maurice Dampierre, je refuse de vous servir de témoin si vous ne prenez pas toutes les mesures pour rester en vie !

— C'est entendu, sourit Laszlo. J'irai m'entraîner. Et sinon, quel lieu choisir ? Pas l'île de la Grande-Jatte… C'est trop couru, autant vendre des tickets et lancer les paris !

— Je connais un endroit discret, dit Guillaume de Termes. Nous leur donnerons rendez-vous sur le pont de Neuilly. Avez-vous eu des contacts avec la presse ?

— Pas encore, mais des journalistes étaient postés devant chez moi ce matin.

— Si vous devez leur parler, choisissez *Le Figaro*, dit Maurice. Leurs comptes rendus sont assez honnêtes.

— Je vais y réfléchir, dit Laszlo de Nérac. À présent mes amis, il faut que je vous laisse. J'ai rendez-vous chez le juge Bertulus.

*

— Je persiste à dire que c'est moi qui devrais me battre pour vous, ma chérie, dit Pierre-Marie d'Ambronay à son épouse, qui reposait languissante sur une bergère près de la cheminée.

— Non, Pierre-Marie, je refuse que vous vous battiez ! gémit la jolie Léonce en inclinant la tête vers son mari. Et s'il vous arrivait malheur, vous rendez-vous compte ? Que deviendrions-nous ? Que deviendraient nos enfants ?

Une réunion de crise avait lieu dans le salon de l'hôtel d'Ambronay. Les témoins d'Armand s'entretenaient avec lui depuis le milieu de la matinée, mais on pouvait déjà conclure qu'il n'y aurait pas d'autre issue que le duel.

— Est-il juste que votre frère risque sa vie quand vous avez un époux en âge de se battre ? insista Pierre-Marie, que cette situation mettait terriblement mal à l'aise.

— Rien n'est juste dans cette affaire, s'emporta Léonce. Que cet homme ose exiger réparation, après ce qu'il a fait ! Mais Armand n'a pas de famille à charge, lui.

— Peut-être pourriez-vous, ma chérie, retirer ce que vous avez dit un peu trop vivement à cet homme ? hasarda son mari.

La colère donna à la jeune femme éprouvée l'énergie de se redresser.

— C'est une plaisanterie ? Songez-vous à me forcer à me rétracter ?

— Je ne vous force à rien, ma chérie. Mais si ça peut sauver la vie d'Armand, la chose ne mérite-t-elle pas d'être considérée ?

— Il n'est pas question que je retire un seul de mes propos, déclara-t-elle, empourprée. Je ne comprends pas que vous l'envisagiez. De quoi aurais-je l'air ?

— Alors laissez-moi prendre la place d'Armand, l'implora-t-il avec ces yeux de chien battu qu'elle ne pouvait souffrir.

— Non, je refuse que vous vous battiez. C'est trop dangereux.

— Mais, ma douce…

— Faut-il vraiment qu'elle vous le répète ? le coupa une voix ironique derrière lui.

Ils sursautèrent tous deux en reconnaissant la voix d'Armand de Raezal, qu'ils n'avaient pas entendu entrer.

— Elle ne veut pas que vous vous battiez. Vous lui êtes trop précieux ! sourit-il, amer. Estimez-vous heureux, Pierre-Marie, qu'après huit ans de mariage ma sœur tienne encore trop à vous pour vous demander de vous faire tuer pour ses beaux yeux.

— Tuer, tuer… Tout de suite les grands mots, s'irrita Léonce du fond de sa bergère. Personne ne va mourir, voyons ! Des duels ont lieu constamment dans cette ville, allez-vous me faire croire qu'on y meurt à chaque fois ?

— Il suffit d'une fois, observa Armand.

— Je vous comprends, Armand, dit Pierre-Marie d'Ambronay avec gêne. C'est à moi de me battre, quoi qu'en dise votre sœur. C'est à moi et à moi seul.

— Je prends note de votre embarras, lui répondit son beau-frère avec un petit sourire. Votre proposition est généreuse, mais je vais devoir la refuser. Comme le faisait remarquer ma sœur, je n'ai pas d'épouse, pas d'enfants. Si l'un de nous deux doit mourir, autant que ce soit moi.

— Mais enfin, vous ne mourrez pas ! s'impatienta Léonce. Dans le pire des cas, vous vous en tirerez avec une petite blessure… Si on mourait pendant les duels, cela se saurait !

Leurs regards convergèrent vers la forme allongée dans la bergère, mais si une certaine admiration pouvait se lire dans les yeux d'Armand, Pierre-Marie fixait son épouse avec une incrédulité teintée d'effroi.

Elle devait être encore souffrante et sous le choc. Seul le contrecoup de cette terrible soirée au théâtre pouvait la pousser à parler si légèrement. Son détachement était, à bien y réfléchir, proche du délire. Sa terreur avait dû être si forte devant ce journaliste... Sans doute frisait-elle la crise nerveuse. Il s'attendrit, un profond désarroi se cachait sous cette apparente insensibilité. Il connaissait sa femme, elle n'était pas elle-même dans ce moment et il n'aurait pas trop de tout son amour pour l'apaiser et la rassurer.

Et s'il arrivait malheur à Armand, s'en remettrait-elle, sa précieuse ? Rien n'était moins sûr.

Pierre-Marie fronça les sourcils. Plus que jamais il devait veiller sur elle.

*

Violaine de Raezal attendait dans l'antichambre de l'hôtel d'Alençon, triturant nerveusement ses doigts gantés. Elle avait espéré que le cocher serait là, et se sentait bien seule. À l'instant de lier connaissance avec le duc, le secret que lui avait confié Mary Holgart lui rendait cette rencontre plus redoutable encore.

Un valet vint la prévenir que le duc l'attendait dans le petit salon. Elle le suivit avec appréhension, manqua trébucher sur les trois marches qui conduisaient au demi-palier, retrouva un peu de contenance dans le couloir mais se pétrifia en le voyant se lever à son entrée dans la pièce, s'avancer vers elle et s'incliner en lui baisant la main.

— Chère madame de Raezal, c'est un honneur de vous rencontrer, dit-il, et elle lui sourit, protestant que tout l'honneur était pour elle.

Elle le trouva grand, intimidant de prestance et d'élégance. Un turban noir cachait les larges pansements qui couvraient ses brûlures. Il l'invita à s'asseoir sur un des deux canapés laqués de style Louis XVI que séparait une jolie table basse marquetée, et s'installa en face d'elle. Prévenant, il s'enquit de sa santé, lui demanda si elle avait froid dans ce salon glacial, proposa de faire rallumer le feu qui faiblissait dans l'âtre. Étant lui-même blessé, il savait que les brûlés ont toujours froid, que rien ne les réchauffe, que c'est comme une malédiction supplémentaire. Elle le remercia, lui assura que tout allait bien, mais il sonna tout de même et un second valet entra pour tisonner le feu.

— Je vous en prie, madame, dit-il d'une voix douce. J'ai moi aussi quelques brûlures, et je sais combien elles rendent sensible au froid. Puis-je vous offrir une tasse de thé ?

Elle accepta avec reconnaissance, espérant que le thé, en la réchauffant, ferait fondre sa timidité et lui rendrait un peu de naturel.

— Je ne crois pas l'avoir mentionné dans ma lettre, mais c'est Joseph, mon cocher, qui m'a parlé de vous et appris que vous étiez auprès de mon épouse au moment de l'incendie. Étiez-vous à son comptoir depuis le matin ?

Elle se troubla, elle ne s'attendait pas à ce qu'il aborde si vite le sujet de l'incendie. Le regardant à la dérobée, elle nota ses yeux las, la lueur d'épuisement qui rougeoyait au fond de ses prunelles, les cernes mauves qui ombraient son regard bleu. C'était un homme jeté à bas de lui-même qui luttait pour rester droit, ne pas ployer, tenir son rang. Elle repoussa la compassion qui se frayait un chemin en elle, songeant à la duchesse, à la lettre qu'elle avait lue.

— J'étais au comptoir n° 4 depuis la veille, dit-elle.

— Vraiment ? s'étonna-t-il. Je ne me souviens pas de vous y avoir vue... J'ai dû être distrait, il y avait tant de monde pour l'inauguration, ajouta-t-il en hochant la tête.

Disons plutôt que vous regardiez à travers moi, songea-t-elle. Vous ne pouviez pas vous douter que votre femme s'était entichée de moi, et certainement ne l'auriez-vous pas vu d'un très bon œil.

— Mon épouse tenait beaucoup à ses œuvres, dit-il. Elle leur consacrait une grande part de son temps... de notre temps. Il m'arrivait de lui dire qu'elle en faisait trop, ajouta-t-il avec un sourire mélancolique. Mais elle me répondait toujours qu'on ne pouvait pas œuvrer à moitié pour les pauvres, qu'il fallait se donner entièrement ou pas du tout. Comprenez que je ne pouvais pas lutter contre de tels arguments !

Ils échangèrent un sourire complice, fragile et timide, parce que ces mots de Sophie la ressuscitaient soudain comme si elle venait de les prononcer, joignant le geste à la parole et se levant aussitôt pour aller Dieu sait où, dans quelle mansarde, quel coin ténébreux de Paris, de son pas léger et décidé.

— Je devais la partager avec les pauvres, les malades... Avec les dominicains, qui l'accueillaient pour de longues retraites... Son directeur de conscience, le père Boulanger, un saint homme, me disait encore hier à quel point il avait été touché par la force de sa foi... Quelques jours avant l'ouverture du Bazar de la Charité, mon épouse lui avait confié : « Si Dieu me demandait ma vie, je la Lui sacrifierais à l'instant. » De fait, le père Boulanger est persuadé que cet incendie fut en quelque sorte la réponse de Dieu à sa prière... Le signe qu'elle devait Lui sacrifier sa vie, sans attendre la dernière extrémité... Je trouve cela un peu dur à entendre, voyez-vous...

Tant de détresse et de peine dans ses yeux qu'à cet instant Violaine avait le cœur étreint de pitié pour cet homme, et ne doutait pas qu'il eût aimé sa femme.

— Je comprends..., répondit-elle d'une voix sourde.

— Pensez-vous aussi que ma femme a choisi de mourir et de sacrifier sa vie à Dieu ?

Elle eut peur qu'il déchiffre les pensées, les émotions qui se bousculaient dans sa tête. Que voulait-il entendre ? La vérité, ou un mensonge qui lui permettrait d'accepter la mort de Sophie ?

— Je ne sais pas, monsieur le duc. J'ignore si elle pouvait échapper aux flammes. Pour ma part, j'ai été sauvée indépendamment de ma volonté. Portée par le mouvement de la foule jusqu'sur le terrain vague, j'avais perdu connaissance et, si une religieuse ne s'était pas trouvée là, le feu m'aurait dévorée, comme il l'a fait pour d'autres…

Elle réalisa soudain qu'elle avait oublié cette religieuse et le rôle clé qu'elle avait joué dans son sauvetage. Comme si sa mémoire recrachait les souvenirs de ce jour-là à un rythme capricieux et aléatoire. Il y avait eu une religieuse pour la sauver, l'arracher à la voracité du feu. Ce n'était pas assez pour racheter les autres, ces harpies inflexibles qui vous ordonnaient de serrer les dents et vous arrachaient un enfant tout palpitant du ventre, mais cela comptait, pourtant.

Le duc avait paru l'écouter attentivement mais il ne fit aucun commentaire, ne salua pas la Providence qui l'avait sauvée en la personne de cette sœur, ne se réjouit pas que son invitée ait survécu, ne lui demanda pas comment elle avait réussi à s'extirper du terrain vague. Le destin de Violaine de Raezal et les péripéties de sa survie ne l'intéressaient pas et à cet instant il était incapable de feindre, poursuivant son idée fixe.

— Il y avait une issue près du comptoir n° 4. Du côté des numéros impairs. Il semble qu'il y ait eu deux portes ouvertes à cet endroit. Depuis qu'on me l'a dit, j'ai pu le vérifier sur un plan.

Violaine s'efforça de se souvenir du lieu, de l'emplacement précis des comptoirs, des portes et des fenêtres.

— Peut-être…, répondit-elle. La fumée était si épaisse… On n'y voyait pas à cinq mètres devant soi… Pourtant oui, je me souviens d'avoir senti un courant d'air sur ma droite, et j'ai pensé qu'il fallait aller de ce côté, mais à cet instant nous avons été emportées par la foule.

— Quand vous dites « nous avons été emportées », ma femme était-elle avec vous ?

— Non, elle n'était plus avec nous. J'étais avec une jeune fille qu'elle m'avait confiée.

— Pourquoi n'était-elle plus avec vous ? la coupat-il, impatient.

Ses paupières clignèrent tandis qu'elle revoyait la scène qui la hantait encore, la duchesse debout devant elles, son regard absent quand elle leur avait ordonné de fuir, la résolution qu'elles avaient lue sur son visage tandis qu'elle s'éloignait vers le renfoncement derrière le comptoir, le « magasin » où elles entreposaient les objets à vendre. Il n'y avait aucune issue de ce côté-là, et Sophie le savait. Elle la revit faire quelques pas chancelants, comme ivre, tandis qu'elles la suppliaient de revenir. L'expression de douleur sur son visage, quand elle se retourna vers elles une dernière fois, murmurant « Ah... le feu », avant de disparaître dans le magasin.

— Elle nous avait ordonné de partir sans elle, avoua-t-elle.

— Et au moment où elle vous a ordonné de partir, vous a-t-elle donné le sentiment qu'elle voulait lutter, qu'elle cherchait à s'enfuir ?

— Je ne sais pas... Sans doute..., bredouilla-t-elle.

— Ne cherchez pas à m'épargner, madame, insista-t-il. J'ai besoin d'entendre la vérité.

— Je ne détiens pas la vérité...

— Dans ce cas, dites-moi ce que vous avez vu, ce que vous avez ressenti...

Violaine revit Sophie déclarer au jeune tuberculeux qu'il n'était pas de bonheur possible en ce monde. Elle songea à la Sophie plus jeune qu'on avait envoyée à l'asile pour un amour défendu. Et que cet homme éploré qui l'assaillait de questions avait fait enfermer sa femme parce qu'elle menaçait de le quitter. Elle leva la tête et croisa son regard pressant, impérieux et désarmé. Il était si facile de lui infliger le coup mortel qu'il réclamait, ce doux poison, l'idée torturante que la mort de la duchesse était une liberté reprise.

— Je pense que votre femme avait peur de la foule, dit-elle. Elle a dû attendre que le passage soit dégagé pour sortir à son tour... Mais elle n'en a pas eu le temps.

— C'est ce que vous pensez.

— Oui, monsieur le duc. D'ailleurs, n'a-t-elle pas déclaré à d'autres dames qu'elle partirait la dernière ? Elle a sans doute pensé qu'elle aurait le temps de quitter le Bazar une fois que la foule serait sortie.

— Ou peut-être m'attendait-elle..., murmura le duc d'Alençon, profondément ému. Vous savez, sur le moment je n'ai pas réalisé l'ampleur de la catastrophe. Au départ de l'incendie, j'ai pensé qu'on avait le temps d'évacuer tout le monde. Je voyais cette minuscule languette de feu, bien inoffensive... Quelques minutes plus tard, de hautes flammes se dressaient devant moi et, quand j'ai voulu rejoindre mon épouse, un torrent humain me barrait la route. Pour ne pas me faire piétiner je me suis réfugié derrière un comptoir. Je regardais cette foule se précipiter vers les portes et je n'ai pensé qu'à la panique et aux chutes qui risquaient d'obstruer les issues. Je n'ai pas douté une minute que ma femme en sortirait indemne. Durant les cinq, six minutes où je suis resté derrière ce comptoir, je pensais qu'elle était déjà dehors. La porte de devant était obstruée, mais en me retournant j'ai vu les comptoirs désertés, la salle presque vide... Et c'est étrange, voyez-vous..., murmura-t-il. Parce que pendant plus de vingt ans, j'ai eu peur pour elle. Peur pour sa santé, peur qu'elle se sente seule et abandonnée durant mes absences...

Violaine baissa les yeux tandis que ses pensées volaient à la rencontre de Sophie, elle la voyait marcher joyeuse vers cet amant qui l'attendait, monter quatre à quatre des volées d'escalier, refermer la porte, se réfugier dans ses bras.

— Je n'ai cessé d'avoir peur pour elle, continua-t-il avec un sourire triste. Et par une étrange ironie, dans ce moment où je pouvais la sauver, je n'ai jamais envisagé qu'elle soit en danger. Vous rendez-vous compte que j'aurais pu la sauver ? J'ai eu le temps de traverser deux fois le Bazar en flammes ! Elle devait être là, à dix mètres de moi, terrée quelque part, attendant que je vienne la secourir... Et tout ce temps, j'étais sûr qu'elle m'attendait dehors, saine et sauve !

Il porta la main à son front bandé, comme pour attester le Ciel du mauvais tour que son esprit lui avait joué.

— Quand je suis sorti du Bazar, j'ai croisé un groupe de dames qui l'avaient vue, et elles m'ont assuré qu'elle était sauve. Mais quelques minutes plus tard, quand la structure du Bazar s'est effondrée...

Vous souvenez-vous de cette clameur ? Et de ce terrible silence, après l'écroulement ?

— Non, dit Violaine, je ne m'en souviens pas. J'ai perdu connaissance pendant qu'on me hissait par le vasistas de l'hôtel du Palais, je ne me souviens de rien ensuite.

— C'était épouvantable... Et à ce moment précis, j'ai eu ce pressentiment... Le pressentiment qu'elle était là, dans ce tas... Et puis je l'ai chassé.

— Je ne connaissais pas très bien Mme la duchesse, dit Violaine pour arracher son hôte à son douloureux ressassement, mais je nourrissais un attachement profond à sa personne et je veux vous dire que jamais je ne...

— Je l'ai abandonnée, madame, la coupa le duc d'une voix basse, pressé d'aller au bout de son aveu.

— Non, monsieur le duc, répondit Violaine de Raezal avec émotion. C'est moi qui l'ai abandonnée. Et je ne me le pardonne pas.

Le duc se tut, et pour la première fois depuis le début de leur entretien, elle eut le sentiment qu'il la regardait vraiment, pour ainsi dire la découvrait. Il n'était plus question de masquer sous la courtoisie le fait qu'elle ne lui était rien, qu'il ne l'avait invitée chez lui que parce qu'elle avait partagé les derniers instants de sa femme. Non, il s'était surpris à lui dire ce qui lui brûlait les lèvres, le réveillait la nuit, le hantait, l'épuisait. Et soudain cette femme se tenait là en égale, revendiquant sa part de culpabilité. Violaine lut dans ses yeux qu'il lui était insupportable de partager cette culpabilité avec un tiers, il la voulait tout entière. Lui seul pouvait avoir abandonné son épouse et failli à son devoir, par-delà sa mort il entendait réaffirmer ses droits sur elle. Elle comprit alors comment cet homme avait pu aimer Sophie au point de lui couper les ailes pour l'empêcher de s'enfuir.

— Chère madame, vous ne pouvez vous reprocher d'avoir survécu, ce serait offenser le Seigneur qui vous a protégée. Il n'était pas en votre pouvoir de sauver ma femme, et vous l'avez dit très justement tout à l'heure : votre volonté fut impuissante à vous sauver vous-même. Alors promettez-moi d'oublier cela, et de continuer à vivre comme mon épouse l'aurait souhaité pour vous.

— Je vous le promets, monsieur le duc, et je vous remercie de votre bonté, répondit-elle, voyant passer le soulagement dans son regard bleu pâle.

C'était la réponse qu'il attendait d'elle, comme il attendait qu'elle disparût de sa vie à présent que sa tâche était accomplie, qu'elle s'éclipsât sur la pointe des pieds pour le laisser en tête à tête avec ses remords et son cher fantôme.

*

Alors que le valet de pied reconduisait Violaine à la porte, elle aperçut dans la cour le cocher qui plaisantait avec le palefrenier. Le palefrenier fit mine de lui taper sur l'épaule, et Joseph effaça aussitôt son épaule blessée, par réflexe.

— J't'ai connu plus courageux ! s'écria le palefrenier.

— Oui, eh bien arrête, elle est assez amochée comme ça ! rétorqua le cocher.

— Voyez-vous ça... Bon, tu la montres, cette médaille ?

Joseph écarta le col de son manteau, découvrant la croix accrochée au ruban rouge, sur sa veste de costume.

— Mon cochon, mais c'est la Légion d'honneur ! siffla le palefrenier, stupéfait.

— Oui, répondit sobrement le cocher.

— Je croyais qu'y vous donnaient des médailles du mérite, ou je n'sais quoi...

— Eh bien, à moi ils m'ont donné la Légion d'honneur, répondit fièrement le cocher. Le ministre Louis Barthou me l'a accrochée lui-même. Et je suis le seul à l'avoir eue, les autres n'ont que des médailles de sauveteurs.

— Ben, mon vieux, si tu d'viens pas prétentieux après ça...

Joseph, qui allait répondre, s'interrompit en voyant Violaine entrer dans la cour. Elle avançait vers lui, radieuse, et la revoir ajouta encore à la joie qui l'emplissait depuis la cérémonie à l'hôtel de Beauvau. Il s'étonna de s'être attaché à la comtesse de Raezal, lui qui accordait rarement son estime aux gens de la haute société, sans parler de son affection.

— Bonjour, Joseph, je suis heureuse de vous voir, je craignais de vous manquer ! s'exclama-t-elle en lui tendant sa main gantée qu'il serra dans la sienne.

— Bonjour, Madame la comtesse ! Comment va Madame la comtesse ?

— Je vais bien, dit-elle. Mais, c'est l'insigne de la Légion d'honneur que je vois épinglée à votre veste !

Ne pouvant réprimer un air de fierté légitime, le cocher hocha la tête.

— Le ministre Louis Barthou me l'a remise tout à l'heure, à l'hôtel de Beauvau.

— Je suis heureuse pour vous, Joseph ! Vous vous êtes conduit en héros au Bazar de la Charité, c'est une récompense méritée.

Ils s'éloignèrent ensemble, tandis que le valet et le palefrenier les suivaient des yeux en silence. La complicité qu'ils percevaient entre le cocher et la comtesse de Raezal relevait de l'énigme, il y avait là comme une inconvenance dont on ne pouvait clairement délimiter les contours. Ce n'était pas qu'il y eût quoi que ce soit d'équivoque dans leur manière de s'adresser l'un à l'autre, ou de marcher côte à côte, du reste une comtesse avait le droit de parler à qui bon lui semblait. Non, ce qui gênait ici, c'était la traduction subtile – à travers leurs gestes et leurs regards – d'une connivence déplacée qui venait bousculer l'ordre de leur monde.

Le gardien se frotta pensivement le menton. Depuis l'incendie, quelque chose ne tournait pas rond chez Joseph.

— Cette cérémonie au ministère de l'Intérieur, était-ce intimidant ? interrogea Violaine de Raezal quand ils se furent suffisamment éloignés pour ne plus être à portée de voix.

— Oui, plutôt ! dit Joseph. Il y avait tous les sauveteurs, leurs familles, leurs amis… Ça en faisait du monde ! Et puis tous les officiels, les gens du gouvernement...

— Avez-vous tissé des liens d'amitié avec certains sauveteurs ?

— Eh bien c'est bizarre, parce que d'avoir partagé tout ça, c'est comme si on s'connaissait sans s'connaître. On est contents de s'voir... Et puis j'ai revu mon ami l'contremaître de chez Rothschild, Louis Gaugnard. Il était avec moi quand on a aperçu la fumée au-dessus du Bazar de la Charité. Louis a sauvé beaucoup de victimes, ce jour-là.

— Ce jour-là, vous étiez les instruments de la Providence..., murmura Violaine.

— J'ai demandé à Louis s'il connaissait le nom d'une jeune fille que j'ai retirée des flammes, il se souvenait bien d'elle mais il a pas su me dire..., continua Joseph, pensif. Elle bougeait à peine, j'ai bien failli ne pas la voir. J'ai vu bouger sa main, une petite main dressée sur la montagne des corps... elle bougeait, oh, un tout petit peu, mais ça m'a permis de la sauver, ajouta-t-il avec fierté.

— À quoi ressemblait cette jeune fille ?

— Jolie comme tout, avec un corsage bleu. Il était brûlé, mais on voyait encore le bleu par endroits.

— Oh, Joseph, c'est donc vous ? s'exclama la comtesse de Raezal, très émue. C'est vous qui avez sauvé Constance ?

— Constance ? répéta-t-il sans comprendre.

— Je connais votre inconnue, et votre maîtresse la connaissait aussi ! Elle s'appelle Constance d'Estingel.

382

— Ah ! s'écria le cocher, le visage illuminé de joie. Madame la comtesse connaît cette jeune fille ? Elle est en vie, me voilà soulagé... Comment va-t-elle ?

Ils se souriaient.

— Elle va... bien, dit la comtesse, hésitante.

— Ce jour-là, je l'ai portée jusqu'à la cour des écuries Rothschild... J'ai eu peur qu'elle meure avant d'avoir vu le docteur. Je me suis penché pour écouter si elle respirait, elle gémissait tout doucement... Le docteur Livet n'avait pas l'air optimiste...

— Joseph, vous l'avez sauvée ! répéta la comtesse de Raezal. C'est incroyable...

— Où est-elle ? la coupa Joseph, qui souriait jusqu'aux oreilles. Croyez-vous que je pourrais l'apercevoir tantôt ? De loin, juste pour vérifier d'mes yeux qu'elle va bien ?

La comtesse de Raezal le fixait, songeuse. Une lueur étrange passa sur son visage tandis qu'elle observait le cocher, ses mains puissantes qui avaient arraché Constance aux flammes.

— Mlle d'Estingel est en danger, murmura-t-elle en le regardant droit dans les yeux. Je ne puis malheureusement vous en dire plus.

Il se figea, interdit.

— C'est à cause de ses brûlures ? souffla-t-il.

— Non, ses brûlures guérissent bien. C'est d'un autre danger qu'il s'agit...

— Puis-je être utile ? questionna-t-il à brûle-pourpoint.

— Cette question vous honore... Eh bien, voyons, peut-être... Savez-vous prier, Joseph ?

Il se racla la gorge, cueilli à froid par cette question qui lui rappelait si cruellement la duchesse d'Alençon qu'il en pâlit. Il se souvenait de sa manière délicate de l'inviter à entrer quand il la déposait à la messe, le regard qu'elle posait sur lui quand il refusait un peu gêné, ce sourire léger au coin de ses yeux qui disait sa certitude que Dieu l'aurait à l'usure.

— C'est pas mon fort, Madame la comtesse…, avoua-t-il.

— En ce cas, priez un peu pour cette jeune fille que vous avez arrachée à la mort, répondit la comtesse de Raezal. On dit que les prières des mécréants montent plus vite au Ciel, ajouta-t-elle d'un air mutin.

Tandis qu'elle prenait congé de lui, elle avisa le journal serré sous son bras.

— M'autorisez-vous à vous le voler ?

C'était un exemplaire du *Figaro* qu'on lui avait donné dans les locaux du quotidien, où il s'était rendu ce matin en compagnie d'autres sauveteurs. Le numéro du lendemain l'intéressait davantage car il parlerait d'eux, les prolétaires qui avaient risqué leur vie pour sauver des grandes dames. Ils étaient devenus, l'espace de quelques heures brûlantes et périlleuses, les héros de la République, symboles de l'unité sociale et de la fraternité des hommes au-delà des clivages de la naissance et de la richesse. Un exemple à brandir au nez de ces jeunes dandys qui, disait-on, n'avaient pas sali leurs gants pendant que les ouvriers, les cochers, les cuisiniers entraient dans le feu et retroussaient leurs manches.

— Bien sûr, Madame la comtesse ! s'écria-t-il en lui tendant le numéro. Au plaisir de revoir Madame la comtesse.

— Soyez-en sûr, nos routes se recroiseront un jour prochain, Joseph, lui répondit-elle les yeux brillants. Et d'ici là, promettez-moi de veiller sur ces vilaines brûlures.

Il hocha la tête, la regardant s'éloigner avec ce pincement de mélancolie que son départ lui causait chaque fois. Cet incendie l'avait rendu trop sentimental. Il manquait de distractions. Il était grand temps qu'il profite des avantages de sa nouvelle célébrité.

22

Écartant le rideau pourpre, Armand de Raezal jeta un coup d'œil au ciel. Une aube grise et terne se levait sur Paris, lourde d'orages suspendus, effaçant le souvenir des jours ensoleillés. Ce n'est pas un beau jour pour mourir, se dit-il. Et cette pensée s'envola, plume chassée par le vent. Armand n'était pas homme à s'appesantir sur son sort. Il fuyait consciencieusement toute forme de gravité, de profondeur, et méprisait les êtres qu'il voyait se débattre dans les rets de leurs passions : quelle perte de temps, quel gaspillage !

Se retournant, il embrassa du regard le lit ravagé, la forme qui y gisait en croix, la pipe d'opium encore fumante en équilibre instable sur la table de chevet.

— Viens…, gémit la voix tiède et embrumée. Fume avec moi…

— Non, répondit-il en riant. J'ai assez fumé hier soir… Et puis je me bats, tout à l'heure… As-tu oublié ? Je dois garder l'esprit clair.

Le corps allongé se redressa, frappé par la foudre. Armand apprécia le profil d'ange et la lippe charmante de son jeune amant. C'était vraiment un beau garçon. Trop entier, mais il l'aimait ainsi, se délectant de le voir si perméable à cette violence des sentiments à laquelle lui ne cédait jamais. Il était si facile de briser le cœur de Félicien. Quelques mots avaient le pouvoir de le plonger dans un chagrin insondable.

— Tu ne vas pas te battre ! lança le jeune homme, entre la colère et la supplique.

— Je ne vois pas le moyen de faire autrement…, sourit Armand.

— Bien sûr qu'il y a un moyen ! Dis à ton beau-frère que c'est à lui de se battre.

— Mon beau-frère a bien assez à faire avec ma sœur, va ! Et puis, il a charge de famille… Moi pas.

— Et moi, je ne compte pas ? s'indigna son amant. Je ne suis pas ta famille, peut-être ?

Armand de Raezal lui adressa un sourire tendre et détaché.

— Félicien… Un jour tu devras grandir, tu sais ?

— Je ne compte pas, c'est ça ! s'exclama le jeune homme en attrapant son peignoir.

— Ai-je dit que tu ne comptais pas ? répondit posément Armand, avec la patience qu'on réserve aux enfants têtus.

— Je ne veux pas que tu te battes, protesta Félicien en serrant rageusement la ceinture du peignoir raffiné qu'il lui avait offert.

— Parlons d'autre chose, veux-tu ? proposa Armand en ramassant ses vêtements disséminés dans la chambre.

Il jeta un coup d'œil à la pendulette posée sur le rebord de la cheminée de marbre. Dans moins d'une heure, il devait rejoindre ses témoins à deux rues d'ici. Il tendit la main à son amant.

— Allez, mauvais garçon, viens m'embrasser.

Félicien ne bougea pas d'un pouce, boudant ostensiblement. Quel enfant gâté ! Il lui aurait volontiers donné la fessée, mais il devait s'habiller et le temps manquait.

— Si je suis tué, tu vas regretter de m'avoir refusé ce baiser, dit-il avec un sourire en coin.

Aussitôt, le jeune homme se précipita dans ses bras, tendant sa bouche veloutée vers la sienne.

— Ne dis pas ça ! Comment peux-tu dire des choses pareilles ! murmura son amant, les yeux noyés d'angoisse. Je t'aime, tu le sais bien.

— Je le sais, dit Armand en lui rendant ses baisers.

— Je t'aime ! Et je hais ton ennemi.

— J'espère bien que tu ne l'aimes pas ! sourit Armand. Même s'il est assez dans ton genre... Grand, bien bâti, brun et sec comme un Italien...

— Qu'il crève ! le coupa Félicien, nuançant d'agressivité virile son visage adorable.

Armand de Raezal eut de la peine à se détacher de son amant, le garçon s'accrochait à lui pour l'empêcher de partir. Quelle puérilité charmante et agaçante... Il finit par l'écarter fermement, ramassa ses affaires et commença à se rhabiller.

— Je t'accompagne ! lança Félicien.

— Voilà une idée ! s'exclama Armand en enfilant son pantalon. Tu assisterais au duel en compagnie de mes témoins et des journalistes, mordant ton mouchoir... Ce serait charmant !

— Je suis sérieux, rougit le garçon qui s'était rhabillé à la hâte. Laisse-moi venir.

— Bien sûr que non, enfin ! s'impatienta Armand. Depuis un an, je viens ici en cachette, nous ne nous voyons presque jamais à l'extérieur, encore moins en public, et tu voudrais que je m'affiche avec toi ? Déjà l'autre jour, à une simple soirée au théâtre, tu t'es fait remarquer par ton mutisme et m'as attiré des remarques de ma sœur ! Tu es un chéri, mais tu n'es pas sortable.

— Je ferai tout ce qu'il faut, fais-moi passer pour un de tes amis ! supplia Félicien qui ne désarmait pas.

Armand soupira. Tout bien considéré, il avait un enfant à charge. Il vérifia dans le miroir que son nœud de cravate était réussi. Ses préférences sexuelles le contraignant à la clandestinité, il avait appris à s'habiller seul quand son emploi du temps ne lui permettait pas de passer se changer chez lui.

— Je te rejoindrai ici ce soir, vers onze heures. D'ici là, je ne veux plus entendre parler de toi.

Félicien fixait le sol avec une mine si affligée qu'Armand passa de l'agacement à l'attendrissement, contourna le lit pour le prendre dans ses bras, lui relever le menton d'un geste de propriétaire.

— Reste sage jusqu'à ce soir, petit démon.

— Tu seras là ? À onze heures ?

— Je serai là. À onze heures précises. M'aimeras-tu encore plus si je remporte ce duel ?

— Je t'aimerai chaque jour davantage si tu restes en vie, lui répondit son amant aux cheveux ébouriffés, aux yeux trop tendres.

Armand attrapa son chapeau, ses gants, et embrassa du regard la garçonnière où il avait passé de si douces heures depuis un an. Il s'attarda sur son mobilier un peu passé de mode mais élégant, sur les rideaux pourpres doublés de soie bouton-d'or, la tabatière en bois sculpté sur laquelle un angelot jouait de la lyre et qu'il avait offerte à Félicien pour son anniversaire, les boutons de manchette en or, les draps de satin, tous ces raffinements qu'il avait prodigués au jeune homme en retour d'une dévotion passionnée. Il n'était pas sûr de tenir au garçon autant qu'il tenait à lui, et pourtant, ce matin-là, il grava dans sa mémoire chaque détail de cette bonbonnière où il avait retrouvé son amant plusieurs nuits par semaine, depuis ce jour d'avril où leurs regards s'étaient croisés, puis accrochés l'un à l'autre, sur l'hippodrome de Longchamp. Nuits suaves, nuits précieuses et alanguies, dans l'étreinte voluptueuse de l'opium ou la froide complicité des étoiles. Nuits comme autant de perles noires qui avaient allégé le collier des jours d'Armand de Raezal, lui avaient rendu moins pénible toute cette comédie sociale, ce travestissement de son être qui le dégoûtait de lui-même.

Il était comme ces vampires de la littérature irlandaise, enfouissant leurs appétits charnels dans le manteau de la nuit quand le jour les trouvait vides et glacés. Ces derniers mois, il n'avait été que ce cadavre ranimé au crépuscule par les baisers de Félicien. Il avait espéré que le fantôme de son père reviendrait le hanter, à présent qu'il connaissait le secret de ce fils qui l'avait toujours irrité tel un eczéma, mais non, il était resté à l'abri du caveau de famille, lui refusant jusqu'au bout la faveur d'un face-à-face dans le dévoilement de leurs faiblesses respectives.

Pourtant, ils avaient plus en commun que son père n'aurait voulu l'admettre. L'égoïsme, pour commencer, même s'il se traduisait de manière contraire, celui d'Armand le poussant à faire semblant d'éprouver des sentiments qu'il n'éprouvait pas, alors que celui de Gabriel l'avait toujours empêché de feindre un quelconque amour conjugal ou paternel. Armand l'avait longtemps haï, les jointures de ses doigts pâlissant en poings serrés qui n'atteignaient jamais leur cible. Sa rage se brisait sur l'indifférence polie de son père. Cette indifférence n'avait pas fondu comme givre à la mort de son épouse mais au contraire gagné en densité. Et durant des années, se dire que son père souffrait d'une forme de déficience affective avait permis à Armand de se disculper de ne pas mériter son amour.

Jusqu'à l'arrivée de cette femme. Jusqu'à ce qu'il voie son père saisi, bouleversé par cette créature, au point que même ses yeux semblaient avoir changé de couleur.

Son mariage relevait donc d'une erreur d'aiguillage, il n'en avait été que le passager attendant de descendre en gare. Mais ses enfants étaient pourtant bien à lui, n'est-ce pas ? Pourquoi était-il incapable de leur manifester un semblant d'affection ?

Léonce était une petite fille capricieuse et narcissique que sa mère avait subtilement dressée contre Gabriel, année après année, prenant l'enfant à témoin de toutes les offenses dont elle était l'objet, faisant d'elle son alliée minuscule tout en l'asphyxiant d'attentions maternelles.

Quant à lui… Lui n'avait jamais été ce que son père espérait. Depuis sa naissance chétive et bilieuse, depuis cette enfance où il s'était fait rosser plus souvent qu'à son tour, il n'avait jamais lu que déception et mépris dans le regard de son géniteur. Une ou deux fois, il s'était affiché avec une jeune fille le temps d'un bal avant de la présenter à son père, jouant de son mieux les amoureux transis. Son père lui réservait alors ce sourire ironique qu'il lui avait légué, lui signifiant par là qu'il était inutile qu'il se donnât tant de mal. Comme s'il savait.

Dévalant l'escalier quatre à quatre, Armand de Raezal savoura l'ironie qui voulait qu'il accomplît ce jour-là la seule action qui lui eût attiré le respect de son père.

*

« Le Figaro, *mardi 24 mai*

Après l'incident que nous évoquions vendredi dernier, opposant M. Armand de Raezal à notre confrère Laszlo de Nérac, nous publions ce jour le procès-verbal du duel à venir :
À la suite des paroles échangées entre la sœur de M. Armand de Raezal et M. Laszlo de Nérac, M. de Nérac s'est considéré comme gravement offensé et a chargé MM. Maurice Dampierre et Guillaume de Termes de demander réparation par les armes à M. Armand de

Raezal, qui a constitué comme témoins MM. Pierre Du Ronsier et le comte Roland de Montgival.

Les quatre témoins se sont longuement réunis, mais après les déclarations de M. de Nérac et de M. de Raezal, donnant chacun une version différente des paroles échangées, les témoins ont été dans l'impossibilité de s'entendre, les deux parties maintenant les dires de leur client.

MM. Du Ronsier et le comte de Montgival ont proposé un arbitrage. MM. Dampierre et de Termes ont déclaré qu'il n'y avait pas lieu à arbitrage, dès lors que M. de Raezal, ne pouvant admettre que sa sœur eût pu enfreindre les règles de la correction mondaine, estimait pour sa part qu'il n'y avait pas eu d'offense réelle et que les propos tenus n'avaient pas dépassé les bornes d'un badinage de salon. MM. Dampierre et de Termes ont donc refusé l'arbitrage. En ces conditions, les quatre témoins ont considéré leur mission terminée.

Fait en double à Paris le mardi 24 mai 1897
Pour M. Armand de Raezal :
Pierre Du Ronsier
Cte Roland de Montgival
Pour M. Laszlo de Nérac :
Maurice Dampierre
Guillaume de Termes

À cette heure, le duel semble donc inévitable. Nous nous sommes rendus hier en fin d'après-midi chez notre confrère M. de Nérac, qui nous a déclaré ceci :

— Je ne suis pas de ceux qui s'assurent une célébrité douteuse par le scandale. Mais il m'est impossible d'admettre qu'on puisse tenir à mon sujet des propos qui constituent la plus gratuite et la plus mortifiante des insultes. J'ai exigé une rétractation totale, et n'ai pu l'obtenir. L'affaire se réglera donc par les armes, l'entêtement de la partie adverse à travestir la vérité rendant toute autre issue inacceptable.

À titre personnel, nous regrettons que l'incendie du Bazar de la Charité, qui a déjà endeuillé tant de Parisiens, continue à semer le désarroi dans les esprits et à nourrir de bien stériles querelles. Les deux hommes se retrouveront donc aujourd'hui sur le terrain qu'il leur a plu d'accepter. En qualité d'offensé, notre confrère Laszlo de Nérac a opté pour un duel à l'épée, au premier sang. Souhaitons que cette affaire d'honneur se règle sans grand dommage et qu'entre ces deux hommes du monde, la querelle se vide sur une simple égratignure. »

*

Paris, nuit du 24 mai

Ma chère sœur,

Je vous écris parce qu'il y a trop longtemps que nous n'avons pris de nouvelles l'un de l'autre, et que demain à l'aube, j'ai rendez-vous à l'orée d'un bois pour me battre en duel contre un triste sire dont la sœur m'a insulté. J'ignore si les rumeurs qui circulent ici sur mon compte vous ont rejointe à Nérac, mais sachez, ma chère sœur, que ces allégations sont mensongères, et que votre frère est entièrement innocent des horreurs dont on l'accuse. Vous me connaissez, j'ai trop de respect envers les femmes pour me conduire si mal à leur encontre, fût-ce pour arracher ma vie aux flammes d'un incendie. J'ai simplement voulu écrire mon sentiment sur cette époque étrange qui baigne dans le pourrissement des vieux principes qui nous ont si longtemps servi d'armature et d'excuse, et j'ai fâché des gens influents.

S'il advenait que je trouve la mort, veuillez contacter Me Villemain, à Paris, impasse des Prémontrés, qui est mon exécuteur testamentaire.

Quant à vous, ma sœur que j'aime tendrement même si le temps et les circonstances de la vie nous ont éloignés l'un de l'autre, je vous charge d'aller trouver Mlle Constance d'Estingel, à qui j'eus le bonheur d'être fiancé, pour l'assurer qu'elle aura été, jusqu'à mon dernier souffle, l'unique objet de mon amour. Je n'ose vous demander de veiller sur cette jeune fille, je sais que vos devoirs de mère et d'épouse ne vous permettent guère de vous éloigner de Nérac, mais s'il vous est possible de vous enquérir d'elle de temps à autre, faites-le en mémoire de moi.

Je n'écrirai pas à notre père, je ne saurais de quelles platitudes combler le silence qui s'est creusé entre nous. À la mort de notre mère, j'ai compris qu'elle maintenait entre mon père et moi un lien de pure forme, lequel n'a pas résisté à son absence. Je vous avoue, ma chère sœur, que j'ai parfois envié la complicité que vous aviez avec lui, votre manière de vous côtoyer en bonne intelligence là où nous ne savions, lui et moi, que nous heurter. Figurez-vous que, tout à l'heure, je me demandais quelle image j'emporterais *de lui dans la tombe, si le fil de ma vie était tranché demain. Je garderais, je crois, le souvenir de sa silhouette hautaine, légèrement courbée par les ans, parcourant à cheval l'étendue de son domaine, ces milliers d'hectares de vigne que dore si joliment le soleil couchant, et s'arrêtant çà et là pour examiner un cep de son œil sévère, ou goûter le grain pulpeux d'un raisin blanc en y cherchant les arômes du vin futur. Oui, c'est ainsi que je le revois quand je savoure une bonne bouteille de madiran et que son parfum réveille mes souvenirs d'enfance, l'odeur des grappes cuites au soleil et la brûlure des coups de fouet sur mon échine. S'il fut un père intraitable, je ne lui en tiens plus rancune. Mais gardez-vous de le lui dire, il s'en offusquerait !*

Prenez soin de vous, ma chère sœur, et de lui. Mes amitiés à votre époux, que je n'ai jamais pris le temps de connaître mais qui, je l'espère, vous mérite. Parlez de temps en temps de moi à mes neveux et nièces.

À vous, mon affection fraternelle pour l'éternité,

Laszlo

Laszlo cacheta la lettre adressée à la vicomtesse Caroline de Saint-Loup, sa sœur cadette, et relut celle qu'il avait écrite à Constance. Il n'en était pas très satisfait, il lui semblait s'être perdu dans un long monologue qui ne lui était pas vraiment adressé, en cette nuit voilée et menaçante où grondaient des orages lointains, cette nuit d'angoisse qui le forçait à s'examiner sans hypocrisie ni indulgence et à se demander ce qu'il avait raté, et pour quelles raisons. Décevoir son père ne pouvait suffire à assurer la réussite d'une vie. Son père avait vécu la vie pour laquelle il était forgé, et sans doute y avait-il été heureux à sa manière. Sa sœur semblait épanouie, entre ses nombreux enfants, quelques amis hobereaux et un mari à la bedaine prometteuse. Lui seul s'était dérouté avec imprudence et orgueil, persuadé d'avoir un destin, d'être fait d'un autre bois. Les bonnes gens de Paris venaient de lui briser la mâchoire mais il s'obstinait, s'expliquant devant le juge Bertulus, recherchant de possibles témoins dans les casernes parisiennes, allant trouver le préfet Lépine pour requérir son aide. Tout cela n'était peut-être que le signe d'une candeur provinciale qui croyait encore au pouvoir de la bonne foi.

Et dans quelques heures il se battrait, ayant choisi l'épée contre l'avis de son cher Guillaume, qui avait tenté de le fléchir après les deux entraînements affligeants de ces jours derniers, et de le persuader qu'il courait à sa perte. Il avait passé cette dernière soirée avec ses amis dans une brasserie animée et bruyante du quartier Saint-Sulpice, écoutant des étudiants éméchés réciter du Verlaine en hommage à l'un des plus célèbres pochetrons de la rive gauche. Il avait beaucoup ri, passablement bu, assez pour s'enivrer et oublier sa peur. Maurice l'avait ramené chez lui pantelant, il s'était laissé tomber tout habillé sur son lit et avait sombré dans un sommeil sans rêves dont l'avait tiré l'angoisse sournoise sur le coup des trois heures du matin. Depuis, il avait fait les cent pas sous l'œil de Delescluze, étudié avec un soin maniaque cette *Mort d'Ophélie* qu'il avait fini par acheter à son ami le marchand d'art, sans bien comprendre le pouvoir magnétique que cette toile exerçait sur lui. Puis il s'était assis à son secrétaire, avait cherché du papier et entrepris d'écrire ces quelques lettres qui n'atteindraient leurs destinataires que s'il trépassait, conformément à ses instructions clairement précisées dans un pli séparé à l'intention de son majordome.

Il jeta un regard à la pendule. Il était l'heure de s'habiller. Le landau de ses témoins s'arrêterait en bas de chez lui d'une minute à l'autre. Il se vêtit sans bruit et à la hâte, dans l'obscurité de son cabinet de toilette.

À l'instant de partir, par superstition, tandis que le chat se frottait nerveusement à ses jambes, il saisit son exemplaire des *Poèmes saturniens* et l'ouvrit au hasard, donnant à ces quelques vers la valeur d'une prophétie sibylline :

Je fais souvent ce rêve étrange et pénétrant
D'une femme inconnue, et que j'aime, et qui m'aime,
Et qui n'est, chaque fois, ni tout à fait la même
Ni tout à fait une autre, et m'aime et me comprend.

Merci, vieux frère, songea-t-il en descendant en tapinois l'escalier de service. Merci de me parler d'elle.

*

Un quart d'heure avant que les deux landaus ne s'engagent sur le pont de Neuilly, l'orage éclata dans toute sa violence et une muraille de pluie noya le pont, s'acharnant sur la petite guinguette qui, plantée à son extrémité, résistait de son mieux aux assauts du ciel. À l'intérieur, frileusement serrés les uns contre les autres, une poignée de journalistes trempés jusqu'aux os tentaient de se réchauffer autour d'un verre de quinquina.

— Temps de chien ! lança un reporter du *Figaro*, exprimant le sentiment général.

— Il ne leur est pas venu à l'esprit de reporter ? interrogea Forain, le caricaturiste.

— Apparemment pas.

— Maurice Dampierre a pris contact avec nous hier, intervint un petit journaliste maigrichon du *Gaulois*. Pareil pour vous ?

Le journaliste du *Figaro* acquiesça en vidant son verre.

— Nous avions des gens à nous postés depuis la veille devant chez Nérac, dit-il. Hier matin, il s'est entraîné à la salle d'armes Baudry.

— Son adversaire a pris quelques leçons aussi, renchérit le maigrichon. Mais le maître d'armes m'a assuré que Raezal était un des pires ferrailleurs qu'il ait vus !

— D'après mes sources, Nérac n'est pas une fine lame non plus, répondit Forain.

— Ouh là ! jeta le maigrichon, mais ça peut être dangereux, du coup !

— Pourquoi a-t-il choisi l'épée, dans ce cas ? le coupa le journaliste du *Figaro*, perplexe. Un candidat au suicide ?

— Allez savoir, il est peut-être tout aussi mauvais au pistolet ! rugit Forain, secoué d'un rire tonitruant qui gagna ses comparses.

— Il est sûr qu'il risque moins gros à l'épée, admit son interlocuteur. Cela explique qu'il ait choisi un duel au premier sang, malgré la gravité de l'offense.

— Eh bien… Portons un toast à ce combat d'anthologie ! lança le maigrichon en faisant signe au patron de les resservir.

Dehors, la pluie redoublait de fureur.

— Elle est solide, votre cabane ? s'enquit Forain, étudiant l'auvent ruisselant avec scepticisme.

— Pas très, maugréa le patron. Vous êtes sûrs de vouloir repartir sur vos machines ?

Les trois hommes fixèrent d'un air morne leurs bicyclettes complètement trempées, appuyées tant bien que mal les unes contre les autres le long de la façade de la guinguette.

— J'ai de l'antirouille, pour ceux que ça intéresse, lança le patron en souriant dans sa barbe.

— Chut, écoutez, intervint le journaliste du *Figaro*… Je crois qu'ils arrivent.

*

Quand le premier landau s'engagea sur le pont, la pluie martelait sa capote avec rage, et la brume matinale noyait le paysage à vingt mètres. On entendait clapoter la Seine sans la distinguer, comme si elle avait été escamotée par un illusionniste.

Replié sur lui-même, Armand de Raezal écoutait le bavardage de ses deux témoins en frissonnant.

Était-ce ce temps épouvantable ou l'angoisse du combat à venir qui le poussait à se rencogner au fond de la voiture et lui donnait une furieuse envie de claquer des dents ? Une sueur glacée glissait le long de sa nuque, sous sa chemise blanche.

— Vous souvenez-vous de ce duel où l'un des adversaires manqua d'être foudroyé net ? interrogea le comte de Montgival.

— Non, ça ne me dit rien…, répondit Pierre Du Ronsier. Lequel était-ce, voyons ? J'en ai vu tellement… Rien que ces dernières années…, réfléchit-il en comptant sur ses doigts.

— C'était un industriel qui avait provoqué en duel un patron de presse, dit le comte, se tournant vers Armand pour qu'il ne perde pas une miette de cette savoureuse anecdote. Figurez-vous que l'orage éclata au début du duel, et que la foudre s'abattit si près de l'offensé qu'on dut arrêter le combat… L'homme était si choqué qu'il n'était plus capable de tirer l'épée !

— Et l'an dernier, vous souvenez-vous de ce pauvre type qui glissa dans la boue et s'embrocha sur sa propre lame ? renchérit Pierre Du Ronsier. Une vraie boucherie.

— N'hésitez pas à nous remémorer tous ces bons souvenirs, lâcha Armand de Raezal qui luttait contre une nausée tenace aggravée par les cahots de la voiture.

— Qu'avez-vous, mon cher ? Vous êtes tout pâle, lui demanda le comte de Montgival.

— Je vais bien…, répondit Armand avec agacement. Mon adversaire est-il arrivé ?

Le comte ouvrit la portière du landau et en descendit pour revenir quelques minutes plus tard, passablement trempé.

— Ils sont là. Nous allons les suivre jusqu'au champ de courses de Levallois, le domaine est à deux pas.

— Chez qui nous battons-nous ? demanda Armand, toujours aussi pâle, tandis que la voiture s'ébranlait.

— Dans la propriété de Raymond de Castella. Nous n'y serons pas dérangés, ajouta le comte de Montgival. Les journalistes étaient venus à bicyclette mais vu le temps... ils risquent de repartir en fiacre !

— Était-il nécessaire de convier la presse ? s'alarma Armand qui tentait de calmer son estomac révulsé en exerçant une pression discrète sur son abdomen.

— Ils nous auraient trouvés de toute façon ! Vous avez mauvaise mine, mon ami...

— C'est son premier duel, Roland..., intervint Pierre Du Ronsier. Je me souviens, moi, de mon premier duel... J'ai vomi tripes et boyaux en arrivant sur le terrain ! On s'habitue, vous verrez.

*

Quand ils pénétrèrent dans l'allée du domaine de Castella, la pluie avait cessé, abandonnant derrière elle un sol détrempé et boueux qui n'était pas la meilleure configuration pour un combat à l'épée. Un soleil timide perçait à travers les nuages, présage d'un après-midi plus clément. Laszlo et ses amis furent accueillis en personne par le vicomte, un homme d'une cinquantaine d'années qui portait beau dans son costume gris, un camélia rose à la boutonnière. Dans son visage sec au teint hâlé, des yeux en amande invitaient à la douceur. Un large sourire l'éclaira en reconnaissant Guillaume de Termes, et il vint leur serrer la main, s'excusant pour le temps comme s'il les avait conviés à une garden-party. Tout cela est si étrange, songea Laszlo.

— Mais le soleil se lève, regardez, nous aurons tout de même une belle journée ! conclut-il en les précédant sur l'allée de gravier qui menait au parc. Ils dépassèrent la bâtisse sévère flanquée de deux tourelles recouvertes de vigne vierge, longèrent une grande pelouse circulaire égayée de somptueux massifs de roses et traversèrent un parc d'arbres centenaires pour déboucher enfin dans une clairière aménagée, longue d'une soixantaine de mètres et large d'une trentaine, qui servait de manège au vicomte pour le dressage de ses chevaux, activité dont il aimait à se charger lui-même. Le sol meuble, fait d'un mélange de terre et de sable, eût été parfait avant l'orage matinal, mais il ferait l'affaire. Maurice Dampierre et Guillaume de Termes entreprirent de mesurer le terrain, y traçant deux lignes à quinze mètres, tandis que Laszlo s'entretenait avec Pierre Broussard, le médecin qu'il avait choisi pour l'assister.

— Vous sentez-vous en bonne forme ? s'informa le docteur. Pas de palpitations, aucune douleur pulmonaire ?

— Non.

— Aucune douleur particulière ou malaise, ces vingt-quatre dernières heures ?

— Pas que je me souvienne. Juste une insomnie, mais ça, sourit le jeune homme, j'en ai l'habitude.

— Vous dormez mal ? le coupa le médecin en levant le sourcil. Faites-moi penser à vous faire porter une décoction de passiflore et d'aubépine, c'est souverain.

Si je survis, je n'y manquerai pas, songea Laszlo en hochant la tête. Son adversaire venait d'arriver, précédé de ses témoins. Il observa cet homme au corps mince et nerveux, au regard fuyant et à la bouche un peu molle, et il flaira sa peur ; c'était comme une aura qui épousait ses mouvements, faisait corps avec lui. Et cette peur de son ennemi réveilla la sienne, par une contagion puissante. Tout à coup, il lui sembla qu'il n'arriverait pas à se tenir debout une épée à la main, à se prêter à cette mascarade devant tous ces gens, à porter les coups nécessaires. Il demeura pétrifié, s'efforçant de calmer sa respiration haletante, de discipliner son corps, de ne montrer que le visage impassible d'un homme prêt à mourir pour son honneur. Il se rappela cette petite dinde, l'insolence avec laquelle elle l'avait insulté, son insistance si déplacée, sa figure effarée quand il avait marché sur elle. Ce souvenir fit refluer l'angoisse et réveilla sa colère ; il l'accueillit avec reconnaissance, il avait besoin de cette énergie sombre et sanguine.

*

Les quatre témoins se livraient aux assommantes formalités qui précédaient le duel tandis que les journalistes bavardaient, les yeux rivés sur les duellistes, cherchant les mots pour les décrire dans leurs comptes rendus. On examina les épées avec soin, leurs lames avaient-elles la taille règlementaire ? Puis le vicomte de Castella fut choisi à l'unanimité pour diriger le combat, c'était le choix le plus naturel étant donné la longue expérience du duel qui était la sienne. On tira au sort, et l'épée la plus maniable échut à Armand de Raezal, ce qui ne sembla pas le réjouir. Un nouveau tirage au sort eut lieu, cette fois encore favorable à Armand, qui choisit de se battre sur la partie du terrain qui lui paraissait la moins boueuse.

Il était convenu qu'ils se battraient en bras de chemise, avec plastron non empesé et munis de simples gants de ville, renonçant à ces gants à crispin qui protégeaient le bras jusqu'au pli du coude. Les médecins flambèrent les épées et les passèrent au phénol, puis le vicomte de Castella rappela aux duellistes qu'il les avertirait s'ils reculaient au-delà de la limite de leurs quinze mètres, et que le franchissement de la ligne leur vaudrait d'être disqualifiés sur-le-champ. Il les invita à étendre le bras armé dans toute sa longueur, lia les deux épées, fit reculer les deux hommes jusqu'à ce que les pointes des épées se trouvent à une vingtaine de centimètres l'une de l'autre, et s'assura d'un coup d'œil qu'ils étaient prêts. Le regard résolu de Laszlo rencontra celui de son adversaire, qui affichait maintenant un détachement de façade, l'ébauche d'un sourire amusé s'attardant sur ses lèvres sensuelles.

— Allez, messieurs ! cria le vicomte, et il s'écarta.

Laszlo attaqua le premier, dans un style nerveux qui manquait d'adresse, prenant des contres trop larges qui lui eussent été fatals face à un bon tireur. Après une série de battements, il se fendit sans toucher. Écartant l'épée de Laszlo, Armand se fendit à son tour. Guillaume de Termes avait pâli, mais Laszlo n'était pas blessé.

Le vicomte de Castella échangea un regard avec les témoins, partageant leur nervosité devant l'inexpérience manifeste des duellistes. On eût dit que les deux hommes cherchaient à compenser leur manque de maîtrise par une énergie décuplée dont le déploiement maladroit, aggravé par l'état du terrain, les exposait dangereusement. Les engagements étaient vifs et d'autant plus impressionnants que Nérac et Raezal se découvraient entièrement par instants, provoquant des vagues d'effroi dans l'assistance. Si bien que lorsque le vicomte suspendit le combat pour quelques minutes, ce fut autant pour reposer ses nerfs malmenés que pour accorder un répit aux duellistes.

— C'est étonnant de voir deux hommes à la silhouette taillée pour l'escrime tirer l'épée aussi effroyablement ! souffla le journaliste du *Figaro* à son compère Forain.

Les deux hommes se tenaient au bord du terrain, encore frigorifiés d'avoir été douchés sur le pont de Neuilly.

— *Étonnant ?* siffla Forain. C'est un miracle qu'ils ne se soient pas déjà entre-tués ! Ne peut-on arrêter ce massacre ?

— Tant que personne n'enfreint les règles... le combat continue, répondit le journaliste. À moins que l'un des deux rompe au-delà des quinze mètres et soit disqualifié...

— Les avez-vous vus reculer une seule fois ? Moi pas ! gronda Forain.

Le combat reprit, plus dense à mesure que la fatigue gagnait les deux adversaires. Comme Forain l'avait noté avec son œil acéré de caricaturiste, les deux hommes mettaient un point d'honneur à ne jamais reculer. Au moment où Raezal attaquait d'un grand mouvement rageur, Nérac rabattit le coup et se remit en garde, mais déjà l'autre relevait sa lame et se fendait, forçant Laszlo à une demi-volte qui lui permit d'esquiver le coup de justesse tandis que sa jambe droite dérapait dans la boue.

À ce moment précis, Maurice Dampierre surprit la lueur dans les prunelles sombres de Laszlo. Ce n'était presque rien, un signal imperceptible, mais il comprit que son ami avait atteint ce point de rupture où l'on jette ses dernières forces dans la bataille, guidé par son instinct le plus animal.

Le comte Roland de Montgival avait-il décelé les signes de cette énergie du désespoir chez l'adversaire d'Armand ? Son expression concentrée s'était durcie et son corps se tendait vers l'avant, comme s'il allait d'un instant à l'autre entrer sur le terrain pour s'interposer entre les combattants.

— Armand s'affaiblit, confia-t-il à Pierre Du Ronsier qui se tenait à sa droite. Il se fatigue et perd en vigilance.

— Vraiment ? répondit le second témoin d'Armand. Je le trouve sacrément combatif ! Je ne lui connaissais pas cette rage...

— C'est une rage si maladroite... Il ne cesse de se mettre en danger, regardez !

— L'autre n'est pas mieux loti, riposta Pierre Du Ronsier qui cherchait là matière à se rassurer sans y parvenir véritablement.

Le fracas de l'acier heurté dispersait les oiseaux à tire-d'aile. Le combat s'éternisait par trop au goût de Guillaume de Termes, et les combattants s'épuisaient. Il consulta sa montre.

Au moment où il relevait la tête, Armand de Raezal tirait un coup d'épée en écharpe. S'effaçant par réflexe pour parer le coup, Laszlo se fendit profondément et son épée alla se planter dans le haut de la cuisse de son adversaire, lui arrachant un cri rauque qui glaça le sang de l'assistance. Les yeux agrandis de stupeur, Laszlo retira sa lame de la plaie, d'où un geyser de sang rouge vif jaillit aussitôt, en cascades si abondantes qu'Armand vacilla sur-le-champ avant de s'effondrer lentement sur lui-même en gémissant. Le vicomte n'avait pas eu le temps de crier « Halte ! » que les médecins s'élancèrent vers le blessé, écartant Laszlo dont le plastron était éclaboussé du sang de son adversaire et qui restait là, tétanisé, les yeux rivés sur ce flux torrentiel, comme s'il avait crevé une digue dans le corps de cet homme mourant.

— C'est la fémorale ! cria le docteur Moreau à son confrère tandis qu'ils allongeaient Armand sur le sol fangeux.

S'agenouillant près de lui, il s'arc-bouta pour plonger son poing dans la plaie, appuyant à l'endroit d'où giclait le sang sans parvenir à arrêter le flux, appuyant de tout son poids, et de toutes ses forces, le visage durci par cet effort épuisant et désespéré, luttant pour sauver la vie de cet homme qu'il avait mis au monde et qui mourait à présent sous ses yeux.

Armand perdait connaissance, ses forces vitales le quittaient, une profonde torpeur l'envahissait qui le rendait peu à peu étranger à la douleur et à son corps. Il avait peine à garder les yeux ouverts mais fit l'effort de regarder autour de lui, enregistrant toute l'agitation, la tension extrême qui contractait le visage des deux médecins, ce bon vieux docteur Moreau qu'il avait rendu chèvre tant de fois par la mauvaise grâce qu'il mettait à se laisser soigner, il voulut lui dire que ce n'était pas la peine de se donner tout ce mal, mais c'était une si longue phrase, il n'avait pas la force... Il vit son adversaire couvert de boue et de sang, son visage choqué, bouleversé, et il concentra ce qui lui restait de volonté pour lui faire signe d'approcher. L'homme comprit et vint près de lui tandis que les médecins s'acharnaient sur son corps, plongeant leurs mains jusqu'au coude dans la fontaine de son sang, il s'agenouilla à son tour dans la boue, se pencha vers lui sans le quitter des yeux.

— Félicien..., murmura Armand.

— Félicien ? répéta son adversaire sans comprendre.

— La poche... mon gilet..., articula le mourant exténué.

Le beau brun qui l'avait mis au tapis hocha la tête, et des larmes mouillèrent ses yeux noirs.

— Pardon, murmura-t-il d'une voix si basse qu'Armand eut le temps de se demander s'il avait rêvé ces mots avant de s'abandonner à l'étreinte léthargique qui l'arrachait à la vie fragile et tumultueuse qu'il avait menée ici-bas.

23

Bringuebalée par les cahots de son landau lancé à vive allure sur le pavé parisien, Amélie d'Estingel serrait la lettre de la mère Marie-Dominique dans sa paume. Elle l'avait relue plusieurs fois avec une rage grandissante. L'idée que Constance avait pu écrire à la mère supérieure alors qu'elle était chez Mme Du Rancy lui était insupportable. Elle maudit le jour où elle avait confié sa fille à cette femme, attirée par le prestige des dominicaines de Neuilly, sûre que Constance y deviendrait une jeune fille accomplie, prête à faire un brillant mariage. Quand elle s'était aperçue de l'attachement que Constance nourrissait pour la mère Marie-Dominique, le mal était fait. Elle aurait dû l'arracher sur-le-champ à son influence. Elle avait été faible ou négligente, distraite par ces contraintes domestiques et mondaines qui épuisaient son énergie et ébranlaient ses nerfs, rendant les cures thermales si nécessaires. Elle avait sous-estimé le venin distillé par cette religieuse et en payait aujourd'hui le prix. Mais elle était décidée à réparer cette erreur.

Sa voiture traversait déjà le pont de la Grande-Jatte en direction du village de Neuilly quand elle pensa à son mari, qui n'était plus que l'ombre de lui-même depuis l'internement de Constance. Un fantôme hagard qu'elle croisait de temps en temps avant qu'il disparût à son club ou dans ses lieux de perdition habituels. Comme il était loin, l'homme qu'elle avait épousé à Saint-Philippe-du-Roule, ce garçon au visage rond qui savait se montrer gai et charmant et l'emmenait aux courses ou canoter au Bois… Ce Louis d'autrefois n'existait plus que dans son souvenir. Et ce qui l'horrifiait davantage encore, c'était que son époux se conduisait comme si leur fille était morte. Il avait fait retirer toutes les photographies de la jeune fille et quittait la pièce dès qu'on prononçait son nom.

Après avoir remonté le boulevard du Château sous le berceau des grands platanes qui filtraient la lumière avec une douceur de pointillistes, la voiture tourna sur le boulevard d'Argenson. Amélie s'étonna de toutes ces nouvelles constructions, maisons et immeubles qui sortaient de terre sans relâche tandis que le village de Neuilly enflait telle la grenouille de la fable.

À la grille du couvent des dominicaines, le chauffeur se fit ouvrir le portail et conduisit sa maîtresse jusqu'au perron en pierre, au bout de la longue allée bordée de massifs de buis fraîchement taillés qui embaumaient. Amélie d'Estingel se souvenait de ce matin de janvier où elle avait remonté l'allée à pied, tenant dans sa main gantée la petite main moite de Constance. Laquelle était la plus intimidée des deux ? Quand la sœur tourière vint lui ouvrir, la précédant dans le couloir haut de plafond, elle les revit, l'enfant et elle, serrées l'une contre l'autre dans la froideur du parloir. Elle retrouva cette odeur écœurante de réfectoire et d'encens qui les avait prises à la gorge en entrant, leur donnant envie de faire demi-tour et de remonter en voiture, alliées de circonstance saisies d'un fou rire en croisant une sœur au double menton couvert de poils. Sa gorge se serra à ce souvenir. Pourquoi n'avait-elle pas écouté son instinct ce jour-là ? Pourquoi s'était-elle obstinée à faire admettre Constance ici ? La décision qu'elle avait prise leur faisait violence à toutes les deux mais elle l'avait entérinée jusque dans le bureau de cette religieuse arrogante, s'abaissant à la flatter devant l'enfant taciturne qu'elle eût giflée de fournir si peu d'efforts pour se faire aimer ; elle avait parlé pour deux, vantant les mérites de sa fille avec la faconde d'un commissaire-priseur, et tout ce temps, Constance l'étudiait de ses yeux graves, sans dire un mot. Leur complicité d'un instant, si fragile, s'était dissoute dans ce bureau austère dont elle poussait aujourd'hui la porte avec un brin d'appréhension.

La mère Marie-Dominique se tenait debout derrière son large bureau de chêne, imposante et voûtée sous son voile noir, ses yeux d'oiseau de proie étincelant dans l'ombre. Sa haute silhouette cassée par la scoliose transpirait la passion avaricieuse du pouvoir, l'ivresse de l'ascendant sur les autres, cette vengeance de son être contrefait réparant l'humiliation d'avoir été écartée de la vie mondaine qui lui était due.

— Chère madame, je vous remercie d'avoir fait tout ce chemin pour vous entretenir avec moi de notre petite Constance, dit-elle. Comment allez-vous ?

Notre petite Constance. Amélie escamota sa colère derrière un sourire marmoréen.

— Aussi bien que possible en ces temps difficiles, répondit-elle.

— Bien sûr... Asseyez-vous, je vous en prie. Puis-je vous offrir une tasse de thé ? Sœur Rosalie a justement cuit tout à l'heure une fournée des délicieux petits sablés... Cela vous tente-t-il ?

— Non merci, répondit Amélie, armée de politesse glacée.

— Comment va notre chère Constance ? interrogea la mère supérieure.

— Ne vous l'a-t-elle pas écrit ?

La religieuse la fixa, déroutée par la sécheresse de sa voix, habituée à ce qu'on s'adresse à elle avec onctuosité et déférence.

— Oui, en effet. La pauvre enfant m'a écrit il y a une semaine environ, comme je vous l'ai expliqué dans ma lettre. Elle semblait si bouleversée... C'est bien naturel, après un drame de cette ampleur...

— On le serait à moins, la coupa Amélie un peu trop vivement car l'évocation de cette lettre était une écharde plantée dans son amour-propre.

La mère supérieure inclina la tête avec componction.

— Bien sûr. Mais ce qui m'a serré le cœur, c'est qu'elle puisse se sentir abandonnée par le Seigneur... Cette détresse religieuse est la plus douloureuse qui soit, nous l'appelons nuit spirituelle. Tous les mystiques connaissent ces phases de désespoir où ils sont confrontés au silence de Dieu. J'ai pensé que Constance avait besoin qu'on l'aide à traverser cette épreuve, et que l'heure était venue de m'entretenir avec vous.

— Savez-vous que ma fille a rompu ses fiançailles ? dit Amélie sans accorder la moindre importance à ce verbiage religieux.

— Oui, je le sais, répondit la religieuse, Constance s'en était ouverte à moi. Elle m'avait confié combien cette décision vous peinait, et elle avait le sentiment que vous n'en compreniez pas les motivations.

— Des motivations que vous compreniez, en revanche ?

— J'ai le bonheur d'avoir tissé au fil des années un lien de grande confiance avec Constance, répondit la mère supérieure d'une voix docte et patiente, choisissant d'ignorer l'hostilité qui perçait dans les réponses de son interlocutrice. J'observe depuis longtemps le cheminement intérieur de cette jeune fille, son exigence de pureté me touche et je considère de mon devoir de la guider de mon mieux dans la voie que le Seigneur lui a préparée.

— Je crains de ne pas vous suivre, dit Amélie. Éclairez-moi.

— Constance a compris ces dernières semaines que le dessein de Dieu pour elle n'était pas le mariage, déclara la mère Marie-Dominique de sa voix chaude et grave. Elle pensait sincèrement aimer ce garçon mais à l'instant de lier sa vie à la sienne, elle a réalisé que c'était à une vie religieuse qu'elle était appelée.

Amélie d'Estingel en resta abasourdie.

— Ma fille vous a écrit ces mots précis ? interrogea-t-elle.

La mère supérieure lui répondit sur le ton suffisant qu'elle réservait aux êtres d'un lignage inférieur qui, si elle avait mené une vie séculière, ne lui auraient jamais été présentés :

— Oh, bien sûr elle ne l'a pas formulé ainsi. Mais disons qu'au fil des lettres que nous échangions, sa vocation religieuse s'est affirmée de plus en plus nettement. Aider les jeunes filles à préciser leurs sentiments et leurs attentes est un rôle que je prends très au sérieux, madame. En me plaçant à la tête de cette école, Dieu m'a assigné la mission de guider ces jeunes filles. J'essaie de leur donner la meilleure direction spirituelle qui soit. C'est pourquoi j'ai pris sur moi de vous rencontrer aujourd'hui, pour discuter ensemble de l'hypothèse d'un noviciat.

— Oh oui, c'est très clair ! s'écria Amélie, empourprée. Je comprends que vous avez insinué cette idée de vocation dans l'esprit troublé de ma fille. Et que vous avez profité de l'angoisse que ce mariage faisait naître en elle pour l'influencer dans le sens de votre désir !

La mère supérieure s'était levée, plus scandalisée que si on l'avait giflée.

— Mais enfin, madame… Comment osez-vous ? Vous m'insultez !

— *Je* vous insulte ? répondit Amélie d'Estingel en se levant à son tour, tandis que ses traits remodelés par la colère découvraient soudain une troublante ressemblance avec ceux de Constance. Il y a dix ans, je vous ai confié mon enfant afin que vous en fassiez une jeune fille du monde. Je vous ai accordé la confiance dont vous parliez tout à l'heure et vous l'avez trahie. Vous avez étendu votre influence pernicieuse sur Constance au point qu'à son retour chez nous, elle refusait de faire son entrée dans le monde ! Elle ne pensait plus qu'à tenir son carnet de résolutions et à se mortifier, et au bout de plusieurs mois de luttes quotidiennes, il fallut que je la fasse conduire à Lourdes car vous lui aviez demandé d'y fortifier sa foi en soignant les malades… Vous a-t-elle écrit qu'elle perdit plusieurs fois connaissance au contact de ces indigents couverts d'abcès ? Dès que nous l'apprîmes, mon époux alla la chercher et la ramena à Paris. À son retour, elle était dans un état épouvantable et refusait de s'alimenter.

— Une quête spirituelle est jalonnée d'épreuves, répliqua sèchement la mère Marie-Dominique. Constance ne ressemble pas aux jeunes filles de son âge, uniquement préoccupées de leur dernière toilette de bal. C'est une âme assoiffée qui aspire à vivre en communion avec Dieu. Pensez-vous avoir le droit de l'empêcher de vivre cette vocation ?

Amélie d'Estingel réfléchissait si intensément qu'elle souffrit des premiers élancements d'une migraine. L'assurance de cette femme l'ébranlait malgré elle. Se pouvait-il qu'elle eût raison ? Que Constance fût destinée au couvent ? Elle se rappela sa pâleur chlorotique à son retour de Lourdes, sa maigreur effrayante, les coupures qui marquaient sa peau fine, ces blessures qu'elle s'infligeait en cachette et dont sa femme de chambre était venue parler à Amélie alors qu'elle s'apprêtait à partir en cure à

Aix-les-Bains, ses malles déjà bouclées attendant dans le hall. Elle était montée dans le cabinet de toilette de Constance, avait examiné avec horreur sa peau zébrée de cicatrices suppurantes et annulé son départ. Elle avait placé sa fille sous la surveillance étroite des femmes de chambre et sollicité la visite quotidienne du médecin. Dorénavant, c'en serait fini de ces inepties sacrificielles. À la fin de l'été suivant, les coupures de la jeune fille étaient guéries, et à la fin de septembre elle fit son entrée dans le monde. Amélie ne lui autorisait qu'une messe par semaine, et s'il fallait encore la forcer à aller au bal, elle s'y pliait avec moins de répugnance. À l'automne, il y avait eu ce grand bal chez la princesse de Romainville où elle avait rencontré Laszlo de Nérac. Et bien qu'Amélie n'eût pas remarqué ce garçon au milieu des autres danseurs qui se disputaient les faveurs de sa fille, elle avait noté au fil des jours certains changements dans le comportement de celle-ci, un soin nouveau porté à son apparence qui mettait en valeur sa grâce naturelle, la noblesse de son allure. Soudain elle n'était plus cette créature taciturne repliée dans un coin du salon, elle existait dans l'éclat sauvage et intimidant de sa beauté.

Jusqu'à ce que tous les rêves échafaudés s'écroulent mystérieusement avec la rupture des fiançailles. Mais Amélie d'Estingel y voyait clair à présent. Si elle avait tenté de libérer sa fille de ses obsessions religieuses, elle y avait imparfaitement réussi. Car tout ce temps, la mère Marie-Dominique avait continué de lui écrire, consolidant son emprise dans le but de la lui ravir. Sa jalousie envers cette femme qui

avait usurpé l'amour de sa fille aiguisait sa clairvoyance : elle avait devant elle une prédatrice usant
de son ascendant sur ses protégées. Constance n'était
sans doute pas la première qu'elle manipulait dans
un but de captation.

— Cette jeune fille ne vous appartient pas, continua la mère supérieure. Elle appartient à Dieu et à
Lui seul.

— Mais je suis sa mère, et en tant que telle je
vous ordonne de rompre toute relation avec ma fille,
édicta Amélie d'Estingel, le corps tendu comme une
arbalète. Plus de correspondance, plus de direction
spirituelle. À compter de ce jour, ma fille n'existe
plus pour vous.

Ces paroles résonnèrent avec la force d'un coup
de marteau dans un tribunal. La mère supérieure la
toisa de toute sa hauteur voûtée, ses yeux étrécis
pleins du mépris dans lequel elle la tenait.

— Madame, ignorer le plan de Dieu ne fera que
vous jeter dans le malheur et l'errance, et Constance
avec vous ! l'avertit la dominicaine, l'index dressé
pour délivrer son noir augure.

— Vous n'êtes pas Dieu, ma mère…, répondit
Amélie en lui tournant le dos. Juste une directrice
de pension.

Dans le couloir, elle se félicita d'avoir gardé le
secret sur l'internement de Constance. Contrairement
à Louis, elle voulait croire que ce médecin sauverait
sa fille et qu'elle leur serait bientôt rendue. Auréolé
de science, le pouvoir du docteur Brunet lui paraissait moins dangereux que celui de ces religieuses.
Tandis qu'elle redescendait les marches du perron

avec soulagement, il lui sembla voir une Constance de dix ans sautiller à ses côtés, riant aux éclats.

*

On enterra Armand de Raezal le vendredi suivant, au cimetière du Montparnasse. Après un service religieux en l'église Saint-François-Xavier, les amis de son club et sa famille proche escortèrent le cercueil jusqu'au caveau de famille de Gabriel. Le soleil leur cuisait le dos et la sueur perlait au front des hommes en redingotes. Pierre-Marie d'Ambronay et son épouse marchaient en tête du cortège, leurs trois enfants piétinant entre les nourrices, suivis de la comtesse de Raezal, sa chevelure blonde endeuillée par un chapeau noir à voilette. La nouvelle de la mort d'Armand n'avait d'abord eu aucun sens pour Violaine, son absurdité la vidant de toute réalité. Armand ne pouvait pas avoir été tué, d'ailleurs cette mort collait si peu à son personnage. Qu'il se fût dérobé au combat, eût envoyé un pauvre diable se battre à sa place eût paru plus crédible ; mais qu'il se fût vidé de son sang sur un terrain boueux, une plaie béante en haut de la cuisse, c'étaient là des informations trop crues, trop choquantes pour que son cerveau les acceptât. Jusqu'à ce que les hommes de la Sûreté viennent l'interroger en vue du procès qui aurait lieu à la fin du mois de juin, elle n'avait pu y croire tout à fait. Mais Laszlo de Nérac avait été inculpé d'homicide involontaire, et Violaine avait dû raconter aux agents cette soirée au théâtre qui avait basculé dans le drame. Elle n'avait pas cherché

420

à épargner sa belle-fille. Elle l'entendait encore déclarer qu'elle parlait au nom de toutes les victimes de l'incendie. Elle avait pardonné bien des choses à Léonce, mais ces mots-là lui restaient en travers de la gorge. Quelle fatuité, quelle bêtise sacrilège !

Après leur départ, Violaine avait réalisé qu'Armand ne sonnerait plus jamais à la porte, ne lui baiserait plus la main avec un empressement hypocrite, ne se calerait plus dans le fauteuil de Gabriel, la narguant avec désinvolture. La menace qu'il avait incarnée, subtile et imprécise, était morte avec lui. Elle aurait dû se sentir libérée mais ce n'était pas le cas. Une mélancolie puissante revenait à la charge, qui l'avait saisie à la mort de son père et avait bien failli la terrasser quand elle avait perdu Gabriel. Elle s'insinuait dans ses pensées heureuses, dissipait la chaleur des heures passées avec Mary Holgart.

Tu es seule, lui murmurait-elle à l'oreille le soir après le départ des domestiques. *Tu n'as plus personne.*

Mary reprendrait bientôt le bateau pour l'Amérique. Ils la quittaient tous, les uns après les autres. Armand avait été rattrapé par le nœud coulant d'une tragédie grecque dont toute son ironie n'avait pu enrayer le mécanisme implacable. Léonce ne mettrait plus les pieds dans cette maison que pour accaparer les dernières miettes de son héritage.

De quoi pouvait-elle bien remplir le grand vide qu'ils laissaient en partant ? Elle songea au journaliste et à l'émotion qu'il avait fait naître en elle, réalisant qu'elle avait maintenant un prétexte pour le revoir. Elle rougit à cette pensée, elle n'avait pas la loyauté de Chimène… Cet homme avait tué Armand et elle aurait dû le haïr, au lieu de cela elle échafaudait des projets de rencontre alors qu'on descendait le cercueil en terre devant une Léonce ravinée par les larmes.

Elle prit congé de ce qui restait de sa famille et s'éloigna dans l'allée aveuglée de soleil. Elle avait besoin de marcher, de retrouver la pulsation enfiévrée de la ville sous son pas, le concert de protestations des cochers, les coups de sifflet stridents des tramways à impériale, tout ce remue-ménage de vendeurs à la sauvette qui tentaient d'arrêter la foule pressée, les bourgeois amidonnés, les petites dames élégantes traversant pour aller chez leur couturière ou s'engouffrer dans ces nouveaux temples de la consommation qui avaient pour noms le Bon Marché, la Samaritaine ou le Printemps. La vie parisienne rechargeait l'énergie de Violaine et son animation incessante opérait une transfusion de sang, rejetant ses humeurs noires dans l'eau boueuse des caniveaux.

Quittant le cimetière, elle remonta la rue Denfert-Rochereau jusqu'au carrefour de l'Observatoire et gagna le jardin du Luxembourg. Sur le grand bassin, des enfants armés de longues tiges lançaient leurs bateaux à voile dans de féroces régates, se penchant sous l'œil vigilant des nourrices qui redoutaient la noyade. Elle observa l'un de ces gamins en culottes courtes, son minois pâlot crispé d'excitation à l'instant où son voilier doublait ses concurrents, se demandant quel genre d'enfant avait été Armand. Influencée par Gabriel, elle l'avait toujours imaginé semblable à ce garçon à l'allure un peu maladive, geignard et prompt à se renfrogner. Leur relation aurait-elle été plus simple si elle l'avait connu enfant ? Aurait-elle pu s'attacher à lui, s'en faire aimer ? Armand demeurait jusque dans la mort un mystère qu'elle n'avait pu percer, un lac sombre aux reflets adamantins.

Quand elle revint rue de Babylone, onze heures sonnaient au clocher du couvent de l'Abbaye-aux-Bois et son majordome l'avertit qu'une visiteuse l'attendait au salon, lui tendant sa carte après l'avoir débarrassée de son manteau, de sa voilette et de son chapeau. Son visage s'éclaira d'une joie enfantine.

— Mary ! Comme je suis heureuse de vous voir, s'écria-t-elle en la rejoignant au salon. Ne devions-nous pas nous retrouver demain chez vous ?

— Si..., répondit l'Américaine avec un sourire embarrassé. Mais j'ai appris la terrible nouvelle, et j'ai pensé qu'une amie pourrait vous apporter un peu de réconfort. Ai-je commis un impair ? Surtout dites-le-moi, je repartirai sur-le-champ et nous nous verrons un autre jour à votre convenance...

Violaine la dévisagea avec émotion. Elle ne savait comment lui dire : « Vous me sauvez, Mary, quand je suis près de vous je sens les ombres noires de ma mélancolie se dissoudre dans votre vivacité, et votre audace me rappelle un temps où la solitude n'était pas une ennemie mais un infini de liberté. »

Elle prit place à côté d'elle sur la longue ottomane aux coussins brodés, recréant l'intimité propice à ces confidences auxquelles elles avaient pris goût au point d'en éprouver le manque entre deux rendez-vous. Elle parla de ce calme qui était venu avec l'enterrement d'Armand, comme si le rituel donnait du sens à sa mort. Elle évoqua Léonce qui avait sangloté toute la cérémonie, peut-être parce que l'écorce d'égoïsme qui la blindait avait commencé à se fendiller.

C'était une des premières journées de vraie chaleur, aussi proposa-t-elle de leur faire servir des rafraîchissements, ce que Mary Holgart accepta avec gratitude.

— Votre maison est charmante, dit-elle. On s'y sent à l'abri.

Violaine se rappela l'empressement avec lequel Gabriel l'avait laissée réaménager la maison de fond en comble. Ayant remisé dans les greniers le mobilier austère choisi par sa première épouse, elle avait passé des mois à courir les magasins d'ameublement et les antiquaires, à visiter peintres et tapissiers, rapportant des échantillons de tissu qu'elle inventoriait le soir avec Gabriel. Armand et Léonce avaient crié au sacrilège mais leur père avait applaudi à la métamorphose de ces pièces froides et sans âme. Elle avait apprivoisé l'espace de cette demeure sévère et y avait attiré la lumière. Des mois durant, elle s'était consacrée à la recherche obsessionnelle d'une lampe, d'un bibelot, d'une gravure ou d'un baldaquin damassé, s'appliquant à ériger un rempart contre les agressions du monde.

— En effet, répondit-elle après avoir donné ses ordres aux domestiques. Mais cet abri se change parfois en prison dorée...

— Gardons l'abri, alors, et ouvrons grandes les portes de la prison, voulez-vous ? J'ai eu une idée, ajouta l'Américaine, une lueur dansant dans ses yeux d'agate.

Elle s'interrompit pendant que les domestiques remplissaient leurs verres de citronnade bien fraîche.

— Une idée ? questionna Violaine de Raezal après leur départ.

— Pour sortir votre amie Constance de sa prison à elle, plus redoutable et définitive… Je pense…, dit-elle d'une voix douce, que nous n'aurons pas d'autre choix que de l'enlever.

— L'enlever ? Êtes-vous sérieuse ?

— J'imagine, répondit Mary Holgart après avoir goûté la citronnade, que le docteur Brunet ne se montrera guère coopérant si nous lui demandons de la laisser partir. Il doit avoir l'aval de son père et l'accord d'un autre médecin préconisant l'internement. Et n'oubliez pas que cette jeune fille a été confiée à sa toute-puissance.

Violaine observa cette femme dont l'élégance désinvolte était un leurre masquant une volonté farouche. Elle avait sous-estimé sa détermination à sauver Constance. Elle s'émerveillait qu'elle pût envisager de mettre en péril leur situation et leur réputation pour une jeune fille qu'elle ne connaissait même pas.

— Je me suis renseignée depuis notre discussion, continua Mary en posant son verre. La clinique du docteur Brunet se trouve sur les hauteurs du village de Passy. Pas très loin de celle du docteur Blanche, que dirige aujourd'hui son successeur. Vous la connaissez sans doute ?

— Je la connais de nom, répondit Violaine. C'est cette clinique célèbre où Maupassant est mort il y a quelques années ?

— En effet. Le docteur Émile Blanche était un ami de ma tante, qui m'emmenait parfois en visite chez lui. Je me souviens d'avoir pris le thé en regardant les aliénés marcher dans le parc, c'était effrayant et fascinant à la fois... J'étais encore une enfant mais je me rappelle que dans cette clinique, il y avait presque autant d'infirmiers que de malades... Je ne pense pas qu'il y en ait autant dans celle du docteur Brunet.

— Pourquoi y aurait-il moins de personnel dans celle du docteur Brunet ? la coupa Violaine, qui trouvait ce projet d'enlèvement plus irréaliste à chaque minute.

— Parce que la clinique du docteur Blanche a toujours été une exception, répondit l'Américaine en souriant. C'était ce qui séduisait ma tante. Partager sa maison avec des fous, dans des conditions si luxueuses... Il fallait être un peu fou soi-même pour en avoir l'idée ! À l'époque, passer un an là-bas coûtait déjà une petite fortune. Je doute que le docteur Brunet pratique les mêmes tarifs et qu'il puisse se permettre de payer une centaine d'infirmiers. Sans compter les domestiques ! Non... D'après les informations que j'ai recueillies, il n'emploie pas plus d'une trentaine de personnes en tout, en comptant les cuisinières, les jardiniers, les médecins et les infirmiers. Et dans l'aile réservée aux femmes, ce sont des religieuses qui gardent les patientes..., ajouta-t-elle avec un sourire.

— N'imaginez pas qu'il serait plus facile d'avoir raison des religieuses, intervint Violaine en lui jetant un regard sévère. Certaines sont bâties comme des hommes et ont autant de poigne ! D'ailleurs, d'où tenez-vous ces informations ?

— La sœur de ma femme de chambre travaille comme cuisinière dans cette clinique ! triompha Mary. L'autre jour, ma femme de chambre m'a entendue demander à ma tante si elle connaissait le docteur Brunet, et le soir même, cette bavarde n'a pu se retenir de m'en parler. Je l'ai questionnée, mais j'ai dû me contenter de ce qu'elle savait… Elle m'a toutefois promis de se renseigner auprès de sa sœur. Je l'ai envoyée à Passy ce matin. Ce soir, je saurai avec certitude combien de surveillantes sont employées dans le bâtiment des femmes. Mais nous pouvons déjà déterminer le meilleur moyen de les neutraliser.

— Vous en parlez comme si c'était facile ! protesta Violaine. Réalisez-vous l'inconscience de ce projet ? Pouvez-vous nous imaginer pénétrant par effraction dans cette clinique et enlevant Constance ?

— Je ne dis pas que ce sera facile, chère Violaine…, soupira Mary Holgart, redevenue sérieuse. Ce sera dangereux, risqué et incertain. Mais avons-nous le choix, si nous voulons sauver votre amie avant que ce médecin ne l'ait brisée ?

Violaine se replia dans un silence songeur. Des arpèges au piano montaient des fenêtres de l'immeuble d'en face, couverts par les appels éraillés d'un marchand de couleurs remontant la rue de Babylone.

— C'est une folie..., murmura-t-elle enfin. Une pure folie. Mais je vous suis.

— Je suis sûre que nous pouvons réussir, répondit Mary. Seulement... Il faut nous ménager quelques complicités. Nous avons besoin d'un cocher, pour commencer. Un homme sûr, qui sache tenir sa langue... Car s'il commence à raconter notre mésaventure dans Paris, nous sommes perdues !

— Je pense que j'ai notre homme, murmura Violaine, qui avait une fois de plus le sentiment étrange que la duchesse, depuis son outre-tombe, tirait les fils qui les reliaient les uns aux autres et les tissait peu à peu en une trame qu'elle était seule à voir dans son entier.

*

Constance refusait de s'alimenter. On l'avait menacée de la nourrir de force au moyen d'un tuyau qu'on introduirait dans son estomac. On le lui avait montré pour l'effrayer et elle avait consenti à avaler un morceau de pain, quelques quartiers de pomme. Les calmants qu'on lui administrait brouillaient sa perception du monde extérieur, et dans sa chambre sans fenêtre, il arrivait qu'elle ne sache plus si on était le jour ou la nuit, épiant les bruits étouffés qui lui parvenaient à travers l'épaisseur des murs, le sang glacé soudain par le hurlement d'une aliénée dans la chambre voisine. La clinique baignait dans un silence obsédant, sur la surface duquel ricochaient la violence des cris des folles, le fracas des assiettes qu'on empilait sur les dessertes roulantes, le long grincement de la porte qui menait au bâtiment d'hy-drothérapie. Une femme à son étage s'était tranché la gorge avec un coupe-papier dérobé sur un bureau. On l'avait sauvée de justesse et arrimée à son lit. Elle hurlait si fort qu'on avait dû la bâillonner pour que les autres pensionnaires puissent dormir. Il sem-blait parfois à Constance qu'elle était cette femme attachée sur son lit, un chiffon en travers de la bouche. Elle sentait alors l'urgence de mouvoir bras et jambes, de vérifier l'absence de sangles, et se réci-tait tout bas le nom de tous les êtres dont elle était privée. Elle craignait de les oublier. Leurs visages se réduisaient déjà à des formes floues et le son de leurs voix appartenait à une mémoire menacée d'ef-facement.

À certaines heures, on l'autorisait à se promener dans le parc au bras d'une surveillante. Les premiers jours, son cœur s'était emballé en voyant les cor-nettes, mais elle avait rapidement déchanté. Ces reli-gieuses de la Très-Sainte-Miséricorde étaient sèches et indifférentes, elles exécutaient strictement les ordres des médecins et ne lui parlaient pas de Dieu, malgré le crucifix suspendu à leur cou.

Les sédatifs la ramenaient à intervalles réguliers dans ces limbes hantés, saturés de murmures et de bruits de pas. Elle y dérivait dans les brumes du chloral, saisie de lents vertiges et de suées brutales. Des phases lucides s'ensuivaient, où elle était suffi-samment consciente pour sentir qu'elle perdait pied et s'en alarmer. Les premiers jours, elle n'avait pas décoléré. Comment ses parents avaient-ils pu l'aban-donner là, la livrer à ce docteur ? Cette indignité la sidérait. Dans ses crises de somnambulisme, elle les affrontait violemment, elle insultait sa mère, pleurait sur l'amour défaillant de son père.

Au fil des jours, elle réalisa qu'elle n'avait personne vers qui se tourner et qu'elle ne pouvait compter que sur elle-même. Cette idée la faisait trembler de la tête aux pieds quand elle se réveillait au milieu de la nuit. Elle éprouva le besoin d'écrire, pour ordonner sa pensée en voie de délitement où les tranquillisants ouvraient déjà des brèches, des hiatus et des syncopes. À la clinique, la folie était omniprésente et Constance redoutait qu'elle ne grignote peu à peu sa raison avec l'aide des sédatifs. Il lui fallait lutter contre ce vertige qui la rongeait de l'intérieur, lutter en écrivant des mots, des phrases, mais à qui ? Toute correspondance était proscrite. De ce monde clos sur lui-même, rien ne devait filtrer au-dehors.

Ces dernières années, Constance avait écrit chaque jour à la mère Marie-Dominique dans le but de lui confier les batailles qu'elle livrait contre elle-même. Au fil du temps, cet épanchement quotidien lui était devenu si essentiel que la privation d'écrire finit par lui coûter plus que tout le reste. Au point qu'elle réclama du papier et une plume, trouvant le courage de solliciter le docteur Brunet.

Constance détestait l'odeur du docteur, son haleine empestait la liqueur de menthe et son eau de toilette était forte et écœurante, elle en flairait les effluves dans les corridors après son passage. Le dégoût qu'il lui inspirait la faisait tressaillir au contact de ses mains tièdes, de ses genoux appuyés contre les siens à travers le tissu de ses pantalons. Il avait de petits yeux étroits, et la base de son nez était un peu trop large. Il jouait sans cesse avec sa moustache. Il ne portait pas d'alliance et son cœur était dur et tranchant comme un silex.

Il lui coûta de se joindre à la procession des quémandeuses qui guettaient chaque jour son apparition dans le hall d'entrée, l'assaillant de questions, de sollicitations qui tournaient à la sommation ou à la supplique. Toutes ces folles s'accrochaient à cet homme comme à un tyran qu'elles rêvaient de mettre dans leur poche, hurlant que leur présence ici était une erreur tragique, qu'une vie les attendait dehors, un mari, des enfants, un calendrier mondain. Dans ce concert de plaintes désaccordées, la voix grave de Constance arrêta l'aliéniste, retint son attention. Il chercha son visage dans le flot des solliciteuses. Elle se tenait à l'écart, hérissée par le contact des autres pensionnaires. Il vint vers elle. Elle répéta sa requête tandis que le docteur notait les signes de son épuisement nerveux, ses prunelles injectées de sang, le léger tremblement de ses doigts. Elle voulait du papier, elle voulait écrire.

— Que voulez-vous écrire ? l'interrogea-t-il, surpris.

Depuis qu'elle était là, elle avait mis un point d'honneur à ne rien demander.

— Mes pensées. Mes cauchemars, répondit-elle, allumant une lueur d'intérêt dans ses yeux froids.

— Je vais y réfléchir, conclut-il avant de disparaître dans le couloir, ignorant la houle furieuse des internées.

Elle savait qu'il ne résisterait pas à la tentation de lire ses pensées, comme on épie une baigneuse à travers un trou dans le mur. Le lendemain matin, la religieuse qui s'occupait d'elle, une femme dont la peau sentait le beurre rance, lui apporta deux mains de papier. Trop risquée car pouvant servir d'arme, la plume avait été remplacée par un crayon de papier à la mine émoussée. Constance arpenta sa chambre centimètre par centimètre avant de découvrir deux lames de plancher disjointes dans un coin, derrière l'armoire en fer. Elle put les décoller assez pour dégager un espace où coincer du papier, agrandissant l'interstice dans le bois de ses ongles coupés court, jusqu'au sang, en proie à une excitation si violente qu'elle lui rappelait une vie d'avant, une vie qui frémissait dans sa gangue de chloral. Dès cet instant, elle s'arrangea pour avaler le moins de calmants possible, les versant doucement sous son lit après en avoir imbibé le matelas lui-même. La tache sombre qui s'élargissait sur le plancher passerait pour une énurésie nocturne. Elle s'était montrée si docile ces derniers jours que les sœurs la laissaient souvent prendre ses médicaments seule pour se consacrer aux patientes récalcitrantes.

Peu à peu, à mesure que la durée de ses phases lucides s'allongeait, Constance commença à écrire des mots, des bouts de phrase. Elle les écrivait et les regardait, prenant conscience de l'espace qu'ils occupaient sur la feuille, qui ne se réduisait pas à la forme des caractères attachés les uns aux autres. Non, chaque mot était entouré d'un halo plus ou moins puissant, celui de l'image mentale qu'il enfantait dans son esprit. Le mot ténu, par exemple, tremblait comme une patte d'oiseau dans la neige. Le mot chambre évoquait un lieu secret replié derrière les rideaux. Le mot amour s'arrondissait autour de vous mais il y avait quelque chose de coupant dans sa douceur, sa confiture enrobait une amertume qui vous fendait la lèvre.

Ces simples mots tracés éclairaient le brouillard, peut-être finiraient-ils par y ouvrir une voie. Le cinquième jour, Constance écrivit jusqu'à en éprouver la douleur dans les doigts :

Enfance. Craquements. Nurserie. Lézardes. Poupées. Naphtaline. Pansements. Éther. Coupures.

Ici elle s'arrêta, songeant à ses premières coupures involontaires. Ses genoux éraflés dans les buissons du parc de sa grand-mère, le sang dont elle teintait ses lèvres pour en savourer le goût de rouille. Un souvenir remonta, celui d'une colère de sa mère à son retour de Lourdes. « Je vous défends de vous abîmer la peau ! » Une colère de propriétaire, comme si elle avait entaillé le bien d'autrui et non son propre épiderme. Pourtant, depuis toujours, elle s'était employée à faire sienne cette peau en y inscrivant des stigmates, des cicatrices qu'elle savait retrouver sous ses doigts. En se marquant ainsi, elle comprenait qu'elle n'était pas une poupée de chair qu'on habillait et déshabillait, elle habitait ce corps, pouvait en jouir et en souffrir.

« Qu'est-ce qui m'appartient ? » écrivit-elle quelques jours plus tard en haut d'une nouvelle feuille.

« Pas moi. Je ne m'appartiens pas. On me l'a dit et répété.

J'appartiens à mon père. »

Son père pouvait la céder à un autre, comme une métairie, une dépendance. Il l'avait livrée au docteur Brunet comme on se sépare d'une bête récalcitrante.

Pour la mère Marie-Dominique, Constance appartenait à Dieu, en conséquence de quoi il pouvait la tordre, la briser en morceaux, la réduire à rien, mais à un rien qui supplierait qu'on lui pardonne, et lui refuser ce pardon.

La jeune fille pâlit. À peine tracé, le mot Dieu sifflait et crépitait sur la page, il était le feu sans merci.

Horrifiée, elle retourna la feuille de papier. Elle faisait désormais partie de ces créatures impures existant le plus discrètement possible pour ne pas attirer sur elles un reste de colère divine.

La mère Marie-Dominique avait été claire là-dessus, Dieu ne S'était pas détourné d'elle, c'était elle qui s'était détournée de Son Amour en cédant à la tentation d'une passion charnelle et en prétendant la sanctifier par le mariage. Elle devait expier sans relâche pour que le Seigneur consente à la délivrer de son exil.

« Dieu vous veut, mon enfant. Mais Il vous veut pure et candide comme au jour de votre naissance. Votre péché vous éloigne de Lui et vous rend odieuse à Ses yeux. Il faut mériter Son Amour. »

Constance avait repoussé le nom de Laszlo vers ces infinis glaciaires où elle avait envoyé mourir ses tristesses de petite fille, ce concentré de solitude, de détresse et de manque qui restait accroché au mot *enfance* et lui donnait cette silhouette d'enfant accroupi. Elle s'était acharnée à bannir les souvenirs de cet homme, et comme ils remontaient à la surface tels des bouchons de liège, elle s'était efforcée de les voir à travers les yeux de la mère supérieure pour s'en écœurer. La jeune fille attendit plusieurs jours pour tracer enfin ce prénom dont la brûlure attisait toutes les autres.

Laszlo

Le souvenir de sa main dans les siennes ouvrait une porte au fond de son ventre, une intimité battante, une faiblesse délicieuse qui lui intimait de lâcher prise. C'était donc là cette tromperie de la chair dont parlait la mère, qu'il ne fallait pas confondre avec la froideur raisonnée du mariage. Le mariage était un arrangement qui ne s'accompagnait d'aucune fièvre et pouvait déboucher au long des années sur une tendresse partagée.

Emballée. Ce mot s'élevait dans les airs avec la grâce d'une jupe de femme gonflant sa corolle. Constance s'était emballée au contact de Laszlo, toutes les particules de son être s'étaient exaltées, emplies d'émotions tel un alambic. L'effleurement de ses doigts sur son poignet, là où finissait le gant et commençait la peau nue, l'avait électrisée dès ce premier bal chez la princesse de Romainville. Son regard l'avait fait fondre comme les rayons d'une aube incendiée réveillent la forêt sous le givre. Ses mots peu à peu s'étaient frayé un chemin entre les ronces qui protégeaient son cœur altier, ouvrant une voie perdue dès l'origine. Des nuits entières elle avait écouté, ravie, le tumulte de ses pensées embrasées par un simple prénom, se repassant comme dans une lanterne magique les images de la genèse de cet amour, car il fallait bien appeler ainsi cette évidence d'avoir été rencontrée, sinon quoi ?

« Vous prenez pour de l'amour ce qui n'est que l'emballement de la chair, le péché vous égare », l'avertissait la mère supérieure.

Elle avait quitté Laszlo mais Laszlo, lui, ne la quittait pas. Ses mains refusaient de lâcher les siennes, et même le souffle de Dieu la rejetant de Son bûcher n'avait pu disperser son souvenir. Au point qu'elle le respirait dans l'air raréfié de sa cellule, et que les particules incandescentes de cette mémoire se mélangeaient à ses humeurs, la plongeant tour à tour dans la mélancolie ou dans une euphorie sans lien avec sa situation présente, et qui était peut-être un premier symptôme de folie.

Que son inclination pour cet homme fût pure ou impure, dévoyée ou clairvoyante, en un mot qu'elle la menât à la déchéance ou à un bonheur terrestre méprisé par la religion, Constance savait qu'il était trop tard car il n'était pas de retour en arrière, de réparation possible. Toute sa personne aspirait à retrouver Laszlo, à être unie à cet homme et au mystère qu'il incarnait.

Aussi Dieu, qu'on ne pouvait duper, l'avait-Il bannie deux fois, la jugeant indigne de figurer au rang de Ses martyres pour l'exiler enfin dans ce lieu de terreur et de silence.

La première sentence l'avait brisée dans son aspiration à la droiture et à la foi, tuant la jeune fille qui voyait en Dieu un père juste et bienveillant, aimait vivre sous Son regard et recueillir Son approbation. C'était ce qu'elle avait tenté de dire en vain à la mère Marie-Dominique. Les enfants de Dieu étaient mortes dans les flammes du Bazar de la Charité. Les filles à l'âme trouble étaient condamnées à errer dans les limbes d'une vie terrestre, là où s'estompe la frontière entre le bien et le mal. Le 4 mai, le Jugement de Dieu avait été d'une aveuglante clarté.

La deuxième sentence n'en finissait pas de lui dévorer le cœur avec l'infatigable cruauté des châtiments antiques. Elle disait : « Tu n'en finiras pas de te sentir séparée de cet homme, cette déchirure ne s'estompera pas avec le temps à la manière d'une jambe coupée dont l'absence cesse de démanger. Le monde effacera ton souvenir mais tu ne pourras chasser le sien. Il t'obsédera sans relâche, et le manque que cet amour humain a creusé en toi au point de t'écarter de Moi ne se comblera jamais. »

24

Les derniers jours de ce mois de mai qui avait jeté un voile funèbre sur les processions à la Vierge et flétri les couronnes des communiantes, Violaine de Raezal rendit trois visites qui allaient, chacune à sa manière, modifier le cours de son existence. La dernière se décida après son petit déjeuner, quand elle déplia *Le Figaro* du jour au-dessus d'une assiette remplie de miettes de pain à la mirabelle.

Violaine commençait toujours par lire la rubrique « Les victimes de l'incendie ». C'était là qu'elle avait appris que Mme David, la maman du petit Alfred retrouvé mort dans les cendres du Bazar, avait perdu la raison au moment où une généreuse souscription mettait fin à l'indigence qui l'avait poussée à envoyer son fils trouver les dames du Bazar de la Charité. Là qu'elle avait découvert le nom du vieux général qui était mort dans d'atroces souffrances sur le lit voisin du sien, à l'hôpital Beaujon. Là, enfin, qu'elle avait parcouru chaque jour la liste des victimes en redoutant d'y lire le nom de Constance. Il y avait eu les jours de la salle Saint-Jean, cette éprouvante identification qui avait laissé des corps sans nom, abandonnés à la fosse commune faute d'avoir été reconnus. Violaine ne pouvait s'empêcher d'imaginer au-dessus de chacun de ces anonymes une âme sursautante, déchirée d'avoir vu ses proches scruter sa dépouille pour l'écarter fermement – non, cette momie hideuse n'est pas notre mère, ne saurait être ma fille bien-aimée. Et l'âme ulcérée regardait cette écorce racornie – qui avait été son corps fier et plein – glisser dans l'anonymat de la fosse tandis que la douleur des siens butait contre une tombe impossible à remplir.

Une fois les morts enterrés, on avait parlé des survivants et la presse s'était émue de cette Mme de T. qui était rentrée chez elle après l'incendie et s'était hâtée d'écrire à ses amies pour les rassurer sur son sort avant de succomber à ses brûlures. À lire le récit de toutes ces tragédies qu'elle avait frôlées, Violaine mesurait sa chance d'être en vie et à peu près intacte. Elle connaissait toutes les anecdotes de l'incendie du Bazar de la Charité, aurait pu détailler l'histoire de chacune des victimes. On ne dénombrait que sept patronymes masculins parmi les morts du Bazar, dont trois vieillards et deux enfants. Tous ces noms de femmes et si peu d'hommes, cela glaçait Violaine sans qu'elle s'expliquât bien pourquoi. Comme si brûler était une propension naturelle de son sexe et peut-être y avait-il un fond de vérité là-dedans, peut-être la femme était-elle plus inflammable, et pas seulement parce que les mondaines se lavaient les cheveux avec du pétrole pour les rendre brillants.

Si le martyrologe de l'incendie n'avait plus de secrets pour Violaine, elle n'avait pourtant jamais entendu parler du héros de l'édition du jour. Il s'agissait d'un jeune groom, Paul Marin, âgé d'à peine seize ans – précision qui pinça le cœur de la comtesse de Raezal. En service chez Mme de M., il devait quitter sa place le 4 mai au soir. Peut-être l'avait-on surpris à quelque larcin ou s'était-il signalé par une impertinence, ou bien avait-il simplement fait les frais de la mauvaise humeur de ses maîtres. Il devait un dernier jour de travail à sa patronne et celle-ci, qui ne pouvait se rendre au Bazar de la Charité, chargea son groom d'y porter une lettre à Mme de Saint-Périer, qui y tenait un comptoir. Il n'était pas quatre heures quand il arriva sur les lieux avec difficulté, en raison de l'affluence. À peine avait-il remis son message que l'alerte au feu créa l'épouvantable bousculade que l'on sait, lui fermant l'accès vers la rue Jean-Goujon. Le garçon tenta de fuir de l'autre côté, et peut-être Violaine l'avait-elle frôlé dans le chaos général, peut-être s'étaient-ils dévisagés sans se voir. Devant lui, des femmes aux vêtements en feu se tordaient en hurlant et l'une d'elles se souleva vers lui dans un sursaut, tendant ses deux bras enflammés comme des torches vives et le fixant de ses yeux exorbités, des yeux déjà morts où dansait la lueur du brasier. Ce fantôme de femme l'horrifia, il recula vers le fond du Bazar où il lui avait semblé distinguer une issue mais s'y trouva bientôt cerné par le feu, et sa peau commençait à rôtir quand une petite main attrapa la sienne.

Il baissa les yeux pour découvrir une enfant de huit ans, une jolie fillette dont les vêtements flambaient. Sans réfléchir, il l'enveloppa dans son paletot et la serra dans ses bras, l'emportant avec lui tandis qu'il progressait tant bien que mal à la recherche d'un passage. Le feu avait pris à ses vêtements et dévorait déjà ses mains, son cou et son visage mais il ne lâchait pas l'enfant arrimée à son cou. Bientôt son étreinte se relâcha, elle devint molle entre ses bras et sa tête glissait en arrière. Il la retint de sa main gauche alors qu'il cherchait à atteindre une fenêtre condamnée par le feu, se précipitant contre le cadre enflammé dans un élan désespéré pour passer au travers, ses ongles enfoncés dans les boiseries, et finit par basculer sur le terrain vague où il s'écroula de tout son poids, l'enfant retombant sur lui telle une poupée de chiffon. Réalisa-t-il à cet instant qu'elle était morte ? Il n'eut que quelques minutes pour abandonner son corps sans vie et courir vers le vasistas de l'hôtel du Palais par lequel on le hissa à moitié fou, hurlant de douleur tandis que les sauveteurs éteignaient un reste de flammes sur ses vêtements en lambeaux. Il fut conduit à l'hôpital de la Charité, dans un état très préoccupant.

Violaine lut l'article avec avidité, saisie par la coïncidence – le garçon et elle devaient leur salut au même vasistas –, cherchant fiévreusement dans ses souvenirs une quelconque trace de lui, mais rien, elle se rappelait seulement cette horrible marquise de Fontenilles l'écartant pour passer la première. Elle relut plusieurs fois la conclusion de l'article, comme pour vérifier que ces mots n'étaient pas le fruit de son imagination :

« *Paul Marin est toujours à l'hôpital et Dieu sait dans quel état il en sortira. Les deux mains ont été brûlées jusqu'aux os. Un abcès s'est formé dans le cou et la moitié de son visage est comme rongée.*

Le pauvre garçon se désole parce qu'il n'a pu sauver la petite fille qui, dans l'incendie, avait fait appel à son dévouement. Le jour de l'incendie, il avait en poche son mois, qu'il a perdu en même temps que ses vêtements.

Et personne, jusqu'ici, ne s'est occupé de lui... Pourquoi ? »

Le journaliste du *Figaro* ne pouvait avoir écrit cette dernière phrase à son intention, mais c'était si troublant de la lire avec dans sa poitrine, là où on lui avait pris l'enfant, cette plaie non refermée, chaude et palpitante.

*

Joseph avait mauvaise conscience d'avoir menti à son maître et de se trouver au milieu de la matinée devant l'imposant vaisseau écroulé du palais de l'Industrie, ayant prétexté une indisposition liée à ses blessures, lui qui se serait fait tuer plutôt que de reconnaître qu'elles le torturaient jour et nuit, que les démangeaisons qui lui étaient venues avec la cicatrisation lui donnaient le sentiment d'abriter une colonie de vermine sous son épiderme à vif et que seule l'épaisseur des bandages le retenait de s'arracher la peau pour tenter de les calmer.

Il consulta la montre à gousset que le duc lui avait donnée aux dernières étrennes. Il n'était pas dix heures, il était en avance et avait donc le loisir de s'interroger encore sur le motif qui avait pu pousser la comtesse de Raezal à lui fixer ce rendez-vous. Venant d'une autre femme, ce rendez-vous clandestin n'aurait eu qu'une signification. Mais de la part d'une comtesse, cette pensée ne l'effleurait même pas, ou si elle l'avait effleuré, c'était en ricochant par inadvertance. Il avait relu plusieurs fois le court billet signé de la main de la comtesse :

Mon cher Joseph,

Ma requête risque de vous sembler très insolite, mais je souhaiterais que vous me retrouviez demain matin sur le coup de dix heures devant le palais de l'Industrie. J'ai à vous entretenir d'une affaire de la plus haute importance. Ne venez pas en livrée de votre maison mais vêtu en promeneur anonyme, afin de ne pas attirer l'attention sur vous.

Si vous ne pouviez vous libérer pour ce rendez-vous, ou souhaitiez en changer l'heure, mon valet attendra votre réponse.

Recevez, cher Joseph, l'assurance de ma considération distinguée.

Comtesse de Raezal

C'était la première fois qu'une comtesse lui écrivait. Du reste, les lettres que Joseph avait reçues ou échangées se comptaient sur les doigts d'une main. Une ancienne conquête, petite lingère de la Sainte-Baume où la duchesse d'Alençon allait en pèlerinage, lui avait adressé quelques cartes postales qu'il gardait punaisées au-dessus de son lit. Et sa mère lui avait fait porter une lettre à son entrée en place, une lettre maladroite et touchante écrite par une voisine plus savante qu'elle, qu'il gardait et relisait de temps en temps en arrivant à se persuader qu'elle était de sa main. Ainsi s'appropriait-il quelque chose de cette femme dont il ne se rappelait presque rien, si ce n'est qu'elle avait gardé de profondes superstitions de son enfance paysanne, persuadée que le gémissement du vent à la tombée de la nuit était celui des enfants morts sans baptême ou que le tintement d'une cloche détournait l'orage.

Le cocher fit quelques pas pour tromper la torture de ses démangeaisons. Des palissades entouraient le chantier du palais de l'Industrie, dérisoires au regard de la hauteur du bâtiment et des éboulis qui jonchaient son esplanade, amas de pierre et de ferraille d'où émergeait ici et là le relief d'une statue effritée. Le fronton monumental de la façade nord du palais était encore debout mais sa verrière de dix-huit mètres n'était plus ; elle avait emporté avec elle le souvenir de deux expositions universelles. Bientôt deux palais se dresseraient à la place de cette gloire effondrée qui n'avait jamais été aussi belle qu'à l'instant où les pioches la mettaient en pièces et ravageaient son esthétique trop lisse, lui donnant l'âpre majesté d'une ruine antique. Splendeur éphémère accrochée au sursis qui lui était accordé, elle se dressait telle une métaphore de cette fin de siècle condamnée au dépassement perpétuel, précipitant l'avenir dans un présent inquiet où remontait le brouet des vieilles superstitions. Et Joseph, qui trouvait que son monde changeait trop vite, réalisait que ce palais de l'Industrie qu'il avait toujours trouvé fort laid allait lui manquer. Observant la progression des ouvriers sur les arêtes de pierre dénudées à vingt mètres au-dessus du sol, il songea que des hommes mourraient pour détruire ce grand vaisseau de pierre, après d'autres qui étaient morts pour l'ériger, et que la beauté des villes se bâtissait sur le sang des hommes depuis des millénaires sans que personne y trouvât rien à redire.

Tout à sa réflexion sur la fragile nature humaine, il n'avait pas vu arriver la comtesse. Il la découvrit soudain devant lui, ses cheveux blonds relevés sous un élégant chapeau noir dont la plume fière tremblait au vent, tenant de sa main gantée son ombrelle bordée de dentelle. Il s'inclina devant elle, envahi par cette étrange émotion qui l'embarrassait et le déconcertait chaque fois. Était-il séduit malgré lui par la beauté de cette femme, ou bien sa chevelure blonde réveillait-elle le souvenir de la duchesse d'Alençon ? Était-il de ces hommes qui glissent dans un amour défendu par faiblesse ou par fascination de l'interdit ? Il ressentait entre eux un lien autrement plus fort et inexplicable, dont il ne pouvait saisir les ramifications souterraines car, pour cela, il lui eût fallu comprendre qu'ils étaient liés par l'incendie qui ne les avait pas seulement marqués dans leur chair mais transformés en profondeur, comme un métal change de nature sous l'action de la flamme.

— J'ai demandé à mon chauffeur de me déposer à la Concorde et je suis venue à pied, dit la comtesse avec une pointe de fierté devant ce naïf stratagème. Bonjour, Joseph, comment allez-vous ? interrogea-t-elle, l'observant à travers sa voilette.

Il répondit qu'il allait bien mieux, tâchant de maîtriser les impatiences qui fourmillaient dans ses bras et ses épaules.

— Ils ont bien avancé, dit-elle en contemplant l'étendue du chantier. La dernière fois que je suis venue, la verrière était encore là ! Savez-vous qu'ils vont construire deux palais à la place de celui-ci ?

Joseph hocha la tête, il l'avait entendu dire. Il devinait que la comtesse bavardait pour chasser l'embarras dont ils ne parvenaient jamais tout à fait à se défaire.

— C'est là qu'ils avaient installé les corps, après l'incendie…, murmura-t-elle soudain.

Il devina qu'elle avait choisi ce lieu de rendez-vous comme un symbole de ce qui les réunissait. Confusément, il redouta ce qu'elle était venue lui dire.

— C'est là qu'on a retrouvé votre maîtresse…, ajouta-t-elle. Y étiez-vous ce jour-là, aviez-vous accompagné le duc ?

— M. le duc n'est pas venu pour l'identification, répondit Joseph. Il n'en avait pas la force. C'est son fils, M. le duc de Vendôme, qui s'est rendu plusieurs fois à la salle Saint-Jean avec la femme de chambre de Mme la duchesse. Quant à moi, j'étais encore à l'hôpital, pour mes brûlures...

— Bien sûr, répondit-elle. J'oublie que vous avez été blessé vous aussi. Je vous remercie d'être venu, Joseph, finit-elle par lui dire tandis qu'ils faisaient quelques pas ensemble au grand soulagement du cocher, que ses démangeaisons torturaient dès qu'il restait immobile. Je suis si embarrassée de vous avoir demandé de me rejoindre ici sans vous expliquer pourquoi, à l'insu de votre maître... Je n'avais pas le choix. Le sujet qui m'amène est si délicat...

Tirant sur le bout de ses gants, elle peinait à trouver une contenance et lui déclara sans ambages :

— Il s'agit de la jeune fille dont nous parlions l'autre jour. Celle que vous avez sauvée le 4 mai.

Il la fixa médusé, du diable s'il s'était attendu à cela, la surprise et le soulagement explosèrent ensemble dans son cerveau, il avait eu si peur qu'elle ne les exposât à une situation inextricable, si peur que ce qu'elle avait à lui dire ne les figeât comme deux statues de sel.

— Mlle d'Estingel ? dit-il, et la détente en lui était si violente qu'elle se traduisit par un sourire éclatant de bonne volonté.

— C'est une affaire très grave, Joseph. Une question de vie ou de mort, dit la comtesse choquée par l'incongruité de ce sourire qui la poussait à s'exprimer plus brutalement qu'elle ne l'aurait souhaité.

S'éloignant du bruit et de l'agitation du chantier, ils marchèrent jusqu'au rond-point des Champs-Élysées, reculant à l'ombre des grands ormes et des platanes, à l'écart des fiacres, des cavaliers et des cyclistes qui passaient sur l'avenue. C'était une enclave retirée, paisible, presque déserte à cette heure. Un peu plus loin, quelques nurses affairées surveillaient les enfants près des bacs à sable.

— Pour être franche, reprit-elle avec gêne, je vous ai prié de venir pour solliciter votre aide, mais c'est sans doute une folie de vous mêler à cela, je vous connais à peine... Et les risques sont tels...

À nouveau Joseph eut le sentiment qu'elle cherchait à le sonder. À l'instant de lui confier son secret, elle hésitait encore, pesant le danger de ces confidences à un inconnu, un valet qui plus est, représentant de cette domesticité qui vivait en épiant les maîtres, en se moquant de leurs travers et en colportant au-dehors toutes les petitesses dont elle était témoin. Il entendit l'interrogation brûlante qu'elle ne formulait pas par délicatesse.

— Madame la comtesse peut avoir confiance en moi, prononça-t-il gravement. Je ne trahirai rien de ce que Madame la comtesse m'aura confié ici.

Une lueur de reconnaissance traversa l'eau changeante de son regard.

— Oh ! Joseph, soupira-t-elle, c'est étrange mais j'ai souvent pensé à vous comme à quelqu'un à qui je confierais ma vie. Mais ce que je suis venue vous demander est dangereux et illégal, et si vous acceptez, vous y risquerez plus que votre place. Aussi comprendrais-je que vous refusiez. Cette jeune fille que vous avez arrachée aux flammes se trouve aujourd'hui enfermée dans une maison de fous, un aliéniste l'y a fait interner avec l'accord de son père. L'épreuve terrible qu'elle a traversée et l'ébranlement nerveux qui en découle ne justifient pas cet enfermement. Ces maisons de fous altéreraient la raison de n'importe qui ! Et c'est pourquoi nous avons résolu, une de mes amies et moi, d'organiser son enlèvement.

Elle avait récité cette dernière tirade d'une traite, sans se douter que ses mots résonneraient en lui avec violence car la simple idée d'une maison de fous était un tison appliqué sur sa peau brûlée. Il ne pouvait comprendre comment cette belle jeune fille qu'il avait tirée du brasier avait pu être envoyée à l'asile. Il revit les deux infirmiers qui s'étaient saisis de lui le jour de l'incendie, leurs regards entendus dans l'ambulance. Il leur avait échappé, il s'était évadé de Beaujon avant qu'on le transfère à Bicêtre. La jeune fille au corsage bleu n'avait pas eu cette chance, et cette nouvelle l'ébranlait comme si on l'avait retenue en otage à sa place.

— Je n'ai pas revu Constance d'Estingel depuis l'incendie, renchérit la comtesse de Raezal, mais Mme Du Rancy, qui a recueilli Mlle d'Estingel le temps de sa convalescence, se fait un sang d'encre pour sa protégée… Nous pensons que cette jeune fille est victime d'un internement abusif et qu'elle court un grand danger. Nous avons besoin d'un homme de confiance pour conduire la voiture dans laquelle nous enlèverons Mlle d'Estingel et j'ai pensé à vous, mais…

À ce point de son discours, elle s'interrompit brutalement, s'apercevant qu'il n'avait pas dit un mot et restait interdit devant elle. Joseph comprit qu'elle

battait en retraite quand elle ajouta sur un ton précipité :

— Je devine votre réticence, Joseph, et je la comprends… Ne soyez pas offensé par ma proposition,
je sais que vous n'êtes pas de ceux qu'on achète. Je
n'ai pensé à vous, je vous le répète, que parce que
je vous confierais ma propre vie, et puis je me suis
dit qu'ayant déjà sauvé cette jeune fille, vous pourriez vouloir vous porter encore à son secours… Mais
oublions toute cette conversation, voulez-vous, et
quittons-nous bons amis.

— Où a-t-on enfermé Mlle d'Estingel ? demanda-
t-il.

— Dans une clinique privée, sur les hauteurs de
Passy, répondit la comtesse en lui lançant un regard
ambigu.

Elle avait baissé la voix, même s'ils étaient seuls.

— Madame la comtesse pense-t-elle pouvoir enlever cette jeune personne avec l'aide d'un unique
complice ? demanda-t-il avec une moue dubitative.

— Je ne sais pas, murmura-t-elle. Nous serions
trois, et ce n'est encore qu'un projet.

Elle semblait incertaine et la flamme de son beau
regard s'était voilée. Il comprit que ce projet d'enlèvement était né de l'impulsion de son cœur et n'avait
pas encore de stratégie définie.

— Pourquoi l'a-t-on placée là-bas ? demanda-t-il
enfin, le sang brûlant à ses oreilles.

Elle l'étudia en silence avant de répondre :

— Parce qu'elle faisait des cauchemars. Parce
qu'elle marchait en dormant, criait la nuit… Parce
qu'elle n'était plus elle-même depuis l'incendie.

Entendant ces mots, il se détourna, fixant, au-delà de la cime des grands arbres, ce ciel radieux sous lequel prospéraient des asiles saturés de solitude et de cris bâillonnés. La comtesse de Raezal venait de décrire ce qu'ils vivaient tous, eux qui s'étaient trouvés là-bas ce jour-là. Louis Gaugnard cauchemardait sans cesse que le feu avait pris chez lui et l'encerclait de toutes parts. Il se réveillait assoiffé, sa peau cuisait. Quant à lui, chaque nuit il enjambait des corps carbonisés dont les yeux intacts étaient pleins de reproches, saisissait des bras qui n'étaient plus attachés à rien, chargeait sur son dos des corps qui tombaient en morceaux à mesure qu'il avançait, cherchant la duchesse d'Alençon, et quand il la découvrait enfin, sa silhouette noire se tordait dans les flammes. Il se précipitait vers elle mais plus il s'en rapprochait, plus son image s'éloignait, comme s'il était le jouet d'une de ces illusions d'optique qu'on voit dans les foires.

Ou ils étaient tous devenus fous…, songea Joseph, ou bien cette jeune fille ne l'était pas plus qu'eux.

— Je conduirai la voiture, dit-il d'une voix sourde. Madame la comtesse peut compter sur moi. Je dois cependant avertir Madame la comtesse que M. le duc d'Alençon part pour l'Autriche avec ses enfants avant la fin de ce mois, et que je l'accompagne. Cela nous laisse peu de temps.

La comtesse de Raezal hocha la tête avec gravité, frissonnant dans la douceur de l'air.

*

— Mme la comtesse de Raezal demande à voir Monsieur, déclara le majordome en tendant la carte de la visiteuse à son maître.

Le nom de sa visiteuse le remplit d'appréhension. Mme Gabriel de Raezal ne pouvait être que la mère de l'homme qu'il avait tué. Depuis le duel et le drame qui y avait mis fin, il s'attendait à une visite de ce genre. Il ne comptait pas sur celle de Léonce d'Ambronay, pourtant la seule qu'il eût pu affronter sans vaciller, mais peut-être se trompait-il et se serait-il effondré en la voyant. Car le duel avait réduit Laszlo de Nérac à l'état de ces mines de charbon dont les fissures laissent passer la respiration sifflante du grisou. Il se sentait sale, épuisé et dangereux.

Le matin même pourtant, il s'était rendu à une nouvelle convocation du juge. Après sa première déposition, Laszlo avait collecté tous les détails susceptibles de l'innocenter dans l'affaire du Bazar. Entre-temps, le juge avait chargé les agents de la Sûreté d'une enquête, une parmi toutes celles que la rumeur concernant les hommes du monde avait rendues nécessaires. Ce soupçon délétère empoisonnait plus sûrement Paris que les miasmes répugnants qui montaient des usines de Pantin et d'Aubervilliers. Il n'était pas un repas en ville où le sujet ne fût abordé par la bande, avec plus ou moins d'esprit et de tact, de sorte que l'affaire Dreyfus n'était plus le principal ferment de discorde des conversations mondaines, il en était désormais un autre pour tisonner les vieilles rancunes et transformer les salons les plus élégants en champs de bataille. Le juge Bertulus enrageait de perdre son temps à ces enquêtes annexes qui le détournaient de la principale, celle de la responsabilité des officiels et des gens du cinéma dans l'incendie lui-même. Et certains prétendaient maintenant que l'incendie était le fait des anarchistes, réveillant la terreur des bourgeois et ajoutant à la confusion générale. C'est donc un juge surmené et sur les nerfs que Laszlo avait retrouvé dans son bureau, dont le désordre évoquait un quartier général de campagne, un juge qui passait ses journées enfermé dans ce bureau, et ne rentrait chez lui que pour s'écrouler sur son lit.

— J'ai de bonnes nouvelles pour vous, lui avait-il lancé en préambule. Nous avons retrouvé le sergent de ville qui vous a arrêté en haut de la rue Jean-Goujon, et vous avez de la chance, il se souvient de vous. Il se rappelle – je cite – « un foutriquet de journaliste qui prétendait passer la barrière » malgré son interdiction et lui aurait « tenu la jambe en lui parlant de sa fiancée ». Votre fiancée va bien, monsieur de Nérac ?

— Elle a survécu à l'incendie, avait répondu Laszlo.

— Je m'en réjouis. Prenez-en soin, c'est grâce à elle que le sergent se souvient de vous… Il est formel, il assure que vous avez assisté ensemble à l'écroulement de la structure du Bazar de la Charité. Confirmez-vous ce point ?

— Absolument ! s'était-il hâté de répondre, si violemment soulagé qu'il en aurait pleuré et avait aussitôt pensé à ce traître de François Germand pour endiguer toute sentimentalité.

— Bien. Dans ce cas, vous voilà formellement innocenté de ce dont on vous accuse. Je ne vois pas comment vous auriez pu vous introduire à l'intérieur après l'écroulement du Bazar…, avait-il ajouté avec un sourire sarcastique. Je vous ferai parvenir mes conclusions sous huitaine. Ainsi aurez-vous un document officiel prouvant qu'on vous a injustement diffamé. Savez-vous qui est à l'origine de cette rumeur ?

— J'ai la preuve qu'il s'agit de la marquise de Fontenilles, répondit Laszlo d'une voix tranchante. Le journaliste Paul Millot, de *La Bonne Presse*, peut en témoigner. Même s'il préférerait sans doute ne pas avoir à le faire…, avait-il repris avec un sourire voilé d'amertume.

Le juge Bertulus avait relevé son front soucieux et surmené, et ses petits yeux cernés avaient fixé Laszlo sans ciller.

— Je vois…, avait-il dit. En tout cas, nous en avons fini, vous et moi. Je sais que vous aurez bientôt maille à partir avec un de mes confrères pour une autre affaire – bien qu'elle soit directement liée à celle-ci, et sachez que je le déplore. Pour ma part, je vous souhaite d'oublier la charge de vilenie que vous avez essuyée ces dernières semaines, et de tourner cette page. Il est des pages qu'il vaut mieux tourner, croyez-en mon expérience. Vous avez, m'a-t-on dit, du talent. Cultivez-le, et vivez en paix.

Il était ironique que ces mots et la détente qu'ils faisaient naître eussent cueilli Laszlo dans ce moment où tout espoir de paix l'avait déserté et où il se vivait dans la peau d'un proscrit condamné à l'exil. C'est d'un pas plus léger qu'il avait regagné la rive droite par le pont au Change, puis remonté à pied un boulevard Sébastopol noir de monde en direction de la rue Montorgueil, serrant dans sa main gantée de noir la carte de l'inconnu qu'il s'apprêtait à rencontrer. Un inconnu dont le prénom – *Félicien* – lui avait été murmuré par un mourant en guise de dernière volonté.

— Conduisez la comtesse de Raezal au salon, ordonna Laszlo à son majordome, et proposez-lui une collation. Je l'y rejoindrai dans un instant.

Après le départ du domestique, il s'observa dans le grand miroir qui surplombait la cheminée de sa chambre, cherchant à se recomposer un visage. Maintenant que la scène éprouvante de la rue Montorgueil était derrière lui, il n'aspirait qu'à dormir des jours entiers. Donner à Félicien, ce garçon trop tendre, la preuve qu'il avait été aimé, lui dire que la dernière pensée de son amant avait été pour lui, être ensemble le messager de cet amour et son fossoyeur l'avait asséché, il n'eût pas été étonné de se découvrir une figure de vieillard. Mais à peine ses traits s'étaient-ils accusés sous l'effet de la fatigue, creusés à la manière d'un bout de bois rongé par la mer. Constance aurait su voir ce qui avait changé. Elle aurait surpris dans ses yeux la lumière soufflée, la fin de l'innocence, l'érosion implacable de la culpabilité. Laszlo ne cessait de voir Armand de Raezal se noyer dans cette cascade sanglante qu'il avait fait jaillir de son corps en sourcier inconséquent. Bientôt il devrait expliquer devant un juge qu'il l'avait tué sans le vouloir, mais à la vérité il n'en était plus si sûr car son épée avait porté ce coup fatal dans cet instant de fureur où son être aspirait à en finir, et peut-être cette rage qui le possédait avait-elle guidé son bras, exauçant un souhait informulé, luisant de ténèbres.

Il rajusta son col de chemise et enfila sa veste. Il ne pouvait pas faire attendre davantage la comtesse de Raezal.

Entrant dans le salon, il la trouva en contemplation devant son *Ophélie*, qu'il avait fait enlever de sa chambre la veille pour mettre fin à l'attraction vénéneuse que ce tableau exerçait sur lui. Il étudia la grâce de cette silhouette mince en robe noire, la blondeur de ses cheveux relevés en un chignon au flou étudié, le col montant qui dissimulait sa nuque, et s'interrogea un instant sur la protubérance qui tendait le tissu de sa robe depuis les épaules jusqu'au cou.

Abîmée dans sa rêverie, sa visiteuse ne l'avait pas entendu entrer. Il toussa délicatement pour s'annoncer. Quand elle se retourna, il se dit qu'il connaissait ce visage, mais où l'avait-il vu ?

— Bonjour, chère madame, lui dit-il en s'inclinant pour lui baiser la main. Je dois avouer que je ne suis pas surpris de votre visite. Je l'attendais, en quelque sorte...

Elle eut l'air si sincèrement étonnée qu'il comprit qu'elle avait suivi une impulsion, qu'elle fût de vengeance ou de désespoir. Elle n'avait pas prémédité de se retrouver dans son salon et semblait ne savoir que faire de cette audace. Il l'invita à s'asseoir en face de lui, et tandis qu'elle prenait place sur le long sofa en velours de soie rouge cramoisi, ses yeux se posèrent à nouveau sur l'agonie d'Ophélie.

— Il est étrange, ce tableau..., murmura-t-elle. L'expression de cette jeune femme... On dirait un faune.

— Cette toile représente la noyade d'Ophélie, précisa Laszlo d'une voix éraillée par l'intense fatigue qui lui cassait le corps.

— L'héroïne de Shakespeare ? Mais Ophélie est une victime, une innocente brisée de chagrin... Elle n'a pas ces yeux de courtisane lascive ! s'écria-t-elle en souriant.

Il sourit à son tour :

— Ce n'est que la vision très personnelle du peintre... Mais vous n'êtes pas venue pour parler peinture, n'est-ce pas ?

À cet instant, la dévisageant avec un certain trouble, il douta qu'elle pût être la mère d'Armand de Raezal. Elle était bien trop jeune.

— Non, en effet, dit-elle d'une voix douce. Je suis venue vous dire que je sais que vous n'aviez pas l'intention de tuer Armand.

Laszlo se leva avec nervosité et fit quelques pas jusqu'à la fenêtre. Il eût préféré que cette femme s'emporte, qu'elle l'injurie, qu'elle le traite comme le meurtrier qu'il était. Il ne supportait pas qu'on l'exonère ou qu'on le plaigne.

— Peu importe ce que j'avais l'intention de faire, répliqua-t-il sèchement, il est mort par ma faute. Il ne m'avait même pas offensé, l'ignorez-vous ?

— Sa sœur l'avait fait, l'entendit-il répondre dans son dos. J'étais au théâtre ce soir-là. J'ai entendu ce qu'elle vous a dit.

Il se tourna vers cette comtesse dont émanaient une douceur et une séduction infinies, croisa son regard, et sa colère le déserta d'un coup en y déchiffrant une solitude aussi viscérale que la sienne.

— Qui êtes-vous, madame ? interrogea-t-il, troublé.

— Je suis la seconde épouse de Gabriel de Raezal, répondit-elle avec simplicité. J'étais la belle-mère d'Armand, je suis aussi celle de Mme d'Ambronay. Je ne peux pas dire que je connaissais Armand. Avec moi il était au mieux indifférent, souvent cruel, pourtant sa mort m'attriste... Peut-être parce que je n'aurai jamais la chance de découvrir autre chose de lui, quelque chose que j'aurais pu aimer.

Laissant résonner ces paroles dans le salon silencieux, Laszlo revint s'asseoir en face de cette femme dont la profondeur interdisait toute futilité en retour, comme s'il fallait se hisser à son diapason.

— Je ne cesse de revivre cet instant, déclara-t-il tout à trac. Cet instant où je me suis fendu, tendant mon épée, et où j'ai senti la lame entrer dans sa chair. Mon incrédulité, à cet instant... Comme si je n'avais pas porté ce coup, comme si mon corps avait agi de son propre chef... Et après je le revois mourir, je revois la lueur s'éteindre dans ses yeux, si vite... Je l'entends murmurer ces mots, au prix d'un tel effort...

— Quels mots ? le coupa la comtesse.

— Je ne puis vous répondre, madame, répondit-il doucement. Il ne l'aurait pas voulu.

— Eh bien..., répondit-elle avec une moue involontaire qui trahissait sa frustration. Sachez que je ne vous crois pas coupable de ce dont on vous accuse.

Il la fixa calmement, et leurs solitudes s'effleurèrent et se reconnurent. Il sut qu'elle ne lui mentait pas et devina en elle des cicatrices d'honneur comparables à la sienne, laissées par des langues malveillantes dont le sifflement l'escortait encore. Sa bouche s'était imperceptiblement tendue comme pour cueillir un baiser, et il eut envie de lui donner ce baiser, d'entrer dans cette douceur, d'être l'inconsolable qui consolerait cette femme.

— J'ai entendu ma belle-fille vous calomnier au nom des victimes de l'incendie du Bazar de la Charité, continua la comtesse de Raezal. Je fais partie de ces victimes, et je peux vous assurer qu'elle ne parlait qu'en son nom.

À l'évocation du Bazar, il chercha sur ce beau visage les morsures du feu, caressa des yeux cette chevelure blonde trop soyeuse pour être fausse, songea pour finir au renflement en haut de son dos, sous le tissu noir.

— Où vous trouviez-vous au moment de l'incendie ? l'interrogea-t-il.

— Au comptoir n° 4, répondit-elle. Celui des noviciats dominicains.

— Étiez-vous avec Constance d'Estingel ? tressaillit Laszlo.

— En effet…, murmura-t-elle en se troublant à son tour. Vous la connaissez ?

— L'avez-vous revue depuis ce jour ? insista Laszlo avec une impatience qui le rendait furieux contre lui-même, la fièvre de cet amour ne tomberait donc jamais, tourmenterait jusqu'à son fantôme.

Elle secoua la tête sans ajouter un mot. Son visage s'était brusquement défait. Ce n'était pas juste sa stupide insistance, c'était la fébrilité de sa voix, ce qu'elle trahissait. Il se maudit d'appartenir encore au souvenir de Constance, de ne pouvoir l'oublier pour aimer cette femme, l'aimer et diluer le sang d'Armand dans son étreinte, chasser l'odeur entêtante de la mort en respirant sa peau tiède et parfumée.

— Cette jeune fille et moi devions nous marier ; elle a rompu les fiançailles quelques jours avant l'incendie et cette histoire appartient aujourd'hui au passé. Mais j'ai appris qu'elle se trouvait parmi les victimes et je voulais juste être rassuré sur son sort, crut-il bon d'ajouter pour justifier sa réaction épidermique.

La comtesse de Raezal demeura silencieuse, en elle une porte s'était discrètement fermée et, sur sa jolie bouche, aucun baiser n'était plus à prendre. Au moment de partir, elle s'attarda un instant, hésitante, et il aurait aimé la retenir, quand elle finit par lui dire :

— Ne vous reprochez pas d'avoir aimé ou d'aimer encore… Armand n'aimait personne. Est-il une chose plus triste ?

Laszlo ne répondit pas, songeant aux larmes de Félicien, ces larmes qui coulaient sans honte sur ses joues lisses tandis qu'il serrait la dernière lettre de son amant, celle qu'Armand avait glissée dans la poche de sa veste au matin du combat. C'était des mains de son assassin que Félicien avait reçu ce trésor, ces quelques mots d'amour qu'il avait cessé d'espérer et qui arrivaient après la dépêche qui lui avait brisé le cœur.

*

La demie de quatre heures sonnait à la chapelle de l'hôpital de la Charité quand Violaine de Raezal y pénétra par l'entrée principale, rue Jacob. Intimidée, elle tergiversa dans la galerie qui longeait la grande cour plantée de tilleuls avant de s'enfoncer dans les profondeurs du bâtiment austère. Mais finalement cette rencontre était moins risquée que les deux précédentes et il n'était plus temps d'être lâche, de se demander si Dieu était parfois saisi de pitié devant les hommes fourmis que Son doigt écrasait, s'il Lui arrivait de rendre ce qu'Il avait arraché. N'avait-elle pas infléchi son destin vers une trajectoire jalonnée de périls, et décidé que risquer sa vie était le moyen de la réveiller enfin ?

À l'entrée du bâtiment de chirurgie, elle expliqua le motif de sa visite et déclina son nom et son titre. Une surveillante en blouse blanche, les cheveux serrés en un chignon sévère, la conduisit à travers les vastes salles bien aérées dont l'aspect de propreté jurait avec la vision de ces patients cireux et décharnés, dans cette promiscuité suintante des maladies contagieuses. Les lits individuels étaient rares, dans ces hôpitaux surpeuplés de Paris où les pauvres venaient mourir.

Paul Marin s'était vu octroyer ce privilège parce qu'il avait été porté ici avec d'autres victimes de l'incendie que leur rang signalait à l'attention des médecins. Mais sa condition de groom – et de groom remercié par ses maîtres – ajoutée à l'extrême dénuement de ses ressources avait vite creusé le fossé avec ces gens du monde qui n'avaient fait que passer par les salles communes de l'hôpital avant de regagner le confort de leurs hôtels particuliers. Paul Marin n'avait rien ni personne. Ses parents agriculteurs dans la Meuse étaient écrasés par leur propre misère. Depuis qu'il était arrivé ici dans un état épouvantable, le soir du 4 mai, le blessé n'avait reçu qu'une visite : celle de sa patronne, Mme de M., venue d'abord par curiosité, pour vérifier que ce qu'on lui avait rapporté était vrai, que son groom n'avait pas filé en douce, qu'il avait une bonne excuse pour ne pas être rentré chez ses maîtres. Par charité ensuite, parce que Mme de M. n'était pas sourde aux cris des malheureux, elle avait ses pauvres, dont elle espérait qu'ils survivraient longtemps à leur extrême indigence, afin qu'elle pût continuer à leur glisser son aumône chaque dimanche après la messe. Elle n'hésitait pas à rendre visite à un domestique qui tombait assez malade pour garder le lit, ni à lui remettre une enveloppe quand son état empirait trop pour qu'on pût le garder à demeure. En un mot, elle méritait son Ciel, et il ne serait pas dit qu'elle avait manqué à son devoir envers ce groom brise-tout dont la maladresse lui avait coûté cher. Pour être franche, elle avait même songé à le reprendre – d'autant que la générosité d'un tel geste ne fût pas passée inaperçue –, mais lorsqu'elle le vit si vilain et défiguré, elle réalisa qu'il ne pourrait lui être utile à rien et indisposerait ses visiteurs où qu'on le mît. Elle se contenta donc de passer un quart d'heure à côté de son lit et de glisser en partant une enveloppe à la surveillante de service, à l'intention de ce garçon qui était devenu pour elle une manière de protégé. « On a beau vouloir s'endurcir, la sensibilité prend le pas ! » avait-elle conclu en souriant, et la surveillante lui avait rendu son sourire, elle qui n'avait aucun mal à ignorer les gémissements des grands brûlés et à demeurer impassible sur sa chaise pendant qu'ils suppliaient qu'on apaisât leurs souffrances. Étiennette Lussier se serait volontiers attendrie sur le sort d'une grande dame souffrant mille morts, mais les pauvres hères qui encombraient son service n'avaient même pas de quoi payer leur lit, et la puanteur de leur chair carbonisée l'écœurait tant qu'elle considérait comme une punition d'avoir été affectée à cette salle.

C'est dire que Paul Marin était plus seul qu'un naufragé sur un îlot quand la comtesse de Raezal entra dans sa vie. Elle y entra sans faire de bruit, intimidée de trouver tant de souffrances réunies dans un corps. Quand on lui désigna cet être au visage couvert de bandages qui ne laissaient qu'un œil à découvert, un œil et une bouche, elle frissonna de saisissement et d'épouvante. Y avait-il encore quelque chose d'humain dans cette figure ? Elle s'obstina, finit par découvrir quelques mèches de cheveux roux échappées des pansements, s'attarda sur cet œil vert qui demeurait doux et limpide dans le carnage, cette bouche bien dessinée qui laissait passer le souffle rauque et douloureux de ce garçon qui avait dû être beau.

— Bonjour, Paul, lui dit-elle en s'asseyant près de son lit.

Elle surprit le flamboiement de l'œil intact posé sur elle.

— Je suis la comtesse de Raezal. J'ai survécu à cet incendie, comme toi. Et je sais combien tu as dû te sentir seul, ces dernières semaines.

Il hocha la tête.

— Moi aussi on m'a soignée à l'hôpital après l'incendie. Je me souviens encore des cris, la nuit, le jour… Près de moi, il y avait un vieux général en train de mourir. Je ne me suis jamais sentie plus seule que durant ces quelques jours.

— J'ai mal, madame…, gémit-il.

— Les infirmiers t'ont-ils donné assez de calmants ? interrogea-t-elle.

— Pas depuis ce matin…, murmura-t-il.

— Pas depuis ce matin ? Attends, je vais poser la question à la surveillante, je reviens.

— Pas elle, implora-t-il.

— D'accord, ne t'inquiète pas, je vais trouver quelqu'un d'autre, lui répondit-elle.

Dans le couloir, elle aborda un infirmier et insista pour qu'il calme la douleur du garçon, usant de toute l'autorité de son nom, de son rang. Un ballet de soignants se précipita bientôt au chevet de Paul Marin, on lui injecta de la morphine, on lui donna à boire.

Elle comprit qu'elle pourrait apprendre à aimer cet enfant massacré, elle qui dissimulait cette peau de serpent incorporée au grain velouté de son épiderme, cette part de monstre à jamais mêlée à sa féminité.

Peut-être aussi à cause de ces cheveux roux qui lui rappelaient ceux de son père avant qu'ils aient blanchi et ressuscitaient un espoir insensé qu'elle avait tenté d'enfouir dans la naphtaline avec les robes de sa mère.

— Je vais m'en aller, dit-elle au garçon qui flottait déjà dans un rêve ouaté de morphine. Mais je reviendrai demain. Je reviendrai tous les jours, si tu veux.

Paul Marin cligna de son œil intact et ce fut comme une promesse scellée entre eux. Un commencement fragile, baignant dans l'odeur de la peau brûlée et les vapeurs d'éther.

Avant de repartir, Violaine de Raezal s'entretint avec le chef de service qui l'avertit que d'ici trois ou quatre semaines, le garçon devrait quitter l'hôpital pour être soigné à domicile.

— Mais à ma connaissance, Paul Marin n'a plus de logement, ajouta l'homme de l'art en fronçant les sourcils. Il vivait chez ses employeurs, M. et Mme de M. Il a de la famille dans la Meuse, mais si ses parents l'ont envoyé à Paris, c'est qu'ils n'avaient plus les moyens de le nourrir... On voit ça tout le temps.

— Je lui aurai trouvé un lieu d'hébergement avant la fin de la semaine prochaine, répondit-elle simplement.

Elle avait juste besoin d'un peu de temps. Le temps nécessaire pour qu'ils apprennent à se connaître et s'apprivoisent l'un l'autre. Et surtout celui de commettre cette folie planifiée avec Mary, qui pouvait l'envoyer en prison pour le restant de ses jours. Si elles en réchappaient… et si Constance était sauvée, plus rien ne s'opposerait à ce qu'elle offrît un toit à ce garçon. Un toit et une existence neuve.

Ce n'est pas ton enfant, tu sais bien que c'est impossible, répétait avec obstination la petite voix dans sa tête tandis qu'elle remontait la rue des Saints-Pères en direction de la rue de Babylone. Jamais ton garçon n'aurait pu être adopté par des paysans de la Meuse qui avaient déjà trop d'enfants pour assurer leur subsistance…

Je le sais, oui… mais que m'importe ? songea-t-elle en souriant, le regard enluminé de la douce folie des mères.

25

Joseph s'était posté au bout de la tranquille rue des Marronniers, de manière à observer l'entrée de la clinique sans gêner le passage ou risquer d'attirer l'attention. À cette heure de l'après-midi, dans la chaleur d'un soleil rasant, le quartier paraissait endormi et quelques rares passants remontaient ces rues étroites, bordées de murs épais qui se haussaient pour protéger leurs secrets.

Joseph était venu une première fois avec la comtesse de Raezal puis à plusieurs reprises les jours suivants, pour guetter le manège matinal des livreurs, le roulement des gardiens et des surveillantes et les allées et venues des médecins. D'après les renseignements collectés par la comtesse et par Mme Holgart – que Joseph connaissait pour l'avoir souvent croisée à l'hôtel d'Alençon –, seul le docteur Brunet logeait sur place. Les autres praticiens quittaient la clinique le soir venu, abandonnant les fous aux soins du directeur et de son personnel pour regagner leurs appartements cossus du côté de la plaine d'Auteuil ou sur le boulevard des Capucines. Le docteur Brunet occupait quant à lui un petit bâtiment à l'écart donnant sur le parc de la clinique. Il y prenait ses repas, y recevait ses proches et y travaillait jusque fort tard. La lumière de sa lampe continuait à scintiller à travers les arbres longtemps après l'heure où le couvre-feu plongeait les bâtiments des aliénés dans l'obscurité, à l'exception des lueurs errantes des lampes-tempête des gardiens et de la fenêtre éclairée de la loge du concierge qui allait se coucher entre minuit et une heure du matin. Cécile Mignard, qui était la cuisinière de la clinique et la sœur de la femme de chambre de Mary Holgart, s'était relevée plusieurs nuits de suite pour évaluer l'heure à laquelle se couchait le docteur Brunet. Elle en avait conclu que sa lampe ne s'éteignait guère avant deux heures du matin, mais rarement au-delà de trois heures. Elle certifia à Mary Holgart qu'il n'était pas utile de prolonger sa surveillance et ils la soupçonnèrent de vouloir se soustraire à un exercice épuisant. L'Américaine n'était pas rassurée par ce docteur noctambule, elle préférait ne rien tenter avant le milieu de la nuit. Joseph ne pouvait lui donner tort.

Ils avaient tous trois le sentiment de s'engager sur une voie terriblement aléatoire. Grâce à la cuisinière, ils avaient pu s'assurer un autre complice dans les murs : Pierre Lescot, un gardien qui n'était pas contre un supplément de solde illégalement gagné. Malgré cela, le plan s'ébauchait lentement. Même si le temps était compté avant le départ de Joseph pour le château tyrolien de Mentelberg, aucun d'eux ne voulait ruiner par précipitation le peu de chances qu'ils avaient de réussir.

Affalé sur le siège vermoulu de la voiture de louage que lui avait procurée la comtesse de Raezal, Joseph entreprit d'allumer sa pipe tandis que le cheval gris piétinait avec nervosité. Depuis qu'il échafaudait des projets passibles de prison, il s'était mis à fumer pour se calmer les nerfs, bien qu'il ne maîtrisât pas encore le processus minutieux de l'allumage. Il bourrait sa pipe avec un empressement maladroit, si bien qu'elle s'éteignait piteusement après deux ou trois bouffées. Il ne réussit à l'allumer qu'après avoir atteint ce degré d'irritation qui rendait l'envie de fumer plus impérieuse que jamais. Mais fumer la pipe était surtout un moyen d'occuper ses longues heures de surveillance sur cette colline, où il ne verrait probablement rien de plus ébouriffant qu'un prêtre à bicyclette tentant de dégager le bas de sa soutane des rayons qui l'avaient happé, sans descendre de selle. Et Joseph, vivant au cœur de l'agitation parisienne, n'en revenait pas qu'il existât de si gentils villages dans Paris, à quelques battements d'aile de l'avenue de Friedland. La paix et la tranquillité semblaient régner à l'abri de ces murets de pierre. Même sur l'élégante avenue de Friedland, on croisait aux heures incertaines de ces êtres hagards que la nuit enfantait et exhumait de ces tas de guenilles qui s'évanouissaient par magie à l'arrivée des sergents de ville. À Passy, rien de tel. Mais peut-être la détresse se faisait-elle plus assourdissante d'être cachée, et l'épaisseur de ces haies, défendant toute vue sur le parc où déambulaient les aliénés, annihilait-elle leur dernier espoir d'être entendus et délivrés.

Joseph avait de la peine à imaginer la jeune fille prisonnière derrière ces murs. Elle appartenait à l'univers des dîners d'apparat, des bals et des fêtes de charité. En l'extirpant de ce tas de moribondes, il avait eu le sentiment de sauver une princesse massacrée dont la délicatesse des traits trahissait le lignage. L'imaginer errant au milieu des fous était inconcevable. Réalisant qu'il lui serait plus difficile de la sortir de cette prison feutrée que de la tirer des flammes, il s'impatientait de ces préliminaires, de cette attente interminable et rêvait d'une action d'éclat, de prendre la citadelle, d'enfoncer la grille d'un mouvement de son épaule intacte et d'aller chercher la jeune fille. Mais il fallait patienter, se tapir, se rendre invisible.

Un mouvement l'alerta à la petite porte latérale qui donnait sur la rue Guillou. Une jeune fille en sortit, vêtue d'une robe de coton gris et d'un bonnet blanc bordé de dentelle. Elle jeta un coup d'œil méfiant autour d'elle avant de remonter vers l'endroit où stationnait Joseph, et il l'identifia à ce geste. Elle le dépassa à petits pas pressés, lui jetant un regard appuyé avant de continuer du même pas vers la rue de Boulainvilliers. Il attendit quelques minutes, tirant sur sa pipe avec une feinte nonchalance avant de redresser son haut-de-forme écroulé sur sa tête et de donner à son cheval le signal du départ. La voiture de louage s'ébranla et fit demi-tour pour s'engager dans la rue de Boulainvilliers. Avant qu'il ne rattrape la jeune femme en haut de la rue, elle le héla de la main. Il lui laissa à peine le temps de grimper avant de repartir en direction du Trocadéro.

Un passant à l'ouïe fine eût pu s'étonner de cette passagère qui ne donnait aucune adresse à ce cocher de fiacre et se rencognait dans la voiture avec l'embarras d'une bourgeoise partie retrouver son amant.

Dépassant le Trocadéro et la place de l'Alma, la voiture gagna le rond-point des Champs-Élysées par l'avenue Montaigne. Ce carrefour noyé d'ombre et généralement désert aimantait Joseph car il offrait, dans cette ville tentaculaire à la boulimie centrifuge, un berceau d'arbres pour les clandestins et les comploteurs. Une fois descendue, sa passagère fit quelques pas sous le couvert des ormes avant d'aller s'asseoir sur un banc où il la rejoignit après avoir rempli un seau d'eau pour son cheval à une fontaine Wallace. En approchant, il nota qu'elle était jolie et que sa tournure était soignée, ce qui ne fut pas pour lui déplaire, même s'il n'entendait pas se laisser distraire. Cécile Mignard n'avait aucun des côtés repoussants des cuisinières qu'il avait rencontrées jusqu'ici. Elle lui accorda un sourire légèrement troublé qui signifiait qu'elle n'était pas insensible à son charme, retrouvant aussitôt son sérieux pour lui tendre un document plié en deux.

— C'est le plan que Pierre Lescot a dessiné pour Mme Holgart, expliqua-t-elle.

Il le déplia sur ses genoux. C'était un plan assez minutieux de la clinique, il en fut heureusement surpris, lui qui accordait au gardien la confiance relative qu'on réserve aux mercenaires.

— Vous voyez, là ce sont les bâtiments des femmes et les salles d'hydrothérapie, dit Cécile Mignard en les lui indiquant sur le plan. Ici, il y a une double cloison qui mène aux salles de douches et aux baignoires, par un long corridor. Ces salles sont fermées la nuit, mais si une aliénée se réveille en hurlant, par exemple, ou si elle marche dans son sommeil et fait une crise, les sœurs la mettent sous une douche glacée. Il faudra se méfier, quelqu'un peut arriver par là par exemple... Dites-le bien à Mme Holgart.

— Et là, répondit-il en montrant à son tour un point sur le plan, c'est l'aile des hommes ?

Elle acquiesça gravement.

— Au bout, on met les agités. Chez les femmes c'est aussi dans le fond du bâtiment, derrière une porte en fer qui reste verrouillée même quand le médecin leur rend visite.

— Il y a deux étages par bâtiment ? la coupa Joseph.

— Oui. Au rez-de-chaussée, il y a les bureaux des surveillantes, le réfectoire, le salon...

— Combien y a-t-il de surveillantes par étage pendant la nuit ?

— Deux par étage et il y a deux gardiens réservés à l'aile des agitées. Parce que les sœurs n'ont pas assez de force pour les contenir, précisa-t-elle avec un petit air impressionné qui le séduisit sur-le-champ.

— Ces étages, on y accède par un seul escalier ?

— Il y a un escalier à chaque extrémité du bâtiment, répondit la cuisinière. C'est préférable, parce qu'il y en a un qui dessert aussi l'aile des agitées, du coup on se sert du second en général, pour ne pas qu'elles se croisent et que les folles furieuses effrayent les autres. Ce qui veut dire que de nuit, vous avez moins de chances de croiser quelqu'un dans le premier escalier...

— Où est la chambre de la jeune fille ? interrogea-t-il.

Elle désigna une pièce marquée d'une croix, au milieu du deuxième étage. Joseph eût préféré que sa chambre fût située plus près de l'escalier. Il posa d'autres questions, s'efforçant de retenir tous ces détails qui pouvaient se révéler cruciaux, et de ne pas se laisser capturer par l'odeur enivrante de la peau de Cécile Mignard, par ses taches de rousseur ou la blancheur laiteuse de son teint. Quand il eut posé toutes les questions qui lui venaient à l'esprit, demandant des précisions sur tel ou tel point, il se leva pour la ramener à la clinique.

— Oh, c'est gentil mais je crois que c'est mieux si j'prends un fiacre pour rentrer, répondit-elle. Imaginez qu'on ait remarqué la voiture...

Il hocha la tête. Elle avait raison, il fallait limiter les risques, bien qu'il fût dommage de se priver de la revoir grimper et descendre du marchepied, découvrant ses chevilles graciles.

— Vous avez peur ? demanda-t-elle à brûle-pourpoint comme ils prenaient congé l'un de l'autre.

Il réfléchit, haussa les épaules.

— C'est pas qu'j'aie peur, mais je risque ma place... Et j'y tiens, à cette place. J'y suis depuis tant d'années..., soupira-t-il. J'ai pas connu d'autre vie.

Elle le couva de ses yeux vert d'eau.

— Oh ! moi j'ai peur, vous savez. J'ai bien du mal à dormir, même quand je ne dois pas surveiller le docteur ! s'exclama-t-elle, soulagée de pouvoir se confier à ce grand costaud sur l'épaule duquel il devait faire bon s'appuyer.

— Faut pas y penser, répondit-il doucement. La peur, ça sert à rien. Dites-vous que tout ira bien, et que je serai là si y a un pépin.

— Je crois que j'l'ai vue, la jeune fille... Elle marchait dans une allée du parc. J'étais allée chercher des herbes au potager, j'l'ai vue et j'ai pensé tout de suite : c'est elle. Elle avait les cheveux dans une sorte de turban. Elle m'a paru bien jeune. La pauvre, se retrouver avec toutes ces folles...

— Elle n'aura plus à supporter ça longtemps, répondit Joseph avec un optimisme qu'il devait autant à de l'autosuggestion qu'à cette présence féminine qui dopait son courage.

En repartant, il ne put s'empêcher d'imaginer qu'il reverrait Cécile Mignard après tout cela, quand il reviendrait à Paris avec le duc, et qu'ils pourraient alors prolonger cette rencontre selon leur bon plaisir.

*

Après le déjeuner, qu'il prenait en général avec les autres médecins dans le petit réfectoire de la clinique, le docteur Brunet traversait la cour pour regagner son logement avant ses consultations de l'après-midi. Il y relisait ses notes avant de s'accorder une sieste car ses nuits étaient très courtes et ses journées épuisantes. Ce rythme s'accordait à ses froides passions d'intellectuel, il consacrait la majeure partie de son temps à sa clinique et à ses recherches neurologiques et employait le reste à entretenir ses relations mondaines pour conserver ses appuis et garantir sa liberté. Mais depuis que Constance d'Estingel vivait entre ces murs, il ne traversait plus les espaces communs de la clinique sans la chercher du regard. Le cas de cette jeune fille occupait de plus en plus de place dans son esprit car il recelait une part d'énigme.

Au sein de la clinique, il avait affaire à des patientes égarées dans les méandres de leur cerveau, délirantes ou effrayées, dangereuses parfois, mais toutes lui accordaient une confiance née de la nécessité où elles se trouvaient de voir en lui leur ultime recours. Certaines lui prêtaient des pouvoirs magiques, divins ou occultes, d'autres tentaient de le séduire, et les paranoïaques le traitaient en allié dans la guerre qui les opposait au reste du monde. Un être moins froid et rationnel qu'Hyacinthe Brunet eût peiné à dresser chaque jour ces limites infranchissables qui préservaient l'intégrité de son jugement médical. Il connaissait des directeurs d'asile qui s'étaient enivrés de ce pouvoir au point de franchir ces limites. Côtoyer des esprits malades, vivre à leurs côtés tous les jours n'était pas sans danger. Pourtant, le docteur aimait ce travail pour sa densité, sa variété, les remises en question qu'il exigeait de lui. Depuis quatre ans qu'il avait ouvert sa clinique, il s'était parfois découragé mais n'avait jamais eu envie de claquer la porte en abandonnant les aliénés à leur sort. L'hystérie restait son domaine de prédilection, il l'avait étudiée

475

sous toutes les coutures, avait admiré les brillantes démonstrations de Charcot en sachant qu'elles s'appuyaient sur des postulats erronés, puis Bernheim et Janet lui avaient ouvert de nouvelles voies qu'il s'employait à explorer. Il connaissait tous les tours de cette maladie qui imitait les autres, savait l'infinie variété de ses symptômes et son infinie virulence.

La forme de maladie qu'il diagnostiquait chez Constance d'Estingel touchait à l'hystérie religieuse, compliquée de phobies et de tendances mélancoliques qui la poussaient à se cadenasser au fond d'elle-même. La méfiance instinctive de sa patiente, loin de désarmer au fil des jours, s'était consolidée en une barricade psychique contre laquelle toutes ses tentatives venaient buter. Il lui fallait désormais user de parades pour la plonger dans un sommeil hypnotique suffisamment profond. Elle lui opposait une résistance opiniâtre, et il s'étonnait de voir cette jeune fille enfermée, retranchée, privée de tout ce qui constituait sa vie et livrée à ses angoisses les plus viscérales, trouver encore la force de nourrir une rébellion. Elle ne l'aimait pas, il le savait. Pendant les consultations, elle se tenait sur son quant-à-soi, retirée derrière un masque de petite fille obéissante. Elle était cet à-pic qu'il scrutait en vain, cette muraille aveugle qui n'offrait aucune prise.

Il avait voulu forcer le passage en intensifiant le travail hypnotique. Durant les dernières séances, il l'avait confrontée aux obsessions et aux hantises qui alimentaient ses cauchemars et ses crises de somnambulisme. Ces séances l'avaient laissée dans un tel état de confusion et de terreur qu'il avait dû lui injecter de fortes doses de chloral avant de la faire reconduire dans sa chambre. Il avait voulu voir dans son visage raviné de larmes, dans le regard aux abois qu'elle lui avait lancé tandis qu'il serrait le garrot au-dessus du pli du coude, autant de signes qu'une brèche venait d'être brutalement ouverte. S'il répugnait, en héritier de Pinel, à l'emploi systématique de la violence pour traiter les aliénés, il fallait parfois user de la contrainte et de l'intimidation pour briser une résistance, provoquer un choc salvateur.

Mais à la consultation du lendemain, elle avait le même visage de marbre et le même air docile, comme si elle avait employé ses heures de sommeil à se recomposer un visage et à rafistoler les débris de sa barricade. Elle lui avait tendu sans mot dire des feuilles de papier qu'elle avait noircies de phrases insipides à son intention, mais Hyacinthe Brunet ne se laissait pas leurrer par toute cette comédie, elle l'irritait et le captivait à la fois. Il savait qu'il viendrait à bout de cette résistance qui usait sa patience, qu'elle finirait par céder à d'autres nécessités à force de temps, quand la jeune fille réaliserait tout le poids de sa solitude et de sa détresse. À ce point, elle se sentait encore assez forte pour survivre à son isolement, à la privation de ses proches et à l'univers si anxiogène de la clinique. Le temps était clément, sa douceur apportait un espoir soufflé du dehors, le cœur s'apaisait de voir les fleurs s'ouvrir et les oiseaux donner leurs récitals improvisés dans le feuillage. Mais viendrait l'automne, les jours plus courts et l'appauvrissement de la lumière, les pluies incessantes et les arbres nus. Ne pouvant plus trouver au-dehors d'elle-même de quoi soutenir son courage, elle s'épuiserait peu à peu et en viendrait à le voir comme un appui.

Traversant la cour pour gagner le havre frais et clos de son bureau, il s'immobilisa en la découvrant à la lisière du parc. Elle lisait sur un banc, son étrange turban lui donnant l'air d'une princesse orientale tombée dans la pauvreté. Ses beaux yeux noirs, soulignés par la marque pâle de ses sourcils brûlés, étaient fixés sur la page qu'elle lisait et sa personne, soustraite au monde par la lecture, lui échappait plus que jamais. Comme il dévisageait la jeune fille, celle-ci finit par lever les yeux. Quand elle l'aperçut, une expression de surprise et de dégoût violent se peignit sur son visage, que le docteur Brunet reçut avec la force d'une gifle. Il baissa la tête et gagna son bureau en quelques enjambées rapides.

L'automne viendrait, oui. Il fallait s'en réjouir, dans ce printemps qui n'en finissait pas de s'alanguir et vous emplissait d'une insoutenable envie de vivre.

*

Violaine se rendait chaque matin au chevet de Paul Marin, notant ses progrès infimes. Sa convalescence était lente et douloureuse mais il se remettait peu à peu et elle espérait que sa présence y était pour quelque chose. À son entrée, son visage ravagé s'animait, elle s'asseyait près de lui et restait assez longtemps pour briser le carcan de solitude qui amenuisait ses forces. Ils s'apprivoisaient l'un l'autre durant ces longs moments où elle était la seule à parler car converser sollicitait le territoire de douleur dissimulé sous les pansements. Elle percevait son soulagement de la voir revenir et son angoisse quand elle repartait, laissant des consignes à cette infâme aide-soignante qui s'appliquait désormais à soigner ce malade avec assez de zèle pour ne pas s'attirer de reproches. Le reste du personnel s'était habitué à elle et certains infirmiers venaient la saluer avec gentillesse quand ils la voyaient passer, lui donnant des nouvelles de son protégé. Violaine était malgré tout pressée d'emporter le garçon loin des miasmes de ces salles bondées, de ces murs tristes et lézardés, de ces limbes gris de l'hôpital qui semblaient l'antichambre de la mort.

Un matin, regagnant la rue baignée de soleil, elle décida de faire une visite à Léonce qui habitait à deux pas. Elle n'avait pas revu sa belle-fille depuis l'enterrement d'Armand et ne lui avait pas adressé la parole depuis ce fameux soir au théâtre de la Porte-Saint-Martin. D'après son mari, la mort de son frère l'avait plongée dans un abattement que rien ne pouvait distraire, pas même le babillage de ses enfants. Violaine puisa dans ce bulletin de santé alarmant assez de compassion pour rendre cette visite, elle qui sentait chaque jour des forces neuves l'arracher à sa mélancolie.

Le majordome prétendit en vain l'empêcher d'entrer, sous le prétexte que Mme d'Ambronay ne recevait personne. Elle trouva sa belle-fille étendue sur un sofa, dans le salon de sa luxueuse demeure de la rue du Dragon. Les rideaux tirés maintenaient la pièce dans une atmosphère éteinte et feutrée, depuis que sa belle-fille y passait ses journées allongée dans la pénombre.

— Si je m'attendais à votre visite…, lui lança-t-elle d'un ton sarcastique, et Violaine fut choquée par la pâleur de son teint et le laisser-aller de sa tenue.

Sans qu'on l'eût invitée à rester ou à s'asseoir, la comtesse de Raezal s'installa d'autorité à l'autre bout du sofa.

— Comment allez-vous, Léonce ?

— Mais… je vais très bien, répondit-elle d'une voix cassée. Ça ne se voit pas ?

— Vous avez une mine à faire peur, répondit Violaine. On me dit que vous ne sortez plus de chez vous, que vous ne voulez voir personne. Je sais que la mort d'Armand a été pour vous un coup terrible…

— Dont vous me jugez responsable, je suppose, la coupa Léonce en se redressant pour la toiser de ses yeux clairs soulignés d'ombre.

— Ne l'êtes-vous pas ? interrogea Violaine, lui rendant son regard avec fermeté. N'avez-vous pas causé la mort d'Armand, par votre conduite irré-fléchie et votre égoïsme ? N'avez-vous pas armé le bras de son meurtrier ?

Léonce resta un instant sous le choc, pesant les mots qui venaient de s'abattre sur elle comme autant de couperets.

— Quelle cruauté… venir m'attaquer ainsi chez moi…, souffla-t-elle.

— Vous prenez pour une attaque ce qui n'est que l'exposé des faits, répondit Violaine sans s'émou-voir. Vous êtes si peu habituée à la vérité qu'elle vous désarçonne… Mais vous ne sortirez pas de votre léthargie sans l'affronter. Vous avez causé la mort de votre frère sans la désirer une seconde. Et cette certitude vous ronge au point de vous faire oublier que vous avez des enfants et un mari aimant.

— Je ne me sens coupable de rien ! riposta Léonce dans un sursaut d'orgueil, remettant en place une mèche qui avait glissé de son chignon, comme si ce geste pouvait rattraper le négligé de sa mise.

— Bien sûr que si. Et ce remords a entamé la coquille d'égoïsme qui vous protégeait. Vous étiez bien à l'abri et voilà que tout s'écroule, et vous ne savez plus à qui, à quoi vous raccrocher. Même votre époux n'arrive plus à vous rassurer.

— Et vous êtes venue me faire la morale… Comme c'est généreux de votre part ! ricana sa belle-fille. Vous briguez la médaille des dames patronnesses ?

— Je suis venue vous rappeler que vous êtes la mère de ces enfants et la femme de cet homme, et que tout ce petit monde vous aime en dépit de vos défauts. Nous ne serons jamais des amies, vous et moi, ça n'a pas d'importance. Mais eux ne méritent pas d'être abandonnés.

— Je suis brisée par la mort de mon frère ! s'écria-t-elle d'une voix grosse de sanglots. N'est-ce pas naturel ?

Regardant cette petite fille gâtée qui avait tant de mal à grandir, Violaine sentit se dissoudre toute l'amertume qu'elle avait pu éprouver à son égard.

— Vous avez du chagrin, bien sûr, mais c'est la culpabilité qui vous brise… Levez-vous, Léonce, habillez-vous et allez sur la tombe de votre frère. Demandez-lui pardon. Implorez ce pardon et accueillez-le quand il viendra car il viendra, c'est certain. Redevenez une mère pour vos enfants, aimez votre mari moitié autant qu'il vous aime.

Léonce fondit en larmes, se tordant les mains comme une fillette qu'on réprimande.

— Il ne m'aime plus…, articula-t-elle entre deux sanglots. Je l'ai tellement déçu…

— Bien sûr qu'il vous aime, répondit sèchement Violaine. Cessez ces enfantillages. Vous savez que j'ai raison, il ne tient qu'à vous de mériter cet amour.

Sur ces mots, Violaine laissa sa belle-fille à ses larmes amères, espérant qu'elle trouverait la force de faire ce qu'elle lui avait demandé et ne s'enliserait pas dans cet auto-apitoiement qui était chez elle une seconde nature. Elle aurait pu se raconter qu'elle avait parlé à Léonce en mémoire de Gabriel, mais ce n'était pas vrai. Elle l'avait fait pour elle-même, pour se délivrer de ces éclats de passé qui lui restaient dans la gorge, s'en alléger au moment où elle allait avoir besoin de toute son énergie et de tout son courage. Elle avait néanmoins pesé chaque mot de son discours et s'émerveillait d'avoir exprimé sa pensée avec clarté et fermeté. Les épreuves qu'elle avait traversées l'avaient aguerrie. Elle ne s'excusait plus de tenir sa place, n'était plus l'ombre portée d'un mari ou la protégée de la duchesse. Elle protégeait et guidait à son tour.

*

482

Encore une séance dans la torpeur entêtante du bureau aux volets clos, encore la lumière aveuglante du miroir, la chaleur de ses genoux enserrant les siens, son haleine mentholée dans sa figure. Et c'était en vain qu'elle invoquait Ilaria del Carretto, la petite gisante de Lucques, imaginant que toute sa personne se pétrifiait peu à peu jusqu'à atteindre la consistance du marbre. Le pouvoir de la voix était tel qu'il traversait les couches de marbre pour l'attirer hors d'elle, soumettant son cerveau à cette étreinte électrique qui perturbait sa vigilance et l'anesthésiait plus sûrement qu'une injection de laudanum. Son corps s'inféodait à la voix, suivant ses consignes comme s'il avait changé de maître.

Dormez.
Levez le bras droit.
Gardez la plus complète immobilité.
Vous êtes un oiseau qui cherche à s'envoler.
Battez des ailes.
Vous ne vous souvenez plus de votre nom.
Quand je le prononcerai, il ne vous évoquera rien de familier, vous ne l'entendrez même pas.
Vous n'arrivez plus à mouvoir votre jambe gauche. Elle est morte. Vous ne sentirez rien quand j'y planterai cette épingle.

Elle était un vase, un arbre, une alouette abattue par un chasseur.
Elle était tout ce que voulait la voix.

La voix l'entraînait dans ces cercles de plus en plus profonds où son âme se noyait en d'invisibles soubresauts.

Toutes ces choses qui vous réveillent la nuit sont ici, autour de nous. Vous commencez à les distinguer. Les voyez-vous ?

Dans le noir de sa conscience, elle commençait par les entendre. Percevait le raclement des béquilles sur les dalles froides de la basilique de Lourdes, l'odeur de vieille urine et de vieillesse, l'haleine écœurante des bouches moisies. Puis elle les voyait avancer en claudiquant, ces corps noueux et dénudés, maigres et flasques, arc-boutés sur leurs béquilles, ces visages hideux qui lui dédiaient un sourire édenté, et celui qui tendait les mains vers elle avec cet air de vieil enfant moqueur, celui-là venait du porche de Notre-Dame, c'était le clochard qu'elle avait croisé un jour avec Laszlo, celui qui lui avait jeté ces mots repoussants au visage alors qu'elle venait déposer une aumône dans sa timbale en acier.

Ils l'encerclaient, l'emprisonnaient, l'enserraient de leurs souffles putrides et de leurs bras avides. Donne-nous ton amour, susurraient-ils, donne-nous ta jeunesse, ta chair tendre à manger, aime-nous…

Elle s'évanouissait de terreur.

Quand elle revenait à elle, elle était allongée sur le lit de sa chambre sans fenêtre. Les jours se suivaient sans rien qui les distinguât, ou si peu de choses, les trilles d'un merle dans un cerisier en fleur, le sourire craintif de la cuisinière croisée au détour d'une allée, la berceuse d'un fou qui progressait à reculons dans la cour.

Mais ce jour-là fut marqué par un fait insolite. Au lieu de la sœur habituelle, ce fut la cuisinière qui lui apporta son dîner, qu'elle mangeait dans sa chambre car les séances d'hypnose du docteur Brunet la laissaient sans forces.

— Bonsoir, mademoiselle, dit-elle en rosissant, et Constance remarqua qu'elle avait cette carnation pâle des rousses, si prompte à rougir.

— Bonsoir, répondit Constance avec gentillesse, heureuse de voir quelqu'un de jeune et d'avenant à la place des figures fermées des gardiennes.

— Je vous apporte votre repas, ajouta la cuisinière, et elle déposa son plateau avec précaution sur la tablette accolée au lit.

— Merci, répondit Constance en s'asseyant.

— Tenez, voici votre serviette, ajouta la cuisinière. Constance tendit sa main ouverte et effleura les doigts brûlants de la cuisinière quand celle-ci y déposa le carré de tissu. Ce contact fit tressaillir sa visiteuse, qui s'en alla si précipitamment que c'est à peine si Constance entendit le timide « bonne nuit » qu'elle lui souhaita avant de refermer la porte.

Songeuse, elle déplia la serviette sur ses genoux. Un bout de papier plié se trouvait à l'intérieur :

Cette nuit, tenez-vous prête.

Elle ne s'autorisa pas à relire le message, se hâtant de le faire disparaître sous la latte de plancher où elle cachait son journal. Elle avait toute la nuit pour y réfléchir.

— Avez-vous revu le cocher ? demanda Mary Holgart avec nervosité.

L'Américaine ne tenait pas en place, marchant sans cesse à la fenêtre pour scruter la rue des Lions-Saint-Paul comme si la voiture les y attendait déjà. La rue était plongée dans le noir, à l'exception du halo jaune des réverbères et des rais de lumière qui jouaient à cache-cache sur les façades éteintes. De temps à autre grandissait l'ombre démesurée d'un ouvrier rentrant de sa journée de travail. Vêtue d'une robe noire en taffetas flambé dont la ligne épurée soulignait l'extrême finesse de sa taille, Mary n'avait jamais paru aussi jeune, en dépit des cernes violets qui trahissaient son épuisement. Avec un léger soupir, elle revint s'asseoir près de Violaine. Les deux amies s'étaient vues presque tous les jours depuis deux semaines, élaborant leur plan avec une telle concentration qu'elles se couchaient rompues de fatigue sans parvenir à trouver le sommeil.

— Oui, je l'ai vu ce matin, avant de passer voir Paul à l'hôpital.

— Est-il prêt ?

— Il l'est, répondit Violaine. Il est nerveux, bien sûr, mais il s'impatiente d'y être enfin. Quelle angoisse… J'aimerais que cette nuit soit déjà derrière nous.

— C'est ce que les comédiens appellent le trac, n'est-ce pas ? demanda Mary avec un petit rire. J'envie les fumeurs d'opium. Tout oublier, l'espace d'un instant… Pardon de vous le demander encore, mais êtes-vous sûre que nous pouvons nous fier à cet homme ?

— J'ai toute confiance en lui.

— La cuisinière a fait passer le message à votre protégée, ajouta Mary en se relevant pour aller à la fenêtre.

— Pouvons-nous être certaines qu'elle l'a lu ? la coupa Violaine.

— Cécile Mignard a fait porter tout à l'heure ce pli à sa sœur, dit Mary, le tirant d'une poche de sa robe : « Ma sœurette, je suis désolée mais cette fois je n'ai rien pu garder pour toi. Je sais combien tu aimes ma cuisine, mais les pensionnaires ont tout mangé. » C'était le message convenu pour confirmer que votre amie avait trouvé le mot.

— A-t-elle préparé ce que nous lui avions demandé ?

— Oui, et à cette heure elle doit l'avoir servi, répondit Mary Holgart avec une crispation d'impuissance car il était impossible de vérifier cette information essentielle. Elle assure que l'effet en sera suffisant pour la nuit... Espérons-le ! Je me suis procuré le chloroforme. Nous aurons peu de temps, étudions encore le plan pour bien le mémoriser.

Violaine suivit Mary à l'étage et elles se réfugièrent dans son boudoir. Le plan se trouvait dans un tiroir de la commode. Elles le déplièrent sur le secrétaire et l'examinèrent encore une fois avec une attention minutieuse, bien que chacune en eût déjà gravé les détails dans sa mémoire.

— C'est par là que nous entrons, murmura Violaine en désignant la petite porte de derrière qui menait à l'office et aux cuisines.

— Cécile nous ouvrira au signal du gardien. Nous devrons traverser les cuisines et suivre le couloir qui mène au réfectoire. De là, il nous faudra trouver le premier escalier, celui qui dessert l'aile des agitées. Et monter au deuxième étage...

— Au milieu du couloir, la quatrième porte..., souffla Violaine dont la respiration s'était accélérée.

— ... Et où comptez-vous cacher cette jeune fille, après l'avoir enlevée ? interrogea Mme de Marsay en entrant dans la pièce.

Muettes de saisissement, les deux complices pâlirent comme si le sang s'était retiré de leurs visages. Mme de Marsay étant partie dîner chez sa fille, elles avaient pensé avoir le champ libre rue des Lions-Saint-Paul.

— J'ai annulé mon dîner après que la femme de chambre m'a confié ce qui se tramait dans ma maison, ajouta la vieille dame d'un air furibond.

— Je ne sais pas ce qu'on vous a dit, ma tante, protesta Mary Holgart, mais n'allez pas imaginer...

— Je n'imagine rien, la coupa Mme de Marsay en avançant vers les deux femmes. Il y a des semaines que je vous vois comploter toutes les deux. Et personne ne me dit ce qui se passe sous mon toit ! Mary, pourquoi m'avoir caché toute cette affaire ?

— Je n'aurais pas dû, je vous en demande pardon..., répondit Mary en saisissant les mains de sa tante. J'ai craint votre jugement... Je ne voulais pas risquer de tout compromettre. Je sais qu'à vos yeux, ce que nous projetons de faire est un crime, mais permettez-moi de vous expliquer...

— Je ne vous permets rien, la coupa encore la vieille dame, dont les yeux lançaient des éclairs. Vous auriez dû m'en parler immédiatement ! Quant à ce que j'en pense... il est bien temps de vous en soucier !

— Ma tante... Il faut nous pardonner, nous n'avons pensé qu'à sauver cette jeune fille, et nous avions si peu de temps...

— Cette jeune fille est-elle folle ? interrogea Mme de Marsay d'un ton plus calme. A-t-elle attenté à ses jours ? Est-elle un danger pour elle-même ?

— Non, ma tante, ce n'est qu'une enfant perdue, ébranlée par l'épreuve qu'elle a traversée..., répondit Mary Holgart.

Mme de Marsay s'assit dans un fauteuil bas, son beau visage ridé contracté par l'intensité de sa réflexion.

— Il y a quatre ans, déclara-t-elle au bout d'un instant, mon ami le docteur Blanche fut mis en cause dans un mémoire qu'une de ses anciennes patientes avait envoyé au ministre de la Justice. Dans ce mémoire, elle réfutait le rapport des aliénistes qui avait permis à son père et à son mari de la faire interner. Blanche était l'un de ces aliénistes. L'affaire a fait grand bruit, il s'est avéré que la faute de cette femme avait été de prétendre mener sa vie et conduire elle-même ses affaires. Ne pouvant le supporter, son père et son mari s'étaient servis de la loi sur le placement volontaire pour la faire enfermer. Ce n'était pas la première affaire de ce genre... Le docteur Blanche soutint jusqu'à sa mort que cette femme était bien folle, et les aliénistes proclamèrent en chœur que ces prétendus « internements abusifs » étaient aussi rares que discutables...

En face d'elle, les deux amies l'écoutaient avec attention.

— Si cette jeune fille a été abusivement internée, il faut en effet la faire sortir de là, continua la vieille dame, avant qu'elle n'y devienne vraiment folle... Mais l'enlever ne suffit pas. Une enquête sera ouverte, on la cherchera partout dans Paris. C'est une aristocrate, la Sûreté sera sur les dents. Où la cacherez-vous ?

— Je pensais la dissimuler chez moi, répondit Violaine de Raezal. Je n'y reçois plus guère de visites, depuis la mort de mon beau-fils...

— Et vos gens ? répondit Mme de Marsay. Pouvez-vous vous fier à chacun d'entre eux ? Êtes-vous certaine que l'un d'eux n'ira pas bavarder ? Sans compter que votre amitié avec cette jeune personne vous fera figurer tôt ou tard sur la liste des suspects... Non, c'est trop dangereux. Le mieux est sans doute qu'elle se cache ici, en attendant que nous trouvions une meilleure solution. Personne ne vient jamais m'y visiter à part cette comploteuse de Mary ! Quant aux domestiques, ils me tiennent pour une excentrique. Que j'héberge ici une cousine lointaine rescapée de l'incendie de son château familial n'étonnera personne.

— Ma tante..., murmura Mary stupéfaite, êtes-vous sûre de vouloir prendre un si grand risque pour une jeune fille que vous ne connaissez pas ?

490

— Vous le prenez bien, vous ! riposta Mme de Marsay. À mon âge, j'ai moins à perdre, et ce ne serait pas la première folie dont je me rendrais coupable... Ni la dernière, j'espère, ajouta-t-elle en effleurant le bois du fauteuil avec superstition.

*

Scrutant le parc plongé dans l'obscurité, Pierre Lescot se disait qu'il n'aimait pas l'air menaçant que prenaient les arbres à la nuit tombée. Les craquements et les frémissements qui agitaient cette entité sombre et frissonnante n'étaient pas pour le rassurer. C'était le gros inconvénient de ce travail, devoir faire le guet dehors à deux pas de ces végétaux malintentionnés.

Son collègue se plia en deux, les mains sur le ventre.

— Désolé, faut que j'y retourne ! gémit-il en se redressant douloureusement.

— Eh ben vas-y, mon pauvre vieux..., lui répondit-il.

C'était la cinquième fois en une heure. Pierre se félicita d'avoir suivi les consignes et poliment refusé la compote. Ce soir, il valait mieux être dans le camp des hors-la-loi, la peur de se faire pincer malmenait moins les intestins que le dessert explosif concocté par la cuisinière.

Profitant de l'absence de son collègue, Pierre leva sa lanterne et tira sa montre à gousset. Deux heures trente. La lumière brillait toujours à la fenêtre du

491

docteur. Une fois la lampe éteinte, il attendrait une bonne heure avant d'agiter sa lanterne.

La stratégie culinaire de Cécile Mignard s'avérait payante. L'ennui, c'était que du même coup, il se retrouvait seul avec les arbres.

*

Cécile Mignard avait une hérédité solide. Dans sa famille, on mourait vieux et dans son sommeil, ce qui était rassurant car elle avait frôlé la crise cardiaque en apportant les compotiers au dîner du personnel, tout à l'heure. Elle tremblait si fort qu'elle avait failli tout renverser. Au prix d'un effort surhumain, elle avait plaisanté avec les gardiens, poussé chacun à reprendre de cette délicieuse compote, les premiers abricots, pensez donc ! Un parfum d'été au mois de juin, ça ne se refusait pas. Son dessert avait eu un franc succès, on pouvait même dire qu'elle avait rarement reçu des éloges aussi unanimes. Ce qui ne manquait pas d'ironie car c'était sans doute le dernier repas qu'elle cuisinerait pour eux.

En les servant ce soir, elle avait observé attentivement ses collègues, tous ces individus forcés de se côtoyer tous les jours dans la promiscuité des fous. Ce n'était pas un travail ordinaire. Les religieuses avaient au moins l'avantage d'être sœurs en religion, de former une sorte de famille où les plus fortes veillaient sur les plus fragiles. Les gardiens constituaient un groupe plus hétéroclite. Ils avaient en commun la pauvreté de leurs origines et le trajet aléatoire qui les avait conduits à ce poste au bout de nombreuses péripéties, d'emplois infructueux en places perdues. Aucun n'avait de prédisposition à s'occuper des aliénés mais certains d'entre eux, de souche paysanne, avaient grandi dans ces villages du pays profond où les fous avaient encore leur place et où on les traitait affectueusement. La folie était pour eux une anomalie familière, elle ne les effrayait pas et ils se montraient patients et humains envers les pensionnaires. D'autres, qui venaient du monde âpre des usines ou de la mine, étaient animés d'un réflexe de cruauté envers les faibles, et profitaient de leur impunité relative – car l'écho de leur brutalité remontait parfois jusqu'aux médecins et ils couraient alors le risque d'être renvoyés – pour maltraiter ceux qui leur étaient confiés. Si elles partageaient le même service au réfectoire, ces deux sociétés distinctes – les religieuses et les gardiens – entretenaient le moins de rapports possible. Comme chiens et chats, songea Cécile. Trop différents pour avoir quelque chose à se dire. Quant à elle, qui formait le trait d'union entre ces deux mondes, elle n'avait guère tissé de liens qu'avec les deux aides-cuisinières qui l'aidaient la journée pour repartir le soir venu. Ce statut isolé convenait à son naturel solitaire et l'avait sans doute prédisposée à entrer dans l'illégalité.

Elle avait failli se décomposer quand une des religieuses lui avait demandé avec un air concentré :

— Ma fille, qu'avez-vous mis dans cette compote ? Il y a une saveur particulière... Depuis tout à l'heure je cherche ce que ça peut être, je l'ai sur le bout de la langue mais...

Cécile s'était fendue d'un sourire charmeur.

— Ah, ne me forcez pas à révéler mes secrets, ma sœur !

— Allez, dites-le-moi…, supplia la sœur. Ayez pitié de moi, ça peut m'occuper des heures vous savez, moins je trouve et plus ça m'obsède !

— Bon, dans ce cas…, avait répondu lentement Cécile. Ce sont des feuilles de basilic. Je trouve que ça ajoute un peu de piquant au velouté des abricots. J'ai ajouté aussi un peu de menthe et un soupçon de miel. Vous aimez ?

— Du basilic, c'est ça ! Oh, c'est un régal ! s'écria la surveillante aux anges. Tenez, s'il en reste… J'en reprendrais bien une louche.

— Péché de gourmandise, ma sœur ! lui fit remarquer sa voisine de droite dont le teint bilieux trahissait un penchant pour les aliments trop riches.

— Péché véniel, sourit la sœur Françoise-Marie, plissant ses yeux de musaraigne. Je m'absous.

Les trois compotiers étaient vides à leur retour en cuisine. Cécile les lava soigneusement après avoir pris soin de faire disparaître dans l'évier les traces de son ingrédient secret : un sirop à base d'extraits d'écorce de bourdaine. De quoi enflammer durablement les intestins. Elle avait passé les heures suivantes dans les affres du doute : avait-elle suffisamment dosé l'ingrédient mystère ? Ne pouvant prendre le risque de goûter le plat après avoir incorporé le sirop, elle avait eu la main lourde, misant sur la puissance du basilic et la suavité du miel pour masquer le goût de la bourdaine. La première partie de sa mission s'était déroulée sans fausse note mais rien n'était encore joué. Si les surveillants n'étaient pas malades, l'enlèvement tournerait au guet-apens. S'ils l'étaient trop, leurs cris de souffrance alerteraient le docteur Brunet et tout serait perdu.

C'est dire si la jolie cuisinière avait passé des heures sombres dans sa cuisine, guettant en vain le bruit de pas d'un gardien se précipitant aux latrines, se rassurant en se disant qu'il était encore trop tôt, que la digestion n'avait pas fait son œuvre, puis tremblant de nouveau à l'idée de l'écrasante responsabilité qui lui incombait, elle qui n'avait jamais rien eu de plus incertain à réussir qu'un soufflé au Grand Marnier.

Alors que les aiguilles de l'horloge de la cuisine venaient de dépasser deux heures, elle perçut des bousculades à l'étage, des pas précipités dans l'escalier, des exclamations étouffées. D'abord elle crut que les ravisseurs étaient entrés trop tôt, qu'on les coursait dans les couloirs. Elle se leva de sa chaise et alla se coller contre le mur, assourdie par le vacarme du sang dans ses oreilles. Ses jambes se dérobaient, elle devait se calmer pour parvenir à démêler les bruits qui l'environnaient. Elle pensa au métronome de Mademoiselle, dans sa première place. Elle avait dix ans quand sa mère l'avait placée comme bonne chez les bourgeois, et ne pouvait détacher ses yeux de Mademoiselle quand celle-ci s'installait au piano. Elle contemplait sa nuque gracile, ses doigts véloces et gracieux sur les touches, et le battement du métronome devenait soudain la chose la plus rassurante qui fût, garant de l'ordre immuable du monde. Elle s'apaisa, écouta. À quelques mètres d'elle, un gardien libérait brutalement ses intestins dans les latrines de la cour. Deux de ses collègues attendaient derrière, le pressant de finir vite. Elle entendit au-dessus d'elle une galopade embarrassée par la longueur des jupes. Sœur Françoise-Marie regrettait sans doute d'avoir repris du dessert.

Cécile Mignard rit doucement de son effroi, de l'excitation qui lui fouettait le sang comme l'absinthe, de son envie d'ouvrir la petite porte sur la rue et de s'enfuir à toutes jambes, de courir jusqu'à la Seine, d'aspirer à pleins poumons l'air vicié du fleuve, d'y mirer son reflet tremblant.

Cette nuit, demain au plus tard, elle serait renvoyée. Ou pire, on la jetterait en prison. Elle mesura la folie de tout cela, souriant toujours. Quand elle volait des prunes, petite, son père l'appelait « gibier de potence ». Il disait cela d'un air étonné, avec une sorte de tendresse.

*

Ses yeux se fermaient sur la page qu'il relisait et annotait çà et là avec une passion minutieuse. Il tenait une idée, une réflexion prenait forme du brouillard et il répugnait à la lâcher mais son corps faisait sécession, réclamait son dû, sa portion de nuit. Il cligna des yeux, se redressa sur son fauteuil, avala une gorgée de vin.

La peur des pauvres. C'était la maladie qui les tenait tous, les bourgeois, les aristocrates, les financiers. La hantise de ce grouillement informe qui enfantait des révolutions, des attentats, des épidémies de peste et de tuberculose, à la manière d'un monstre tentaculaire dont chaque tête fulminait de colère. Ils se barricadaient chez eux, dans leurs appartements capitonnés, hérissés de grilles, de concierges et de valets. Ils établissaient des courbes de température du peuple, tentaient d'en prédire les mouvements, les secousses épidermiques. La foule dangereuse, imprévisible, engendrait des poussées d'agoraphobie. Les riches vivaient dans cet entre-soi, ces enclaves sociales, ces cercles fermés qui les maintenaient à l'abri. Si l'endogamie en était le principe sacré, les hygiénistes luttaient contre l'habitude tenace des coucheries de bas étage, le bordel, les aventures de fossé, toute cette mixité repoussante porteuse de maladies sexuelles qui gâtaient le sang des notables. Pour les hommes, le risque infectieux venait de la luxure. Pour les femmes, de ce christianisme qui ordonnait d'aimer les pauvres. Plus la peur des pauvres asphyxiait le haut de la société, creusant l'abîme entre les hôtels particuliers et les taudis, et plus l'injonction de charité se faisait impérieuse, tyrannique. Tu aimeras ce clochard car il est ton prochain, tu panseras ses ulcères, respireras ses miasmes comme un encens. Tu nettoieras ton âme ternie au contact des foules lépreuses de Lourdes, de leurs abcès et de leurs écrouelles, tu soigneras de tes mains ces moribonds dont la simple vue est contagieuse.

Ce conflit torturait Constance d'Estingel. Son horreur de la misère, du grouillement, de la maladie s'interposait entre le Ciel et elle. La faille était là, dans cette brèche impossible à colmater, ce déchirement permanent entre le commandement de Dieu et sa répulsion instinctive. L'hystérie s'était infiltrée en elle par cette fissure, gagnant du terrain à mesure que s'affermissait l'emprise de la religion. Son pèlerinage à Lourdes en avait accéléré le processus, la plaçant dans une position si intenable qu'elle provoquait chez elle des pertes de connaissance. Après un temps d'accalmie où l'hystérie avait progressé de manière latente et sournoise, la cohue apocalyptique qui avait suivi l'annonce de l'incendie du Bazar de la Charité et cette foule malade de peur, rendue à ses instincts de survie les plus animaux, avaient eu raison de la résistance nerveuse de la jeune fille et la maladie avait gagné.

Il tenait là… Oui, il tenait là quelque chose d'essentiel, l'origine du trouble, quel vertige de satisfaction et de fatigue ! C'était merveille que son cerveau eût pisté la maladie jusqu'en sa préhistoire, enfin il tenait un diagnostic, une piste sérieuse. Et voilà que cette intuition lumineuse venait couronner des années de recherche et que l'hystérie de sa patiente se révélait être une ramification de cette peur des pauvres dont il traquait les symptômes depuis qu'il avait commencé à s'émanciper de ses maîtres. Le cas de Constance d'Estingel tenait toutes ses promesses, et plus encore. Il lui attirerait la reconnaissance de ses pairs, l'inscrirait au panthéon des explorateurs de la psyché.

Ivre de bonheur, Hyacinthe Brunet se leva en titubant, rangea ses notes dans son tiroir, alluma sa bougie et éteignit sa lampe. Dormir ne serait jamais plus délicieux que cette nuit, ni plus mérité.

L'orage éclata vers trois heures du matin, noyant le plateau de Passy d'une pluie rageuse qui crépitait sur la terre des jardins et des parcs et inondait les trottoirs, les cours et les caves. À la clinique du docteur Brunet, l'eau fit déborder les latrines de la cour déjà passablement engorgées et ajouta encore à l'extrême confusion qui régnait dans les bâtiments où gardiens et religieuses, tenaillés par leurs intestins en feu, allaient et venaient d'un étage à l'autre, cherchant à calmer les aliénés que le fracas du tonnerre avait réveillés en sursaut. À l'étage de Constance d'Estingel, ce n'était qu'un remue-ménage de religieuses accourant pour ligoter sur son lit une folle qui hurlait au Jugement dernier, injectant un sédatif à une autre qui entrait en convulsions, déverrouillant et reverrouillant les portes des chambres avant de se précipiter aux cabinets de la salle d'hydrothérapie, la sueur dégoulinant de leur guimpe tandis qu'elles voyaient leur dernière heure venue, elles allaient mourir là à force de se vider les entrailles, quelle mort idiote et quel manque de dignité à l'instant de rencontrer leur Époux céleste ! Jamais ces pauvres sœurs de la Très-Sainte-Miséricorde n'avaient autant payé de leur personne. Aucune n'avait abandonné son poste même si c'était à grand-peine qu'elles avançaient sur leurs jambes, pliées en deux telles des victimes poignardées, à bout de forces, implorant la divine miséricorde qui tardait à se manifester.

Sœur Joséphine était l'une des plus âgées et, si elle survivait à cette nuit d'épouvante, elle n'aurait pas assez du reste de sa vie pour expier la gourmandise qui l'avait poussée à se resservir plusieurs fois du dessert, faisant valoir son droit d'aînesse pour obtenir du rab. Elle n'était qu'une enfant avide devant le sucré, elle aurait pu lécher la bassine, mais cette nuit elle le payait si cher qu'elle risquait de s'en souvenir durablement. Cette petite cuisinière les avait tous rendus malades, ses abricots ne devaient pas être assez mûrs, ou bien quelque ingrédient avait tourné qui leur avait allumé un feu dans le ventre. Elle s'était déjà rendue cinq fois aux cabinets de la salle d'hydrothérapie, endurant la torture de devoir attendre son tour, au point que la tête lui tournait et qu'elle avait de la peine à tenir debout. Ses reins et son ventre n'étaient que douleur mais il fallait qu'elle y retourne, cela n'aurait-il donc pas de fin ?

Elle descendait laborieusement l'escalier du deuxième étage quand retentit le hurlement familier de la folle de la chambre n° 3. On l'appelait Louve parce qu'elle hurlait aux loups, elle pouvait hurler des heures sans se lasser, réveiller tout l'étage. Une fois lancée la seule manière de la faire taire était de la bâillonner et de l'attacher avec des sangles étroitement serrées, faute de quoi elle se débattait et arrachait son bâillon. « Elle a peut-être été loup, dans une vie antérieure ? » avait ri la sœur Jacotte en entendant pour la première fois ces hurlements plus vrais que nature, et sœur Joséphine avait été choquée de cette allusion à la transmigration des âmes, mais la sœur Jacotte ne réfléchissait guère et elle était prête à tout pour le plaisir de faire un bon mot.

Sœur Joséphine s'était immobilisée sur une marche en entendant le hurlement de Louve, il fallait remonter l'attacher avant qu'elle ne réveillât ses voisines. Au moment où les contractions de son abdomen s'intensifiaient assez pour qu'elle n'eût plus qu'une idée en tête, elle croisa un gardien qui lui parut immense, un de ces gars assez costauds pour avoir fait le fort des Halles avant de travailler ici, et vue sous l'angle de l'infinie misère qu'elle sentait dans son corps, l'allure de cet homme était menaçante, comme s'il allait la renverser d'une pichenette en la dépassant. Mais au lieu de le faire, il s'arrêta devant elle et son visage patibulaire s'adoucit brusquement tandis qu'il s'adressait à elle.

— Je m'en occupe, donnez-moi les clés, lui dit-il d'une voix chaude qui donnait envie de lui obéir sur-le-champ, du reste elle n'était pas en état de lui résister, ni de s'interroger plus avant sur ce visage étrange, comme rafistolé, qui ne lui évoquait rien de familier.

La sœur lui tendit les clés avec un sourire reconnaissant, hésitant à lui demander de la charrier sur son dos jusqu'au premier étage, mais elle était trop timide pour adresser cette requête à un grand gaillard comme lui, aussi continua-t-elle, stoïque, sa progression douloureuse vers la salle d'hydrothérapie.

*

Constance s'était préparée à une longue veille en versant sous le matelas la décoction que lui avaient préparée les sœurs et en inventoriant soigneusement tous ses souvenirs de Laszlo, depuis le plus vague, celui de sa silhouette valsant avec une autre dans la salle de bal (souvenir qu'elle avait peut-être inventé après coup, parce qu'il lui était doux de l'avoir ravi à toutes les autres, à l'espérance des autres), au plus cruel, celui de cet après-midi d'avril où il avait descendu les marches de l'hôtel d'Estingel pour ne plus y remettre les pieds, et où elle l'avait vu s'éloigner de dos depuis la fenêtre de sa chambre, sans parvenir à faire le moindre geste pour le retenir alors que son front appuyait de toutes ses forces contre la vitre comme si elle avait voulu la traverser pour le rejoindre.

Elle n'alla pas au bout de ce voyage mémoriel, trop de questions tourbillonnaient tels des papillons autour d'une lampe. Elle avait beau y réfléchir le plus froidement possible, elle courait à l'hypothèse la plus invraisemblable et imaginait que Laszlo lui avait écrit ces lignes, *Cette nuit, tenez-vous prête*, pourtant ce n'était pas son écriture, à moins qu'il ne l'eût maquillée pour la circonstance. Elle n'empêcherait pas son esprit de s'enfiévrer à ce sujet, pourtant l'explication était certainement tout autre, son père par exemple, son père qui avait eu le temps de regretter de l'avoir fait interner et projetait de l'enlever cette nuit. C'était la seule explication plausible.

Ou bien… Ou bien l'une de ses geôlières avait-elle été saisie de pitié, et l'avertissait qu'on lui laisserait cette nuit la possibilité de s'enfuir. Une clé resterait sur la serrure, ses gardiennes détourneraient les yeux le temps qu'elle s'évaporât dans cette chemise de nuit épaisse où elle macérait dans sa transpiration. S'imaginer livrée à la nuit parisienne et à ses dangers la submergea d'angoisse.

Non, quelqu'un allait l'enlever, la laisser s'enfuir était trop risqué. Son père avait dû arranger cela, peut-être même avait-il demandé à Laszlo de lui prêter main-forte, non non tu vas trop loin, tu t'emportes, tu déraisonnes.

Percevant de l'agitation dans le couloir, des bruits de pas et des gémissements étouffés, elle retint sa respiration. À nouveau des bruits de pas précipités, puis plus rien que le silence jusqu'à ce que l'orage éclatât. Le fracas du ciel ravageant la terre, la pluie giflant les vitres du corridor et les hurlements des folles terrassèrent tous les autres bruits, chuchotements, frottements, froissements de jupes, tintements de verre, pas dans l'escalier, murmures, jurons, cliquetis d'un trousseau de clés. Les hurlements de Louve, sa voisine de chambre, montèrent en puissance, se mêlant à la symphonie du tonnerre et de la pluie. Sa plainte animale ébranla les murs de la clinique, versant dans le bouillonnement du ciel toute cette rage impuissante des folles emmurées dans leur labyrinthe, qui se cognaient aux projections délirantes de leur conscience fendillée.

Les yeux fermés, Constance écoutait si intensément qu'elle percevait les sons cachés derrière les sons. Une respiration derrière sa porte. L'hésitation d'une main posée sur la poignée, puis retirée comme si elle était brûlante.

La clé dans la serrure de sa porte. La porte entre-bâillée sur un visage de religieuse dans le faisceau tremblant d'une lampe-tempête. L'ombre d'un géant derrière elle tandis qu'elle entrait dans la chambre, s'approchait de ce lit où Constance n'osait respirer.

— Constance, murmura la religieuse penchée au-dessus d'elle, vous me reconnaissez ? Je suis venue vous chercher.

Les yeux écarquillés, elle fixait ce visage, n'osant croire à sa réalité dans ce lieu, c'était un fantôme, un fantôme brûlant soufflé par les cendres.

— Vite, venez avec moi, murmura le fantôme en la touchant de ses mains chaudes, l'aidant à se lever du lit, attrapant les sabots rangés près de la porte pour en chausser ses pieds nus, lui saisissant le bras pour l'entraîner dans le couloir tandis que le géant la tenait de l'autre côté, elle était si faible, elle chancelait en s'appuyant sur eux.

Ils traversèrent le corridor en un singulier cortège à trois têtes, biscornu et déséquilibré.

Au bout du couloir, ils tombèrent nez à nez avec la sœur Françoise-Marie, Constance sentit qu'elle perdait un sabot, le géant la portait littéralement.

— Vous l'emmenez à la salle d'hydrothérapie ? interrogea la sœur en la désignant de son menton pointu de musaraigne.

Le géant hocha la tête, affichant un air sombre et pressé propre à décourager son interlocutrice tandis que la comtesse de Raezal se penchait vers Constance pour éviter d'être dévisagée.

— L'orage les détraque, ces malheureuses…, murmura la sœur Françoise-Marie qui avait l'air bien mal en point, avec son habit complètement de travers et son teint de cholérique.

En haut des marches, le géant prit Constance dans ses bras d'un geste sûr et rapide, comme si elle ne pesait rien, elle perdit son deuxième sabot à mi-parcours et il la porta à travers les couloirs éteints qui allaient aux cuisines, puis jusqu'à la cour comme une princesse délivrée d'un donjon, ses pieds nus réveillés par la morsure de l'air froid tandis qu'elle se faisait le plus légère possible, ses bras accrochés au cou puissant de l'homme qui l'arrachait à sa prison. Une autre femme vêtue d'une pèlerine les attendait sous le porche de la cuisine, et Constance eut le temps d'apercevoir la petite cuisinière à l'intérieur, de la voir lui adresser un sourire au moment où l'inconnue s'approchait d'elle et lui collait un mouchoir sur le visage, le tenant appuyé jusqu'à ce que la jeune fille s'effondrât lentement sur elle-même. La retenant dans ses bras, l'inconnue l'allongea sur le carrelage de la cuisine et la laissa là, comme si elle s'était endormie épuisée à même le sol.

Comme ils se précipitaient vers la petite porte sous des rideaux de pluie glacée, l'inconnue tendit une pèlerine au géant qui en recouvrit sa protégée, la tenant solidement dans ses bras tandis qu'ils disparaissaient dans l'orage telle une créature hybride retournant au chaos qui l'avait enfantée. Une fois dehors, ils se mirent à courir, les bottines de ces dames glissant sur les pavés disjoints de la rue que noyait un torrent d'eau boueuse se ruant vers la Seine.

Quand ils atteignirent l'abri de la voiture, ils étaient trempés jusqu'aux os mais un sang bouillant circulait dans leurs veines, qui leur cuisait les joues. Ayant confié Constance aux deux femmes comme un trésor précieux, Joseph sautait déjà du marchepied quand la comtesse de Raezal lui tendit la pèlerine dont il s'était servi pour couvrir la jeune fille.

— Couvrez-vous, Joseph, lui dit la comtesse. Vous allez attraper la mort !

Le géant accepta à contrecœur. Comme il avait peu le souci de lui-même, songea Constance, quel homme singulier.

Roulant tambour battant, la voiture rejoignit le quai de Passy et longea la Seine en direction du Louvre. La violence de l'orage avait vidé les quais, ils ne croisèrent qu'une poignée de fiacres et quelques silhouettes équivoques affairées à leurs trafics nocturnes. Les trois femmes s'étaient changées dans l'obscurité de la voiture, emballant les habits religieux avec la chemise de nuit de Constance dans un grand sac dissimulé sous la banquette. Vêtue d'une robe noire qui appartenait à Mary Holgart, Constance avait enveloppé sa tête dans un bonnet de dentelle un peu lâche et enfilé de longs gants de soie noire. Elle était assez méconnaissable pour ne pas attirer l'attention d'un agent de la Sûreté au cas où la voiture se ferait arrêter en chemin. Durant le trajet, elles échangèrent peu de mots, la peur d'être rattrapées leur serrait la gorge et elles scrutaient les quais avec une attention anxieuse. Ce n'est qu'une fois arrivées dans les petites rues tranquilles du Marais que Mary Holgart osa sourire à la jeune fille.

— Votre nouvelle vie commence, mon enfant. Nous vous expliquerons tout, mais sachez que vous êtes désormais recherchée par la Sûreté, ou le serez d'ici quelques heures. C'est pourquoi nous avons dû vous forger une nouvelle identité. Peut-être qu'un jour, quand l'écho de toute cette affaire se sera tu, vous pourrez reprendre ce nom, si vous le souhaitez encore. Mais aujourd'hui, il vous faut rompre avec tout ce qui faisait votre vie, vos parents, vos amis, vos habitudes, la maison où vous avez grandi, sous peine de nous condamner tous. C'est très sérieux, Constance. À partir de maintenant, vous devrez oublier votre nom et votre vie passés ou choisir de perdre ceux qui ont tout risqué ce soir pour vous arracher à ce lieu.

Constance se tut, réalisant qu'en l'enlevant au docteur Brunet, ses sauveteurs l'avaient peut-être condamnée à ne jamais revoir Laszlo. Comme si tous les chemins de sa vie aboutissaient à la séparer de lui.

— Je comprends, répondit-elle la gorge serrée. Vous avez risqué tellement pour me sauver… Ma dette envers vous est immense et je ne l'oublierai pas.

— N'ayez pas d'inquiétude, chère Constance, lui sourit la comtesse de Raezal, nous n'allons pas vous abandonner à votre sort. Je veillerai sur vous avec Mme Holgart et Mme de Marsay, qui vous offre dès ce soir le refuge de sa maison. Vous porterez désormais le nom d'Aurore de Bussy, ce qui fait de vous la descendante de la marquise de Sévigné. Mais c'est une parenté lointaine qui ne devrait pas vous attirer trop de curiosités.

Constance hésita, regardant se déployer ces deux noms sans oser les prononcer à voix haute. Aurore de Bussy. Aurore, c'était l'aube rouge enflammant l'horizon, la promesse d'un recommencement. Bussy évoquait les buis du couvent de Neuilly, ces haies denses et parfumées derrière lesquelles se cachaient les pensionnaires. La grâce de l'aurore et le secret des buis.

— C'est un joli nom, murmura-t-elle.

Devant l'hôtel de Marsay, Joseph arrêta la voiture et leur ouvrit la portière. Quand il tendit sa main chaude à Constance d'Estingel, elle la retint un instant dans les siennes, le fixant de ses yeux noirs où brillaient des larmes au bord d'éclore.

— Merci, murmura-t-elle, attardant son regard dans le sien, et elle vit trembler ce visage abîmé dont la beauté l'émouvait car elle sourdait de l'âme de cet homme.

Le géant lui sourit timidement, s'effaçant pour la laisser descendre.

26

Comme Mme de Marsay l'avait prédit, la Sûreté déploya de grands moyens pour retrouver Constance d'Estingel. Deux heures après que le docteur Brunet l'eut avertie qu'on avait enlevé une de ses riches patientes, des agents furent envoyés à l'hôtel d'Estingel, chez Mme Du Rancy, chez Laszlo de Nérac, à l'hôtel de Fontenilles et au couvent des dominicaines de Neuilly. Si la stupéfaction y fut générale, elle provoqua des sentiments mêlés chez Laszlo de Nérac et chez Louis d'Estingel, parce que tous deux auraient pu avoir l'idée de cet enlèvement et que chacun soupçonna aussitôt l'autre d'en être l'auteur.

La Sûreté ne plaisantant pas avec l'enlèvement des aliénés, on fouilla les demeures de tous ces gens des caves à l'étage des domestiques et jusqu'aux cellules des dominicaines de Neuilly. On inspecta chaque centimètre carré du pensionnat et du couvent, des dortoirs aux allées du parc. S'offusquant violemment de cette intrusion masculine, les dominicaines s'entendirent répondre par le docteur Brunet, qui avait accompagné les policiers tant il était sûr que

Constance d'Estingel s'y dissimulait sous la protection de la mère supérieure :

— Pardonnez-nous, mes sœurs, mais nous devons nous assurer que vous ne cachez pas cette jeune personne...

— La cacher ? s'exclamèrent les religieuses scandalisées. Pourquoi ferions-nous une chose pareille ?

— N'auriez-vous pas caché Thérèse d'Avila si on l'avait internée pour hystérie ? répondit Hyacinthe Brunet en fixant la mère supérieure avec un sourire ironique, bien qu'il ne fût guère d'humeur à plaisanter.

— Monsieur, répondit mère Marie-Dominique en le toisant avec une colère froide, confondre la sainteté et l'hystérie, c'est injurier ensemble l'intelligence et la foi. Si vous avez fait interner Mlle d'Estingel sur de tels postulats, je ne m'étonne pas que quelqu'un s'en soit ému et vous l'ait enlevée. Mais mes sœurs et moi n'avons rien à voir là-dedans. Et puisque vous venez de vérifier par vous-même que Mlle d'Estingel ne se trouvait pas dans ces murs, je vous prie de nous laisser retrouver la paix que vous avez troublée.

À l'hôtel d'Estingel, les agents de la Sûreté visitèrent chaque pièce, scandalisant Amélie qui apprenait du même coup que Constance avait été enlevée et qu'on la soupçonnait d'un tel délit alors qu'elle soutenait le docteur Brunet depuis la première heure. Louis d'Estingel ne mâcha pas ses mots, s'indignant de la légèreté de ce médecin incapable de veiller à la sécurité de ses pensionnaires. Il demanda qu'on l'informât d'heure en heure des progrès de l'enquête, et promit de transmettre à la Sûreté toutes les informations qu'il pourrait recueillir. Après le départ des agents, il s'effondra sur la causeuse de son épouse avec un profond soupir.

— Nérac est derrière tout ça, j'en mettrais ma main à couper, dit-il.

— Pourquoi l'avoir caché aux gens de la Sûreté ? répondit Amélie qui respirait bruyamment un flacon de sels.

— Parce que je préfère encore la savoir avec Nérac qu'en la compagnie des fous, rétorqua-t-il avec un mélange d'inquiétude, de culpabilité et de soulagement.

Avenue Montaigne, les enquêteurs n'eurent pas davantage de succès. Mme Du Rancy les laissa fouiller sa demeure de fond en comble sans protester. Sous le choc de la nouvelle de l'enlèvement de sa protégée, elle questionna les agents, le personnel de la clinique avait-il vu le ou les ravisseurs ? Le chef de la Sûreté lui répondit qu'il ne pouvait divulguer les détails de l'enquête et lui fit promettre de le contacter si elle entendait parler de quoi que ce fût.

— La jeune demoiselle qu'on a enlevée, c'est celle que Madame hébergeait ? Celle qui avait un bandeau sur la tête ? l'interrogea sa femme de chambre qui l'aidait à s'habiller pour ses visites de l'après-midi.

— Oui, c'est elle, répondit Mme Du Rancy avec une expression distraite.

— Mon Dieu, mais qui a bien pu faire une chose pareille ? C'est affreux ! murmura la femme de chambre.

Mme Du Rancy hocha la tête, mais elle ne trouvait pas cela si affreux. Pour tout dire, elle n'imaginait pas que ses ravisseurs eussent pu nourrir de funestes intentions envers la jeune fille. Elle songea au fiancé de Constance d'Estingel, ce jeune homme brun qui était venu plusieurs fois la trouver dans l'espoir de voir sa fiancée. Il lui avait semblé tenir énormément à elle. Assez pour l'enlever, sans doute. Mais alors, pourquoi sa pensée revenait-elle sans cesse à ce matin de mai, et aux deux visiteuses à qui elle avait confié que Constance d'Estingel avait été internée à Passy, dans la clinique du docteur Brunet ? L'une était la nièce de Mme de Marsay, et Mme Du Rancy connaissait la générosité de son cœur. L'autre avait été la compagne d'infortune de la petite Constance dans cet horrible incendie.

Mme Du Rancy archiva ces conjectures dans un coin de sa tête et se rendit au siège de l'œuvre qu'elle présidait. Elle aimait l'idée que la jeune fille eût échappé au docteur Brunet. Elle aimait se dire qu'elle la reverrait, qu'elle n'était pas condamnée à perdre l'un après l'autre tous les êtres auxquels elle s'attachait.

Cécile Mignard perdit son emploi le lendemain de l'enlèvement. Après que la sœur Joséphine eut découvert la porte ouverte et la chambre vide, quand il devint patent que la jeune patiente n'était nulle part dans l'établissement et qu'il fallut se résoudre à sonner l'alerte et à réveiller le docteur, on retrouva la cuisinière inconsciente sur le carrelage de la cuisine. On la ranima et l'interrogea. La seule chose dont elle se souvenait était d'avoir vu un gardien dont elle n'avait pas reconnu le visage, juste avant d'être chloroformée. Pouvait-elle décrire ce gardien ? Elle se concentra. Voyons, c'était un grand gaillard, et sa figure avait quelque chose d'effrayant, comme ces boxeurs qui se battent sur des rings de fortune.

— Je pense qu'il s'est cassé le nez et qu'on le lui a mal remis, il avait un nez déformé, trop grand pour son visage.

Elle tâcha de faire une description du cocher suffisamment précise pour corroborer celle des témoins éventuels. Précise et faussée à la fois parce qu'elle correspondait à l'homme grimé et maquillé qui était entré dans la clinique, et exagérait les défauts de sa physionomie pour mieux taire ce qui l'avait séduite d'emblée chez le cocher, cette propension à la douceur, cette chaleur des traits qui vous enveloppait et vous donnait confiance. Elle espérait que sa description ne conduirait personne au cocher. Du reste, il l'avait prévenue qu'il quittait Paris dans quelques jours pour plusieurs mois, information qui avait provoqué en elle un pincement inattendu à l'endroit du cœur.

Elle ne fut pas soupçonnée d'avoir prêté main-forte aux ravisseurs, sans doute parce que les médecins de la clinique l'avaient toujours considérée comme une créature inoffensive aux aptitudes limitées. Mais quand le docteur Brunet apprit que sa compote avait rendu tout le personnel malade, il ne chercha même pas à la revoir et chargea l'un de ses assistants de la congédier sur-le-champ et de lui donner la part de gages qui lui était due. Cécile Mignard en fut blessée, même si elle comprenait sa frustration d'avoir perdu une patiente et qu'il l'en tînt pour responsable. Elle avait toujours eu du respect et une certaine admiration pour ce docteur qui travaillait sans relâche, et eût aimé qu'il lui annonçât en personne qu'il ne voulait plus d'elle. Elle s'était imaginé la scène, l'embarras qui serait le sien quand il dirait : « Cécile, je sais que cette catastrophe était bien involontaire de votre part, mais comprenez qu'après un drame de cette ampleur, je ne puis vous garder… Sachez cependant que je vous donnerai les certificats nécessaires pour trouver une autre place, et que j'ai toujours été satisfait de votre travail et de votre sérieux. Vous êtes une cuisinière hors pair, et croyez que je regrette de devoir me séparer de vous. »

Au lieu de quoi il la traitait comme la délinquante qu'elle était, ignorant pourtant l'étendue de sa forfaiture. Elle se consola à la pensée que Mme de Marsay lui avait promis de lui trouver une autre place d'ici quelques semaines, pour ne pas attirer l'attention. En attendant, elle irait s'installer chez sa mère qui tenait une pension de famille du côté de Clichy.

Ce serait un peu comme des vacances, songea-t-elle avec excitation. Du temps à soi, sans rendre de comptes.

Joseph redouta toute la semaine de voir débarquer la Sûreté à l'hôtel d'Alençon. Il avait commencé à se laisser pousser la barbe pour se rendre moins facilement identifiable et avait suspendu ses promenades dans Paris, se contentant d'accomplir les tâches quotidiennes que lui confiait le duc. Il se procurait chaque matin le journal auprès du concierge, après que le duc en avait parcouru les titres, mais on n'y mentionnait pas l'enlèvement de Constance d'Estingel. Il faut dire que personne n'avait intérêt à ébruiter cette affaire dans la presse, pas plus le médecin – qui redoutait la mauvaise publicité faite à sa clinique – que les parents de la jeune fille, qui avaient de bonnes raisons de garder son internement secret.

Il n'avait pas repris contact avec la comtesse depuis la nuit de l'enlèvement, et ignorait si Pierre Lescot et Cécile Mignard avaient été inquiétés. Pour être franc, il ne se souciait du destin du gardien que dans la mesure où celui-ci pouvait les faire tous prendre. Il en allait tout autrement de la petite cuisinière. Joseph se faisait un sang d'encre à son sujet. Il avait détesté la laisser inconsciente dans cette cuisine, même s'il admettait le bien-fondé de cette précaution de Mme Holgart. Il enrageait de ne pas savoir ce qui était advenu d'elle. Il se souvenait qu'il lui avait promis de veiller sur elle. Encore une promesse qu'il n'avait pu tenir.

La veille de leur départ pour le château de Mentelberg, le duc vint le trouver aux écuries où il prenait soin des chevaux et s'assurait qu'ils seraient en état pour le long périple qui les attendait.

— Tout est prêt, Joseph ? demanda-t-il en s'approchant des stalles.

— Oui, Monsieur le duc, tout est prêt. À quelle heure Monsieur le duc souhaite-t-il partir ?

— Tôt, mon ami. Sept heures, si cela vous convient, répondit le duc.

— Très bien, M. le duc. M. le duc de Vendôme et son épouse seront-ils du voyage ?

— Non, ils me rejoindront là-bas.

Joseph nota que le duc s'attardait, semblait embarrassé de lui-même. Il avait longtemps cherché à différer ce voyage à Mentelberg, dans le beau château que la duchesse et lui avaient choisi comme résidence secondaire. Ce serait le premier été qu'il y passerait sans elle depuis qu'ils avaient acheté la propriété. Son fils et sa belle-fille l'avaient convaincu d'y retourner avec eux, il avait cédé, mais Joseph sentait qu'il y allait à reculons.

— Elle se réjouissait de retourner à Mentelberg, d'y accueillir ses enfants, sa petite-fille…, murmura-t-il.

Joseph hocha la tête avec tristesse. Pour lui aussi la perspective de cet été sonnait funèbrement. Dans un passé proche, il s'était toujours réjoui de quitter Paris pour les sommets tyroliens et de n'avoir plus à trembler pour la duchesse, la sachant à l'abri au sein de sa famille. Cette année, son absence lui rappellerait à chaque instant qu'il l'avait conduite à la mort un matin de mai. Il serait de surcroît exilé à des milliers de kilomètres de Paris, tenu dans l'ignorance de ce qui arriverait à ces femmes aux destins desquelles il avait lié le sien. Mlle d'Estingel, la comtesse de Raezal, Mme Holgart, Cécile Mignard. Deux mois plus tôt, leurs noms ne signifiaient rien pour lui, à peine eût-il identifié Mary Holgart pour l'avoir croisée chez ses maîtres. Désormais elles faisaient partie de sa vie et de ses préoccupations.

— L'été dernier, quand nous étions à Mentelberg…, continua le duc en caressant la tête d'une jument à la robe d'un noir bleuté, ma femme a rédigé son testament. Nos invités venaient d'arriver et je la cherchais partout dans la maison, je finis par la trouver assise à son secrétaire. Quand elle me confia ce qui l'avait occupée si longtemps, je trouvai que c'étaient là de bien funèbres pensées en ce jour d'été que nous venions de passer avec nos enfants, et que nous allions finir entourés de quelques amis intimes… Je me souviens de m'être dit : comment peut-elle penser à sa mort en un moment pareil ?

Joseph ne dit rien, il n'aurait su quoi répondre. Il avait d'ailleurs conscience que les confidences du duc ne lui étaient pas vraiment destinées. Jamais l'idée ne lui serait venue de s'en offusquer car cette intimité, qui se disait comme au confessionnal avec la calme certitude que rien ne transpirerait au-dehors, témoignait de la confiance que son maître lui accordait.

— Je n'imaginais pas qu'il me faudrait lire ce testament quelques mois plus tard…, soupira le duc. Elle voulait qu'on brûle sa chevelure… Sa magnifique chevelure que j'aimais tant, qu'elle dénouait le soir et qui me faisait l'effet d'une cascade blonde… Elle ne voulait pas qu'on en sauve une seule mèche. Pour être juste, elle m'autorisait à le faire mais espérait que je respecterais l'intégralité de son vœu… Comment l'avouer, Joseph ? Ces mots m'ont blessé affreusement. Comme si elle avait voulu que je ne puisse rien garder d'elle.

Joseph hocha la tête. On n'était pas toujours juste dans le chagrin, et la colère qui l'accompagnait étendait un voile rouge qui brouillait les perceptions et vous faisait voir le mal là où il n'était pas.

— Et finalement, je n'ai rien gardé d'elle..., murmura le duc. Le feu ne m'a rien laissé. Il y a là une leçon, n'est-ce pas, Joseph ? Une leçon douloureuse mais une leçon quand même. Je ne suis pas sûr de bien la comprendre, mais j'ai le reste de ma vie pour m'y efforcer.

Sur ces mots, il s'éloigna, sa haute silhouette de militaire raidie par la peine et l'écroulement de ses repères. S'il avait recouvré toute sa fermeté de caractère, il avançait mécaniquement, si profondément désorienté qu'il lui fallait retrouver le sens et la finalité de chaque geste. Et Joseph, s'il n'était pas assez savant pour s'expliquer les subtils rouages des êtres, percevait la fragilité de son maître, le vacillement profond qui fragilisait cet homme d'airain. Il lui faudrait veiller sur le duc le temps que la violence première du deuil se dépose, restaurant l'équilibre qui venait de voler en éclats.

Le soir venu, n'y tenant plus, Joseph alla faire ses adieux à l'hôtel de Marsay. Il demanda à voir Mme Holgart, ajoutant qu'il avait un pli de la part du duc d'Alençon et qu'il avait pour consigne de le lui remettre en personne. On le fit attendre dans l'antichambre où la femme de chambre de Mme Holgart vint le chercher pour le conduire dans un petit salon. Aux boucles rousses qui dépassaient de son bonnet de dentelle, il devina qu'elle était la sœur de Cécile Mignard et brûla de lui demander de ses nouvelles, mais la femme de chambre s'éclipsa aussitôt pour le laisser seul avec sa maîtresse.

— Je vais vous gronder d'être venu jusqu'ici, Joseph..., lui dit Mme Holgart avec un regard sévère. Vous n'avez pas pris la voiture du duc, j'espère ?

— Non, je suis venu à pied, Madame, se hâta-t-il de répondre. J'ai fait plusieurs détours, et vérifié tout le temps que personne ne me suivait. Je pars demain pour Mentelberg et je… je voulais vous faire mes adieux. Et prendre des nouvelles…

— Joseph…, murmura-t-elle. Notre dette envers vous est immense, et vous serez toujours accueilli avec amitié dans cette maison. Vous avez tout risqué pour sauver notre protégée, je ne l'oublie pas. Seulement vous devez repartir au plus vite. Votre visite nous met tous en danger.

— Je comprends, Madame, et je n'aurais pas dû venir. Madame aurait-elle juste la bonté de me dire si tout le monde va bien ?

Elle le dévisagea et son expression s'adoucit en déchiffrant l'inquiétude mortelle qui l'avait poussé à enfreindre les règles de prudence.

— Tout le monde va bien, soyez rassuré. Ma femme de chambre a eu des nouvelles de sa sœur, qui a perdu sa place mais en retrouvera bientôt une autre grâce aux relations de ma tante. Pierre Lescot travaille toujours à la clinique. Mlle de Bussy est encore sous le choc de l'incendie qui a détruit le château de sa famille. Elle se remet peu à peu et reprend goût à la vie… Notre amie la comtesse de Raezal lui rend visite presque chaque jour. Quant à moi, je suis sur le départ, je retourne chez moi, en Amérique ! Je reviendrai à Paris à l'automne, et j'espère que vous me rendrez visite quand toute cette affaire se sera apaisée.

— Madame peut compter sur moi, répondit Joseph dont le visage s'était brutalement détendu.

Merci, Madame, je pars le cœur plus léger de savoir que tout le monde va bien…

— Prenez soin de vous, Joseph, lui répondit Mary Holgart avec gravité. Vous êtes un homme de cœur. Dans l'été, voulez-vous bien envoyer de vos nouvelles à l'hôtel de Marsay ? Ma tante me les transmettra.

Il acquiesça en souriant et se hâta de prendre congé, disparaissant dans la nuit suave où la lueur douce des becs de gaz n'aveuglait pas le scintillement des étoiles.

*

— Vous avez raté votre coup, ma chère ! s'écria le marquis de Fontenilles d'un petit air triomphal en découvrant l'éditorial du *Figaro*. Votre proscrit vient de se faire embaucher au *Figaro* ! Il y tiendra désormais une chronique quotidienne sur les évolutions de notre société. Vous qui pensiez avoir tué sa carrière dans l'œuf…

Ils se tenaient tous deux sur la terrasse de leur château angevin, partageant un petit déjeuner qui eût été agréable en un temps plus ancien, à l'époque où le marquis mirait sa réussite dans la beauté de son épouse et encourageait son goût du faste et des mondanités. Il la traitait désormais en hôtesse encombrante dont le visage défiguré gênait son ascension sociale, et se réjouissait de ces petites défaites accumulées qui marquaient la déchéance d'une femme jadis éclatante et souveraine.

— Cela vous met en joie ! répondit-elle d'un ton acerbe.

Il fit mine de n'avoir pas entendu, il était fort à cela, mais se fit un plaisir de lui lire l'éditorial qui prenait la défense d'un confrère injustement sali par la rumeur publique, accusé de la plus infamante des conduites, et que le tribunal venait de laver de tout soupçon.

— « Laszlo de Nérac s'en remettra, son intégrité et son humanité sortent grandis de cette affaire douteuse », lut le marquis à haute voix, savourant chaque syllabe de ces mots qui mortifiaient l'orgueil de son épouse. « Nous qui avons partagé avec lui les ténèbres de la salle Saint-Jean, nous ne pouvions faire moins que de l'accueillir au sein de ce journal, pour qu'il y exprime tout son talent au service de la vérité, après avoir affronté le mensonge sous la forme de cette intolérable rumeur. » On ne saurait être plus clair ! commenta-t-il en se redressant sur son siège.

« Nous voudrions en profiter pour répondre à tous ceux qui nous ont poussés, ces dernières semaines, à faire une enquête approfondie sur ce que l'on a appelé "le rôle des hommes", au Bazar de la Charité, et qui n'a été, heureusement pour notre pauvre espèce masculine, que "le rôle de quelques hommes". Nous avons, sur ces trop regrettables exceptions, donné très nettement notre sentiment. Nous n'en sommes que plus autorisés à penser qu'une enquête où la malignité publique, l'esprit de coterie, peut-être même l'esprit de parti se donneraient libre cours exposerait ceux qui voudraient la faire aux plus déplorables erreurs et aux pires injustices. C'est en pareille matière surtout qu'il

vaut mieux laisser échapper dix coupables que de cou-
rir le risque d'incriminer un innocent. »

— Saluons bien bas ces champions de la morale…, répliqua la marquise. Reste que leur victime devra bientôt répondre en justice de l'assassinat d'un innocent !

— Assassinat, comme vous y allez ! ricana son mari en lui jetant un regard en coin. Allons donc, tuer un homme en duel n'est pas un crime, personne ne le condamnera pour ça et vous le savez parfaitement.

La marquise s'affaissa sur elle-même. Bien sûr, on ne condamnerait pas Laszlo de Nérac pour avoir tué cet homme, pas plus qu'on ne reprocherait à son époux de la martyriser jour après jour, lui faisant payer la disgrâce physique à laquelle elle devait d'être encore en vie.

*

Le mois de juin s'achevait et le grand monde avait quitté Paris pour rejoindre les lieux de villégiature estivale, le littoral normand ou les rives de la Méditerranée, les cités italiennes, les villes d'eaux ou leurs châteaux de province. Dans la ville apaisée que n'électrisait plus le tumulte de la vie mondaine ne restaient plus que le peuple et les financiers, les industriels, tous ces entrepreneurs qui se hissaient sur l'échelle sociale en servant la nouvelle religion du travail pendant que les rentiers distrayaient leur ennui et leur spleen par de nouvelles lubies sportives ou ésotériques. Mary Holgart traversait l'Atlantique sur un paquebot flambant neuf et ses pensées allaient à cette jeune fille qu'ils avaient sauvée. Elle espérait pour elle une existence plus libre et plus heureuse sous le nom d'Aurore de Bussy, et faisait confiance à sa tante de Marsay pour l'aider à se reconstruire. Elle pensait aussi à Violaine. Ne s'étaient-elles pas sauvées elles-mêmes, en fin de compte, en venant au secours de Constance d'Estingel ?

Accoudée au bastingage du pont supérieur, protégée de la fraîcheur des nuits en mer par un mantelet d'astrakan, Mary sentait s'apaiser le scrupule qui l'avait rongée tant d'années de n'avoir rien fait pour Sophie. La tristesse de sa mort la rongeait toujours mais elle n'était plus compliquée de ressentiment ni d'amertume. C'était un fleuve pacifique qui coulait en elle, charriant les larmes qu'elle n'avait pas versées.

Elle pensait aussi à son mari qu'elle allait retrouver à Boston, et à l'hypocrisie de ce mariage qui ressemblait à tant d'autres. Elle avait découvert au bout de plusieurs années que son mari la trompait depuis l'origine. Cette découverte l'avait brisée de douleur, elle avait d'abord voulu mourir. Son mari lui avait expliqué qu'il était désolé de lui causer de la peine mais qu'il en était ainsi dans ce monde, les hommes épousaient une femme sans renoncer à toutes les autres, il était dans leur nature d'avoir faim de chacune et, sous peine de s'atrophier, ils devaient se ménager de ces à-côté qui rendaient l'existence supportable. Il lui avait enjoint de se ressaisir, rien de tout cela n'était tragique, il suffisait d'accepter la réalité et de savourer le confort de cette vie en regardant ailleurs, ce qu'on ne voyait pas ne pouvait blesser. Elle s'était appliquée à regarder ailleurs mais quelque chose en elle avait cassé qui ne se réparait pas. Désormais son corps refusait d'engendrer un enfant avec cet homme et de s'abandonner à lui, devenait cette poupée souple et sans âme sous le corps nu d'un mari qui ne paraissait pas s'en apercevoir. Et peu à peu, sa vie propre s'était détachée de ce mariage et de sa famille, à la façon d'un fruit arrivé à maturité. Quand était venue à son mari l'idée de s'en offusquer, il était trop tard pour la rattraper, elle était déjà loin, inaccessible et souriante, et ne pouvant perdre les avantages inhérents à cette union, il avait choisi de s'en accommoder à condition que les apparences demeurassent sauves. Elle s'était pliée à ce léger compromis et figurait près de lui aux repas de famille et aux grands dîners mondains. Et finalement, elle était heureuse dans les marges de ce en quoi elle avait cru.

À Paris, Laszlo de Nérac se préparait à être jugé pour homicide involontaire. Ses témoins Maurice Dampierre et Guillaume de Termes avaient beau lui certifier qu'il serait acquitté et qu'aucun jury français ne condamnerait un duelliste, il redoutait ce procès et la boue qu'il allait remuer. Il redoutait de voir se lever le spectre ensanglanté de sa victime, pointant son doigt vers lui dans la salle d'audience. Sa culpabilité n'avait pas faibli, il dormait mal et le plus douloureux, c'était qu'il n'avait plus le sentiment d'être un homme de bien. Il avait découvert les coutures de son personnage, la violente imperfection de sa nature. L'orgueil avait toujours été sa force et son talon d'Achille, et il en payait aujourd'hui le prix. Son idéal de vie, son intransigeance envers lui-même et envers les autres, toutes ces constructions de son orgueil avaient sombré avec lui. Désormais il se verrait forcé d'accorder aux autres le droit de se tromper et de s'abîmer comme il s'était abîmé.

— Dans le fond, avait répondu Maurice à qui il confiait un soir ces constats désolants, c'est ce qui vous manquait pour devenir un véritable auteur. Vous étiez un archétype, le hussard fougueux ! Vous voilà devenu humain. Il ne vous reste plus qu'à retrouver votre sens de l'humour, sans quoi vous rejoindrez la clique de ces romanciers sinistres que personne ne veut fréquenter.

— Humain ? avait répondu Laszlo avec un air désabusé. Coupable, plutôt. Je suis et resterai coupable, même si je ressors libre de ce procès.

— Nous avons tous du sang sur les mains, intervint Guillaume de Termes en posant sur lui son beau regard franc. C'est ça, être humain… Et là je rejoins Maurice. Vous ne l'aviez pas encore réalisé, c'est tout.

*

Violaine de Raezal avait beau entourer d'affection la jeune pensionnaire de l'hôtel de Marsay, amortissant la brutalité de son glissement dans une existence clandestine, ses parents lui manquaient. Ce n'était d'ailleurs pas tant leur personne qui lui manquait que les repères qu'ils avaient constitués jusqu'ici dans sa vie. Ils n'étaient plus là pour lui ordonner de se marier ou de sortir dans le monde, garants de la bienséance et du calendrier mondain. Constance ne devait plus guerroyer pour chaque centimètre de liberté et une indépendance effrayante lui était soudain offerte. Se mêlait à cela le manque de ce que ses parents auraient pu être pour elle s'ils en avaient été capables, le manque de cette affection qu'ils n'avaient jamais su lui prodiguer, et tous ces manques s'additionnaient jusqu'à lui donner le sentiment confus qu'elle vivait maintenant une vie qui n'avait pas plus de réalité que ses jeux d'enfant, n'étant pas plus Aurore de Bussy que princesse ensorcelée ou dompteuse de lions. Quelques semaines après l'enlèvement, Violaine lui suggéra donc d'écrire à ses parents un message court qu'on leur ferait porter par un de ces gamins des rues prêts à toutes sortes de services pour quelques sous.

— Ne donnez aucune information concrète, ajouta-t-elle. Restez vague sur l'endroit où vous êtes, la manière dont vous subsistez. Ne confiez rien qui puisse aider quiconque à vous retrouver.

Constance redescendit l'escalier quelques instants plus tard, lui confiant le message suivant :

Ces quelques mots pour vous dire que je suis en vie et que je vais bien.
Ne cherchez pas à me retrouver.
Avec toute mon affection, Constance

Partie rejoindre Paul rue de Babylone, Violaine fit un détour par les quais de la Seine à l'endroit où se dressait le chantier titanesque de la prochaine

Exposition universelle. Dans le fracas des pelles et des pioches, elle y dénicha sans peine un gamin dégourdi dont les yeux futés brillaient dans l'ombre, et lui proposa un marché qu'il ne pouvait refuser.

Chaque matin, Constance s'éveillait dans sa chambre bleue au papier fleuri de myosotis, dans la clameur des ouvriers au travail depuis de longues heures, et l'espace de quelques minutes, elle flottait dans la désorientation la plus complète. Se confondaient toutes les chambres de sa vie, les bruits matinaux de la clinique, la présence discrète des femmes de chambre écartant les rideaux, l'odeur puissante du chloral qui piquait les yeux, la note discrète d'une eau de toilette, les fleurs et les jolis bibelots de Mme Du Rancy, la camisole de force suspendue à un crochet, un rameau de buis dépassant d'un crucifix. Puis elle se rappelait de quelle manière sa vie avait basculé à partir de l'incendie. Cet irrémédiable lui interdisait désormais de pousser la porte de la maison de ses parents, ou de retourner voir la mère Marie-Dominique. En la faisant évader, ses anges gardiens avaient brûlé les chemins qui menaient à son passé. Il y avait au fond d'elle un continent perdu distillant une nostalgie puissante qui débordait sur le papier.

Elle écrivait tous les jours et elle avait demandé à Mme de Marsay de lui procurer un traité de versification. La vieille dame lui avait ouvert sa bibliothèque et elle se plongeait avec délice dans les poèmes de Marceline Desbordes-Valmore et dans ceux de Paul Verlaine. En épanchant leur âme dans ces agencements de mots scintillants et limpides, ils parlaient à la sienne et elle sentait fondre les banquises qui s'étaient formées en elle, emprisonnant ses émotions dans ces terres reculées où le docteur Brunet ne pourrait les atteindre.

Votre nom seul suffira bien
Pour me retenir asservie ;
Il est alentour de ma vie
Roulé comme un ardent lien.

Ces mots de Marceline Desbordes-Valmore semblaient écrits à son intention, tant le nom de Laszlo incendiait ses pensées avec l'insistance d'une petite flamme cruelle. Quant à Verlaine, il devenait le messager de l'homme qu'elle avait perdu. Elle relisait certains de ses vers jusqu'à l'épuisement :

J'ai rêvé d'elle, et nous nous pardonnions,
Non pas nos torts, il n'en est en amour,
Mais l'absolu de nos opinions
Et que la vie ait pour nous pris ce tour.

Laszlo lui avait confié un jour à quel point il aimait Verlaine, et ses vers vibraient de secrets à elle seule murmurés car elle avait désormais l'ouïe assez fine pour les entendre. Paul et Marceline se parlaient à travers leurs solitudes croisées et Constance, bercée par la musique de leurs défaites et de leurs déchirements, apprenait à écouter sa propre musique, passant de longs moments à l'affût d'un adjectif qui s'échappait à peine posé, battant l'air de ses ailes multicolores.

— Me ferez-vous l'amitié de me faire lire vos vers, un jour prochain ? lui avait demandé Violaine.

Ayant hoché la tête en rougissant, Constance, qui ne pouvait rien refuser à la comtesse, lui confia le lendemain quelques vers dont elle n'était pas trop mécontente.

— C'est très beau, lui avait dit Violaine de Rae-zal après les avoir lus. Accepteriez-vous que j'en parle à Mme de Marsay ? Je crois qu'elle connaît un édi-teur que vos textes intéresseraient.

— Croyez-vous que mon travail ait la moindre chance d'intéresser un professionnel ? avait demandé Constance avec un air si profondément dubitatif que la comtesse n'avait pu réprimer un sourire.

— Je le crois, avait répondu Violaine. Je lis beau-coup de poésie et je trouve qu'il y a une grâce sin-gulière dans vos vers. Quelque chose de fort et de friable à la fois… Je gage que Mme de Marsay ira dans mon sens et vous encouragera à les faire publier. Je lis aussi dans ces vers, ajouta-t-elle en la regardant dans les yeux, le souvenir douloureux d'un amour qui ne s'est pas consolé.

— Cet amour est une écharde, avait répondu Constance. Quand je crois l'oublier, il se rappelle douloureusement à moi.

— S'agit-il de cet homme auquel vous avez été fiancée ?

Constance se figea, interdite. Elle n'avait aucun souvenir d'avoir parlé de Laszlo à la comtesse. Se pouvait-il qu'elle eût murmuré son secret le plus cher à celle qu'elle avait prise pour un fantôme, cette nuit d'orage où elle était venue l'arracher à sa prison ?

Ou bien étaient-elles devenues âmes sœurs à l'instant où leurs mains s'étaient trouvées dans la fumée âcre du Bazar, au point de pouvoir lire l'une à travers l'autre ?

— Parfois, il me semble que mes poèmes sont les fragments d'une lettre qui lui est adressée mais qu'il ne lira jamais, répondit-elle. C'est peut-être mieux ainsi.

Violaine sentait Constance plus solide chaque jour. C'est alors que l'idée lui vint à la manière d'un pollen soufflé par la brise, subtile et redoutable, si tentante qu'elle eut raison de sa prudence. Elle écrivit la lettre.

Monsieur,

Si le sort de certaine jeune personne vous importe toujours, vous aurez de ses nouvelles en vous rendant le vendredi de cette semaine à l'hôtel de Marsay, rue des Lions-Saint-Paul.

Le lendemain, comme elle allait rendre visite à Constance, elle s'ouvrit de son projet à Mme de Marsay.

— Êtes-vous certaine qu'elle souhaite revoir cet homme ? l'interrogea la vieille dame en baissant la voix.

— Je le crois.

— Cette enfant est encore fragile, être confrontée à son passé pourrait avoir des conséquences néfastes…, objecta Mme de Marsay.

— J'ai rencontré cet homme il y a quelques semaines et il m'a semblé profondément épris de notre protégée, répondit Violaine, pensive.

— Pouvons-nous lui faire confiance ? la coupa la vieille dame. Saura-t-il garder le secret ?

— Je l'ignore…, admit Violaine.

— Faites porter le message, répondit Mme de Marsay. Nous verrons bien ce qui en ressortira.

*

Laszlo avait redouté de lire un message de ce genre et le séisme qu'il provoquerait en lui, l'effet de souffle qui le précipiterait à l'adresse indiquée comme si son cœur esquinté n'attendait que le coup de grâce. Il l'avait redouté depuis l'annonce de l'enlèvement de Constance et à présent il se tenait là, devant la porte de cet hôtel particulier à la splendeur voilée, un de ces diamants ternis que l'œil profane prend pour de la verroterie. Son cerveau abritait trop de questions pour un seul jour. Un majordome en livrée l'introduisit dans le grand salon lumineux de l'hôtel de Marsay. Deux femmes l'y attendaient, et il reconnut la première avec perplexité. Pour quelle raison sibylline la comtesse de Raezal se trouvait-elle mêlée à cette affaire ? La seconde, plus âgée, ne pouvait être que la maîtresse de céans.

Ils s'entretinrent longuement. Ce qu'ils se dirent demeurerait secret longtemps après que le souvenir de l'incendie du Bazar de la Charité aurait faibli et presque disparu de la mémoire collective, lorsque le nom de Constance d'Estingel ne signifierait plus rien pour ses contemporains.

— Cette enfant est aujourd'hui sous ma protection, conclut l'étrange vieille dame qui le fixait de ses yeux perçants comme si elle jaugeait sa valeur d'homme à l'étoffe de son costume. Je ne permettrai pas qu'on lui fasse du mal. La comtesse de Raezal et moi ne le permettrons pas, ajouta-t-elle en jetant un coup d'œil à la belle comtesse qui ne disait mot. C'est une jeune fille grièvement brûlée, abîmée jusque dans son âme. Un seul regard de vous peut la blesser à jamais. Aussi ne puis-je vous autoriser à la rencontrer pour l'instant. Je ne vous connais pas et vous aimez peut-être cette enfant d'un amour sincère. Mais la jeune fille dont vous rêviez, cette beauté qui vous a séduit, n'est plus. Ces épreuves l'ont transformée dans son esprit et dans sa chair. Il vous faudra apprendre à l'aimer comme elle est, ou renoncer à elle.

— Et je ne suis plus l'homme qu'elle a connu, rétorqua Laszlo. Je me suis perdu. Mme la comtesse vous a sans doute rapporté la manière dont j'ai lavé l'affront qu'on avait fait à ma réputation. J'ai tué son beau-fils alors qu'il ne m'avait rien fait, j'ai tué un innocent et j'en porterai le fardeau le reste de ma vie. Je n'ai pas traversé les flammes comme Constance, mais je suis plus abîmé qu'elle, et sans doute indigne de son amour…

La vieille dame le dévisagea en silence, puis se tourna vers la comtesse de Raezal et lui adressa un léger signe de tête.

— Suivez-moi, dit la comtesse de Raezal.

Elle le conduisit jusqu'à un salon d'hiver dont les portes-fenêtres donnaient sur une petite cour ombragée par des tilleuls aussi vieux que les murs. Au pied des arbres, Constance d'Estingel – qui ne répondait plus à ce nom et s'efforçait d'en effacer les traces dans sa mémoire – lisait sur une chaise longue. Son corps plus fin que dans son souvenir, flottant dans une longue robe de soie noire, semblait prêt à se briser au moindre souffle. Ses beaux cheveux avaient été entièrement brûlés. Le chignon noir qu'il distinguait sur sa nuque gracile était une perruque dont la savante architecture n'égalerait jamais les moires enchanteresses de sa chevelure, la douceur de cette mèche satinée dont elle lui avait fait cadeau en gage de son amour. Son cœur se serra au spectacle de la fragilité de Constance. Sa princesse de fer n'était plus.

— Comme elle est petite et menue…, murmura-t-il.

— Ne vous y trompez pas, lui dit la comtesse de Raezal. Il y a en elle un courage rare. Rien de ce qu'elle a souffert n'a pu la faire plier. J'ignore comment elle y est parvenue, sa force m'impressionne…

Absorbé par celle dont le souvenir fantasmé avait pris la place depuis une éternité, Laszlo de Nérac étudiait passionnément ce visage grave absorbé dans sa lecture, retrouvant la ligne pure de ces traits qui l'avaient ému au milieu de tous ces visages poudrés, ce soir de bal où elle avait arrêté son regard.

— Que lit-elle ? interrogea-t-il.

— *Les Fêtes galantes*, je crois, répondit Violaine de Raezal en souriant. En ce moment, elle ne jure que par Verlaine.

— Verlaine ? murmura Laszlo, songeant aux vers qu'il avait emportés au sinistre matin du duel.

— Revenez demain, monsieur, lui dit Violaine de Raezal. Si vous l'aimez, revenez tous les jours. Mme de Marsay n'est pas un tel dragon qu'elle ne puisse se laisser fléchir par un attachement sincère.

— Vous ne me haïssez pas ? l'interrogea Laszlo en la regardant enfin.

Elle aurait pu le haïr pour bien des choses. Pour avoir tué Armand, pour avoir réveillé son désir et l'avoir éteint d'un même mouvement, pour aimer une autre femme quand elle avait tant besoin d'être aimée encore, mordue encore, caressée et pénétrée. Elle aurait pu le haïr de n'avoir pu l'aimer, et se délecter de cette haine comme d'un alcool fort. Mais la révolution qui s'était amorcée en elle avec la décision de sauver Constance se nourrissait d'un tout autre élan, dont la puissance la remplissait d'une vie intense et créatrice qui ne s'attardait pas à étreindre du vide.

— Je ne vous hais pas, et je vous aimerai en ami si vous aimez Constance, répondit-elle. À demain.

*

Ce soir-là, Violaine rentra chez elle en proie à l'exaltation d'avoir réuni deux êtres que les circonstances eussent dû séparer à jamais. Puis son cœur se gonfla à l'idée de retrouver ce garçon dont elle oubliait peu à peu qu'il n'était pas le sien. Il faut que je l'adopte, se dit-elle en passant le porche de l'hôtel de Raezal, il est temps de le mettre à l'abri, de lui apporter la sécurité qu'il n'a jamais eue.

Paul Marin avait beaucoup changé depuis ce jour de mai où la comtesse de Raezal était entrée dans sa vie. Ses brûlures étaient toujours aussi laides et le resteraient. Il regardait le monde d'un seul œil valide mais parvenait aujourd'hui à s'en réjouir. S'il souffrait encore terriblement dans son corps, il n'était plus cette chose abandonnée qui rêvait d'en finir. Il arrivait maintenant à parler et à rire, et sa spontanéité – qu'il avait contrainte et étouffée toute sa vie pour atteindre à l'invisibilité – s'exprimait enfin. C'était un garçon rêveur et fantaisiste, traits de caractère qui avaient fait de lui un piètre domestique mais enchantaient la comtesse. Dans ce tempérament si peu ancré à la terre, elle voyait le signe que Paul n'avait pas été créé pour l'existence médiocre qu'il avait vécue jusqu'ici, qu'il était né pour un destin particulier et que leur rencontre n'avait rien de fortuit. Elle était celle qui pouvait l'aider à se réaliser dans ce monde, et l'attachement qu'elle ressentait pour lui, prenant source dans son cœur privé d'enfant, devenait cette impulsion brûlante, généreuse et perspicace, cette charité qui voyait en l'autre un semblable et l'aidait à se remettre debout.

Ainsi, Violaine avait trouvé en elle la force, inépuisable, d'aller vers les autres et de les réunir, allégeant le poids de solitude de ces vies au cloisonnement étanche où l'on étouffait lentement.

Chaque fois qu'elle pensait à la duchesse d'Alençon – et elle pensait souvent à elle –, Violaine de Raezal se disait que s'il était un bonheur possible sur cette terre, on ne pouvait y accéder qu'en laissant mourir certaines choses en soi. Toutes ces choses lourdes et encombrantes qui étaient un grenier plein d'objets cassés et poussiéreux que l'on n'osait mettre au rebut, mais qui arrêtaient la lumière.

ÉPILOGUE

Elle s'était levée très tôt, avant le jour. Elle aimait ces heures qui n'appartenaient qu'à elle, dans la maison endormie où seuls les domestiques s'affairaient avec une discrétion énergique, allumant le feu et les fourneaux aux cuisines, époussetant dans la pénombre les bibelots du salon et les livres, secouant les tapis dans le noir de la cour. Ferdinand dormait encore, bien qu'il fût matinal.

Elle se levait à l'heure où les moniales s'éveillaient dans le noir de leur cellule, du sommeil dense qui sépare les vigiles des laudes. Elle partageait ces quelques heures avec tous les retirés du monde, tous ceux qui puisaient la sève de leur existence dans ces longues minutes contemplatives qui les rassasiaient de silence. Comme eux, elle arrivait alors à se tenir en face d'elle-même et à se regarder sans tricherie. Dans le clair-obscur de la nuit finissante, elle était enfin capable de poser sur elle-même un regard qui ne fût pas dénué d'amour, et de percevoir les plus infimes changements de son âme rétive à la métamorphose, empêtrée dans ses mauvais plis, ses frilosités. Comme eux, elle comprenait qu'elle pouvait pardonner à cette âme sa petitesse, ses ailes poissees de sucre qui peinaient à se décoller du sol. À genoux sur le prie-Dieu que lui avait légué son tyrannique beau-père, le visage dans ses mains, elle y voyait enfin clair et embrassait la petite fille qu'elle avait été, et la joie parfaite des soirées de Possenhofen qui les avait réunis tant d'années durant, enfants et parents, cousins et amis. Une joie mélangée à la prescience inquiète que ces particules de bonheur s'éparpilleraient, se dissoudraient inexorablement.

En tant que benjamine, elle avait vu partir tous ses frères et sœurs et la maison se vider de son agitation exubérante tandis que grandissait l'écho de ses pas menus dans les couloirs. Elle avait vu partir, puis revenir ces princesses flamboyantes qu'étaient ses sœurs. Elle les avait vues se réfugier à l'abri de la famille, avait assisté à ces retours qui sonnaient comme autant de défaites. Elles repartaient ensuite vers ces vies d'épouses où leur fantaisie s'épuisait comme l'or d'une rivière pris dans le tamis des hommes. Elle avait espéré échapper à leur sort, se sentant destinée à être emportée par un amour qui la garderait dans sa main, précieusement enclose. Mais elle n'avait pas réussi à rester dans cette main, à s'y rassurer, s'y consoler. Elle n'avait jamais été la gentille épouse acceptant les tutelles avec gratitude. Dès ses premiers mois dans cette Angleterre froide et pluvieuse où la famille de France vivait exilée s'étaient réveillées en elle une aspiration sauvage à la liberté, une sensibilité au monde trop aiguisée pour supporter les limites étriquées de cette vie. Elle s'était arc-boutée mais son corps l'avait lâchée, entraînée dans mille petites morts qui la jetaient à bas de cette position douloureusement acquise pour l'entraîner dans une fuite que rien ne semblait pouvoir arrêter. Elle avait rejoint ses sœurs exilées dans la forteresse de leur cœur brisé, laissant sur la rive des hommes impuissants à les retenir.

Au long de ses fugues dans les villes thermales, elle avait rencontré cet homme qui l'avait arrêtée plus sûrement que la flèche d'un archer. Ses qualités ne suffisaient pas à expliquer l'embrasement de son être. Il n'était ni plus beau ni plus intelligent que celui qu'elle avait fait le serment d'aimer jusqu'à la mort. Il se tenait simplement sur ce chemin où tant d'autres, avant lui, étaient demeurés transparents. D'où venait qu'elle l'avait vu et regardé, prenant note du grain de beauté sur sa paupière droite et de la fossette enfantine que creusait son sourire ? Il n'y avait pas d'explications. Son désir les méprisait superbement, qui pliait tout à sa loi avec la tranquille assurance d'une majesté de droit divin. La folie de ce désir l'impressionnait, son inflexibilité, cet entêtement qui sourdait de l'enfance et fondait les éclats brisés de son être en une entité neuve et entière qui se laissait enfin caresser, mordre et embrasser pour mieux embrasser à son tour, s'abandonnant à sa propre voracité. Les pieux barbelés de la loi maritale se plantaient en vain dans sa chair et l'épine de sa culpabilité avait beau mêler de la douleur à ses extases, son corps enfin réuni pleurait de reconnaissance. Elle savait que ce corps ne supporterait pas que tout cela s'arrête, ne pourrait endurer d'être à nouveau scindé en plusieurs morceaux, ne pourrait se résigner à cette mort à petit feu. Elle avait armé son cœur pour traverser une tempête. Elle avait résolu de porter la marque écarlate, d'être cette traînée qui quittait son mari et détruisait sa famille.

On l'avait poursuivie, rattrapée, arraisonnée, confrontée, enfermée dans sa chambre, internée.

On l'avait méthodiquement démolie, rompue, assujettie.

Ce « on » était autant d'hommes qui voulaient son bien, aux intentions excellentes.

Ils l'avaient laissée à l'état de cendres. Ferdinand, qui eût aimé que cette créature cassée ressemblât davantage à sa femme, avait déposé ces cendres entre les mains des dominicains de la Sainte-Baume.

Les yeux fermés dans la pénombre fraîche de sa chambre, elle se revit à son entrée dans la grotte de Marie-Madeleine. Les moines l'avaient accompagnée jusqu'au seuil avant de la laisser avancer seule dans le sanctuaire. Elle n'était plus que ce souffle exténué, cette flamme mourante, cette forme agenouillée sur le sol humide.

Elle avait fermé les yeux, déposé à l'abri de la roche son infinie lassitude, le fil tranché de tant d'espoirs, cette résignation qui lui ployait l'échine.

Elle était restée sous les yeux de la pécheresse sanctifiée par l'amour du Christ, celle que flétrissait le jugement des hommes et que l'homme-Dieu avait relevée, distinguée entre toutes ses semblables parce qu'elle savait aimer.

Une onde de chaleur l'avait alors enveloppée, consolée, remplie si intensément que son écorce brisée avait tressailli, vacillé tandis que toutes les larmes contenues derrière la digue de sa volonté coulaient enfin, baignant son visage de leur eau lustrale. Elle avait senti la compréhension, la compassion qui accompagnaient cette chaleur, et son cœur se déplier, s'ouvrir pour l'accueillir au profond de son être. Entrant en elle, il y avait consumé les restes souffrants de son ancien moi. Ce qui était mort était destiné à mourir. Puis l'onde fulgurante l'avait quittée, réveillant ce désir irréductible qui n'aspirerait plus, désormais, qu'à retrouver cette fusion spirituelle.

Par la suite, sa faim n'avait cessé de croître. Elle avait transformé sa vie, elle l'avait dévolue au service des pauvres. Elle était entrée dans le tiers ordre dominicain sous le nom de sœur Marie-Madeleine, avait communié chaque jour et senti grandir ce désir de Dieu contre lequel Ferdinand ne pouvait rien. Elle était devenue forte, courageuse et charismatique. Elle avait rallié les bonnes volontés derrière la bannière de son nom. Elle était allée soigner les malades contagieux, les plus pauvres d'entre les pauvres, reculant sans cesse les limites de la charité. Elle n'appartenait plus qu'à ce grand calme qui l'irriguait tout entière, à ce désir contre lequel le jugement des hommes ne pouvait plus se dresser. Le manque de Dieu la consumait, son absence avait creusé ce vide en elle où revenait nicher sa plus ancienne mélancolie. *Celui qui perd sa vie pour l'amour de moi la trouvera.* Elle s'efforçait de perdre de son mieux cette vie fragile et boiteuse. Elle traversait les miasmes des maladies contagieuses, s'engageait dans ces coupe-gorge où des enfants faméliques survivaient dans l'ombre entre les voleurs et les prostituées. Elle leur offrait ces provisions d'amour et de patience qui jaillissaient de son cœur incendié dans la grotte de la Sainte-Baume. Et elle continuait à présider chaque année le comptoir des noviciats dominicains au Bazar de la Charité, par fidélité à ses chers dominicains.

Sa méditation terminée, elle se releva et sonna sa femme de chambre qui vint l'aider à s'habiller. Cet après-midi, le nonce apostolique viendrait bénir le Bazar de la Charité, ses vendeuses et ses nombreux visiteurs. Le hangar de la rue Jean-Goujon serait comble, et si elle se réjouissait de cette affluence en songeant à toutes les œuvres qui en tireraient bénéfice, cette journée n'en serait pas moins une épreuve à laquelle elle devait se préparer. Elle avait longtemps redouté ces obligations d'altesse royale, ces dîners interminables, ces cocktails et ces réceptions qu'on ne pouvait refuser, ces visites qu'il fallait rendre pour ne pas froisser les susceptibilités. Mais dans la nouvelle clarté de sa foi, dans ce rayonnement mystique qui rendait toutes choses égales, elle n'avait aujourd'hui plus de peine à tenir son rang ni à prodiguer à Ferdinand cette tendresse bienveillante qui unit parfois les époux après de longues années de mariage, au point qu'ils finissent par se ressembler comme frère et sœur. Ainsi, elle l'avait désarmé, sans que cela découlât d'une stratégie consciente, de sorte qu'il ne songeait pas à s'inquiéter du sentier escarpé sur lequel elle marchait, des paroles qu'elle avait confiées au père Raynal ou du testament fraîchement rédigé qu'elle gardait dans un tiroir de son secrétaire. Ce testament qu'elle avait rédigé quelques mois plus tôt au château de Mentelberg, elle pouvait en réciter chaque mot, chaque injonction :

Je désire et je demande quand je serai morte qu'une religieuse ou une sœur du tiers ordre de Saint-Dominique de la Fraternité me coupe les cheveux et les brûle en entier, immédiatement, sans en garder pour qui que ce soit, excepté pour mon bien-aimé mari, le duc d'Alençon, s'il en désire ; mais je le prie de bien vouloir se conformer à mon désir et de laisser détruire mes cheveux entièrement.

Elle voulait qu'on l'enterre avec la simplicité d'une moniale. Pas de fleurs, de cercueil capitonné, de musique. Porter jusque dans la mort l'empreinte de ce désir auquel elle s'était donnée tout entière.

Après la messe, elle revint prendre le premier déjeuner avec son mari, les pattes de son chien Ponto posées sur ses genoux, et se montra légère et joyeuse, confiant à Ferdinand des anecdotes sur ses clients de la veille au Bazar. Comme il était facile de distribuer à chacun l'attention dont il était affamé, d'être le pont sur lequel se croisaient deux âmes solitaires, de déchiffrer sur un visage la cicatrice invisible d'une blessure secrète. Il fallait bien sûr déployer une infinie patience, une énergie inépuisable qui rompait les jambes le soir venu. Mais elle n'avait pas la moindre volonté de s'épargner, bien au contraire. Elle savait désormais qu'elle n'était ici que de passage et ce sentiment de l'éphémère l'allégeait, en même temps que s'aiguisait et s'élargissait sa sensibilité au monde. L'étroitesse d'esprit et les préjugés de sa caste n'avaient plus de sens pour elle, et c'était tout naturellement qu'elle s'était liée avec la comtesse de

Raezal et lui avait présenté la petite Constance d'Estingel, pressentant qu'elle ne serait bientôt plus là et qu'une consolation pourrait alors naître au croisement de ces deux solitudes. Ce don inlassable d'elle-même était une liberté qui l'enivrait.

L'heure filait en maraudeuse. Elle ordonna qu'on prépare sa voiture avant de regagner sa chambre pour se changer. Sa femme de chambre l'aida à revêtir une robe de popeline noire ornée de légers dessins en satin blanc surpiqués de dentelle noire. Le col était garni de rubans de satin noir et de tulle, et l'ensemble était d'une élégance si raffinée qu'elle eut plaisir à s'observer dans la glace, avant de jeter un mantelet à rubans et dentelle noire sur ses épaules et d'enfiler ses gants. Sa femme de chambre l'aida à ajuster un chapeau de paille noire garni de plumes de héron sur sa chevelure tressée en couronne et lui tendit son ombrelle et le petit sac de cuir où elle rangerait la recette du jour.

Avant de partir, elle rappela à Ferdinand que le nonce apostolique venait bénir le Bazar de la Charité à trois heures. Il lui assura qu'il serait là à temps, et embrassa sa main gantée, l'emprisonnant quelques minutes avant qu'elle ne lui échappât. Elle croisa le regard doux de ses yeux bleu pâle, cette manière tendre qu'il avait de l'implorer sans mots et de vouloir la retenir alors qu'elle était déjà partie.

Sa voiture astiquée étincelait dans le soleil de cette journée splendide. Joseph, son cocher, se découvrit et s'inclina en la voyant.

— Nous voilà repartis, Joseph ! s'exclama-t-elle gaiement, notant avec amusement qu'il s'était lustré les favoris et la moustache pour aller au Bazar de la Charité.

Il l'aida à grimper en voiture, et comme toujours elle fut émue de la fidélité de cet homme, de la délicatesse avec laquelle il veillait sur elle à sa manière.

REMERCIEMENTS

Je tiens à remercier les quatre lecteurs qui ont accepté le travail fastidieux de lire ce roman chapitre par chapitre au fil de l'écriture et m'ont aidée, par leurs retours de lecture précieux et bienveillants, à aller au bout de cette aventure littéraire sans m'y perdre ou me décourager. Ils ont de surcroît apporté à ce roman une touche de roman-feuilleton qui lui va comme un gant. Thomas Sinaeve, Marie Boulic, Guy Peccoux et Laurence Valentin, sans vous ce roman ne serait pas ce qu'il est, peut-être ne serait-il pas du tout !

Merci à la BNF pour ce merveilleux cadeau qu'est la banque de données numériques Gallica, cette bibliothèque de Babel à la disposition de tous. Sans elle, je n'aurais pas disposé de la matière première pour écrire ce roman. Durant quatre ans, je m'y suis promenée avec délices, nourrissant mon imaginaire et mes personnages de cet « esprit d'époque » sans lequel le passé n'est jamais qu'un décor de carton-pâte.

Merci à Ninnog, Lisa, Arthur et Ninon, à Bénédicte, ma mère et ma plus fervente lectrice, à Yorick, Olivia, Erwan et Tristan, mes frères et sœur adorés, à Tayou, à Marie-Ève, Caroline et Mickaël, à toute ma famille et à mes amis pour leur soutien inconditionnel et leur affection.

AVERTISSEMENT

Les personnages et l'intrigue de ce roman sont entièrement fictifs, même s'ils s'appuient sur certains événements réels du mois de mai 1897, notamment l'incendie du Bazar de la Charité. Si je me suis inspirée de quelques personnages historiques (tels que le préfet Lépine, le duc et la duchesse d'Alençon) pour nourrir leurs alter ego de fiction, ce roman n'est en aucun cas un travail d'historienne et ne prétend pas l'être.

Je tiens cependant à préciser que les coupures de presse citées dans ce roman, à l'exception des articles de Laszlo de Nérac et de ceux qui concernent le duel, sont extraites des journaux de l'époque, notamment du *Figaro*, de *La Croix* et du *Gaulois*.

Le Livre de Poche s'engage pour
l'environnement en réduisant
l'empreinte carbone de ses livres.
Celle de cet exemplaire est de :
450 g éq. CO$_2$
Rendez-vous sur
www.livredepoche-durable.fr

PAPIER À BASE DE
FIBRES CERTIFIÉES

Composition réalisée par PCA

Imprimé en France par CPI
en mars 2017
N° d'impression : 3022234
Dépôt légal 1re publication : mars 2016
Édition 06 - mars 2017
LIBRAIRIE GÉNÉRALE FRANÇAISE
21, rue du Montparnasse - 75298 Paris Cedex 06

87/2977/8